Einaudi Tascabili. L

25

«Circa i dati biografici, è dettaglio che posso sbrigare in un baleno», scriveva Beppe Fenoglio a Italo Calvino che gli chiedeva qualche dato da includere nella presentazione editoriale del suo primo libro *I ventitre giorni della città di Alba*, in uscita nei «Gettoni» di Elio Vittorini. «Sono nato ad Alba il 1° marzo 1922, studente al ginnasio-liceo, poi all'Università, ma naturalmente non mi sono laureato. Soldato del Regio e poi partigiano. Oggi uno dei procuratori di una nota ditta enologica. Credo sia tutto qui. Ti basta, no? Mi chiedi una fotografia. Ora, sono sette anni circa che non mi faccio fotografare...»

Non si faceva fotografare volentieri. Parlava poco, ma, prima o poi, finiva per lamentarsi o gloriarsi del suo grosso naso, un naso da Cirano, la citazione è sua. Quando Elio Vittorini gli pubblicò *I ventitre giorni* nel 1952, gli restavano solo dieci anni da vivere e da scrivere, ma avrebbe lasciato una grande, insuperabile impronta nella narrativa italiana della seconda metà del secolo.

Il risvolto dei «Gettoni» vittoriniani riecheggia i pochi dati forniti a Italo Calvino: «Con Beppe Fenoglio, la nostra collana presenta un nome del tutto nuovo alla letteratura. Fenoglio è nato nel 1922 ad Alba, dove è vissuto fino a quando è andato soldato, e dove vive ancor oggi, procuratore di una ditta vinicola. Fuori d'ogni descrittiva regionalistica, Fenoglio della sua provincia sa cogliere piú ancora che un paesaggio naturale, un paesaggio morale, il piglio in cui s'articolano i rapporti umani, un gusto «barbarico» che persiste come gusto di vita non solo nel costume del retro-terra piemontese. Ed è questo sapore "barbaro" a caratte-rizzare i racconti che ora presentiamo, rievocanti episodi partigiani o l'inquietudine dei giovani nel dopoguerra. Sono racconti pieni di fatti, con una evidenza cinematografica, con una penetrazione psicologica tutta oggettiva e rivelano un temperamento di narratore crudo ma senza ostentazio-ne, senza compiacenze di stile, asciutto ed esatto».

Nel clima della guerra fredda, *I ventitre giorni* fu frainteso da denigratori e fautori. «l'Unità» s'impermalí, e ne parlò come di una «mala azione», scandalizzata per una rappre-sentazione della Resistenza non consona alla retorica vigen-te. Ma giustamente Emilio Cecchi poté scrivere nel 1963, alla prematura morte a Torino di Beppe Fenoglio per male incurabile: «Oggi che ci troviamo davanti all'insieme della sua opera viene da chiedersi se la rappresentazione della gri-gia vita campagnola e di grandiose e terribili vicende, abbia-no avuto negli scrittori delle ultime generazioni altro inter-prete all'altezza e della gravità di questo. Rari sono coloro che scrissero di quegli anni insanguinati con la concreta e sofferta conoscenza che egli ebbe di cosí terribile e gelosa materia, e col suo virile senso di pudore di fronte a certi estremi della ferocia e dell'orrido. Anche piú rari quelli che, come lui, naturalmente e indissolubilmente seppero unire la giustizia e la compassione...»

Beppe Fenoglio aveva pubblicato, oltre ai *Ventitre giorni*, *La malora* nel 1954, sempre presso Einaudi e sempre nei «Gettoni» vittoriniani. *Primavera di bellezza* nel 1959, pres-so Garzanti. Presso lo stesso editore uscirono postumi nel 1963 sotto il comune titolo *Un giorno di fuoco*, alcuni rac-conti contadini e il romanzo breve *Una questione privata*. Nel 1968 fu la volta de *Il partigiano Johnny*, presso Einaudi, e presso lo stesso editore uscí nel 1969 il romanzo giovanile *La paga del sabato* e nel 1973 l'incompiuto *Un Fenoglio alla prima guerra mondiale*. L'edizione critica delle *Opere* di Bep-pe Fenoglio, a cura di Maria Corti, è stata raccolta sempre presso Einaudi in tre volumi della «Nue» nel 1978, e vi si fa distinzione tra un *Partigiano Johnny* n. 1 e un *Partigiano Johnny* n. 2.

Il giudizio piú efficace su Beppe Fenoglio l'ha scritto il suo coetaneo Italo Calvino nel 1971, e proprio a proposito di *Una questione privata*: «È costruito con la geometrica tensione d'un romanzo di follia amorosa e cavallereschi inseguimenti come l'*Orlando furioso*, e nello stesso tempo c'è la Resistenza proprio com'era di dentro e di fuori, vera come era stata scritta, serbata per tanti anni nella memoria fedele, e con tutti i valori morali, tanto piú forti quanto piú impliciti, e la commozione e la furia. Ed è un libro di paesaggi, ed è un libro di figure rapide e tutte vive, ed è un libro di parole precise e vere. Ed è un libro assurdo, misterioso, in ciò che si insegue, si insegue per inseguire altro e quest'altro per inseguire altro ancora e non si arriva al vero perché...»

Beppe Fenoglio
Una questione privata
I ventitre giorni della città di Alba

Einaudi

Una questione privata

La bocca socchiusa, le braccia abbandonate lungo i fianchi, Milton guardava la villa di Fulvia, solitaria sulla collina che degradava sulla città di Alba.

Il cuore non gli batteva, anzi sembrava latitante dentro il suo corpo.

Ecco i quattro ciliegi che fiancheggiavano il vialetto oltre il cancello appena accostato, ecco i due faggi che svettavano di molto oltre il tetto scuro e lucido. I muri erano sempre candidi, senza macchie né fumosità, non stinti dalle violente piogge degli ultimi giorni. Tutte le finestre erano chiuse, a catenella, visibilmente da lungo tempo.

«Quando la rivedrò? Prima della fine della guerra è impossibile. Non è nemmeno augurabile. Ma il giorno stesso che la guerra finisce correrò a Torino a cercarla. È lontana da me esattamente quanto la nostra vittoria».

Il suo compagno si avvicinava, pattinando sul fango fresco.

– Perché hai deviato? – domandò Ivan. – Perché ora ti sei fermato? Cosa guardi? Quella casa? Perché ti interessi a quella casa?

– Non la vedevo dal principio della guerra, e non la rivedrò piú prima della fine. Abbi pazienza cinque minuti, Ivan.

– Non è questione di pazienza, ma di pelle. Quassú è pericoloso. Le pattuglie.

– Non si azzardano fin quassú. Al massimo arrivano alla strada ferrata.

– Da' retta a me, Milton, pompiamo. L'asfalto non mi piace.

– Qui non siamo sull'asfalto, – rispose Milton che si era rifissato alla villa.

– Ci passa proprio sotto, – e Ivan additò un tratto dello stradale subito a valle della cresta, con l'asfalto qua e là sfondato, sdrucito dappertutto.

– L'asfalto non mi piace, – ripeté Ivan. – Su una stradina di campagna puoi farmi fare qualunque follia, ma l'asfalto non mi piace.

– Aspettami cinque minuti, – rispose cheto Milton e avanzò verso la villa, mentre soffiando l'altro si accoccolava sui talloni e con lo sten posato sulla coscia sorvegliava lo stradale e i viottoli del versante. Lanciò pure un'ultima occhiata al compagno. – Ma come cammina? In tanti mesi non l'ho mai visto camminare cosí come se camminasse sulle uova.

Milton era un brutto: alto, scarno, curvo di spalle. Aveva la pelle spessa e pallidissima, ma capace di infoscarsi al minimo cambiamento di luce o di umore. A ventidue anni, già aveva ai lati della bocca due forti pieghe amare, e la fronte profondamente incisa per l'abitudine di stare quasi di continuo aggrottato. I capelli erano castani, ma mesi di pioggia e di polvere li avevano ridotti alla piú vile gradazione di biondo. All'attivo aveva solamente gli occhi, tristi e ironici, duri e ansiosi, che la ragazza meno favorevole avrebbe giudicato piú che notevoli. Aveva gambe lunghe e magre, cavalline, che gli consentivano un passo esteso, rapido e composto.

4

Passò il cancello che non cigolò e percorse il vialetto fino all'altezza del terzo ciliegio. Com'erano venute belle le ciliege nella primavera del quarantadue. Fulvia ci si era arrampicata per coglierne per loro due. Da mangiarsi dopo quella cioccolata svizzera autentica di cui Fulvia pareva avere una scorta inesauribile. Ci si era arrampicata come un maschiaccio, per cogliere quelle che diceva le piú gloriosamente mature, si era allargata su un ramo laterale di apparenza non troppo solida. Il cestino era già pieno e ancora non scendeva, nemmeno rientrava verso il tronco. Lui arrivò a pensare che Fulvia tardasse apposta perché lui si decidesse a farlesi un po' piú sotto e scoccarle un'occhiata da sotto in sú. Invece indietreggiò di qualche passo, con le punte dei capelli gelate e le labbra che gli tremavano. «Scendi. Ora basta, scendi. Se tardi a scendere non ne mangerò nemmeno una. Scendi o rovescerò il cestino dietro la siepe. Scendi. Tu mi tieni in agonia». Fulvia rise, un po' stridula, e un uccello scappò via dai rami alti dell'ultimo ciliegio.

Proseguí con passo leggerissimo verso la casa ma presto si fermò e retrocesse verso i ciliegi. «Come potevo scordarmene?» pensò, molto turbato. Era successo proprio all'altezza dell'ultimo ciliegio. Lei aveva attraversato il vialetto ed era entrata nel prato oltre i ciliegi. Si era sdraiata, sebbene vestisse di bianco e l'erba non fosse piú tiepida. Si era raccolta nelle mani a conca la nuca e le trecce e fissava il sole. Ma come lui accennò ad entrare nel prato gridò di no. «Resta dove sei. Appoggiati al tronco del ciliegio. Cosí». Poi, guardando il sole, disse: «Sei brutto». Milton assentí con gli occhi e lei riprese: «Hai occhi stupendi, la bocca bella, una bellissima mano, ma complessivamente sei brutto». Girò impercettibilmente la testa verso lui e

5

disse: «Ma non sei poi cosí brutto. Come fanno a dire che sei brutto? Lo dicono senza... senza riflettere». Ma piú tardi disse, piano ma che lui sentisse sicuramente: «Hieme et aestate, prope et procul, usque dum vivam... O grande e caro Iddio, fammi vedere per un attimo solo, nel bianco di quella nuvola, il profilo dell'uomo a cui lo dirò». Scattò tutta la testa verso di lui e disse: «Come comincerai la tua prossima lettera? Fulvia dannazione?» Lui aveva scosso la testa, frusciando i capelli contro la corteccia del ciliegio. Fulvia si affannò. «Vuoi dire che non ci sarà una prossima lettera?» «Semplicemente che non la comincerò Fulvia dannazione. Non temere, per le lettere. Mi rendo conto. Non possiamo piú farne a meno. Io di scrivertele e tu di riceverle».

Era stata Fulvia a imporgli di scriverle, al termine del primo invito alla villa. L'aveva chiamato su perché le traducesse i versi di *Deep Purple*. Penso si tratti del sole al tramonto, gli disse. Lui tradusse, dal disco al minimo dei giri. Lei gli diede sigarette e una tavoletta di quella cioccolata svizzera. Lo riaccompagnò al cancello. «Potrò vederti, – domandò lui, – domattina, quando scenderai in Alba?» «No, assolutamente no». «Ma ci vieni ogni mattina, – protestò, – e fai il giro di tutte le caffetterie». «Assolutamente no. Tu ed io in città non siamo nel nostro centro». «E qui potrò tornare?» «Lo dovrai». «Quando?» «Fra una settimana esatta». Il futuro Milton brancolò di fronte all'enormità, alla invalicabilità di tutto quel tempo. Ma lei, lei come aveva potuto stabilirlo con tanta leggerezza? «Restiamo intesi fra una settimana esatta. Tu però nel frattempo mi scriverai». «Una lettera?» «Certo una lettera. Scrivimela di notte». «Sí, ma che lettera?» «Una lettera». E cosí Milton aveva fatto e al secondo

6

appuntamento Fulvia gli disse che scriveva benissimo. «Sono... discreto». «Meravigliosamente, ti dico. Sai che farò la prima volta che andrò a Torino? Comprerò un cofanetto per conservarci le tue lettere. Le conserverò tutte e mai nessuno le vedrà. Forse le mie nipoti, quando avranno questa mia età». E lui non poté dir niente, oppresso dall'ombra della terribile possibilità che le nipoti di Fulvia non fossero anche le sue. «La prossima lettera come la comincerai? – aveva proseguito lei. – Questa cominciava con Fulvia splendore. Davvero sono splendida?» «No, non sei splendida». «Ah, non lo sono?» «Sei tutto lo splendore». «Tu, tu tu, – fece lei, – tu hai una maniera di metter fuori le parole... Ad esempio, è stato come se sentissi pronunziare splendore per la prima volta». «Non è strano. Non c'era splendore prima di te». «Bugiardo! – mormorò lei dopo un attimo, – guarda che bel sole meraviglioso!» E alzatasi di scatto corse al margine del vialetto, di fronte al sole.

Ora lo sguardo basso di lui rifaceva quel lontano tragitto di Fulvia, ma prima di arrivare al limite ritornò al punto di partenza, all'ultimo ciliegio. Come si era imbruttito, e invecchiato. Tremava e sgocciolava, impudicamente, di contro il cielo biancastro.

Poi si riscosse e un po' pesantemente arrivò sulla spianata davanti al portichetto d'entrata. Il ghiaino era impastato di foglie macerate, le foglie dei due autunni di lontananza di Fulvia. A leggere si metteva quasi sempre lí, a filo dell'arco centrale, raccolta nella grande poltrona di vimini coi cuscini rossi. Leggeva *Il cappello verde*, *La signorina Elsa*, *Albertine disparue*... A lui quei libri nelle mani di Fulvia pungevano il cuore. Malediceva, odiava Proust, Schnitzler, Michael Arlen. Piú avanti, però, Fulvia aveva imparato a fare a meno di quei libri; le bastavano, pareva, le poesie e i racconti che a getto continuo lui traduceva per lei. La prima volta le aveva portato la versione di *Evelyn Hope*. «Per me?» fece lei. «Esclusivamente». «Perché a me?» «Perché... guai se tu non sei il tipo per queste cose». «Guai a me?» «No, guai a me stesso». «E che cos'è?» «Beautiful Evelyn Hope is dead/Sit and watch by her side an hour». Dopo, le luccicavano gli occhi, ma preferí abbandonarsi all'ammirazione per il traduttore. «Proprio tu l'hai tradotta? Ma allora sei un vero dio. E cose allegre non ne traduci mai?» «Mai». «E perché?» «Nemmeno mi vengono sott'occhio. Credo che scappino da me, le cose allegre».

La volta dopo le portò un racconto di Poe. «Di che parla?» «Of my love, of my lost love, of my lost love Morella». «Lo leggerò stanotte». «Io l'ho tradotto in due notti». «Non stai troppo su di notte?» «Devo comunque, – rispose lui. – Non c'è notte senza allarme e io sono nell'UNPA». Esplose a ridere. «Nell'UNPA! Sei dell'UNPA? Questo me lo dovevi nascondere. È troppo ridicolo. Volontario nell'UNPA, col bracciale giallo e blu!» «Col bracciale sí, ma volontario un bel niente! Ci hanno arruolati in Federazione e se manchi a un allarme l'indomani ti trovi le guardie a casa. Anche Giorgio è nell'UNPA». Ma di Giorgio Fulvia non rise, forse perché aveva già scaricato su lui tutta la sua ilarità.

Era stato Giorgio Clerici a presentargliela, in palestra, dopo una partita di pallacanestro. Uscivano dagli spogliatoi e la trovarono, come una perla mimetizzata nelle alghe, nei resti del pubblico che sfollava. «Questa è Fulvia. Sedici anni. Sfollata da Torino per fifa dei bombardamenti aerei che in fondo in fondo la divertivano. Ora abita da noi, in collina, nella villa che era del notaio... eccetera, eccetera. Fulvia ha un sacco di dischi americani. Fulvia, questo è un dio in inglese».

Solo all'ultimo Fulvia aveva sollevato gli occhi a Milton, e i suoi occhi dicevano che quello, Milton, poteva esser tutto tranne che un dio.

Milton si premette le mani sul viso e in quel buio cercò di rivedere gli occhi di Fulvia. Alla fine abbassò le mani e sospirò, esausto dallo sforzo e dalla paura di non ricordarli. Erano di un caldo nocciola, pagliettati d'oro.

Voltò la testa al crinale e ci vide una parte di Ivan, sempre accoccolato e attento al lungo, complesso pendio.

Arrivò sotto il portichetto. «Fulvia, Fulvia, amore mio». Davanti alla porta di lei gli sembrava di non dirlo al vento, per la prima volta in tanti mesi. «Sono sempre lo stesso, Fulvia. Ho fatto tanto, ho camminato tanto... Sono scappato e ho inseguito. Mi sono sentito vivo come mai e mi son visto morto. Ho riso e ho pianto. Ho ucciso un uomo, a caldo. Ne ho visti uccidere, a freddo, moltissimi. Ma io sono sempre lo stesso».

Sentí un passo avvicinarsi di lato sul marciapiede perimetrale della villa. Milton spallò a metà la carabina americana, ma, per quanto pesante, era un passo di donna.

9

II

La custode spiò dall'angolo. – Un partigiano! Cosa vuole? Chi cerca? Ma lei è...

– Sono proprio io, – disse Milton senza sorridere, troppo sconcertato dal vederla tanto invecchiata. Il corpo le si era fatto piú tozzo e la faccia piú smunta e tutti i suoi capelli erano bianchi.

– L'amico della signorina, – disse la donna lasciando il riparo dell'angolo. – Uno degli amici. Fulvia è via, è tornata a Torino.

– Lo so.

– È partita piú di un anno fa, quando voi ragazzi avete messo su questa vostra guerra.

– Lo so. Ha piú avuto notizie?

– Di Fulvia? – Scosse la testa. – Mi promise di scrivermi, ma non l'ha mai fatto. Però io ci spero sempre e un giorno o l'altro riceverò.

«Questa donna, – pensava Milton fissandola stralunato, – questa vecchia, insignificante donna riceverà una lettera da Fulvia. Con notizie della sua vita, i saluti e la firma».

Firmava cosí: $\frac{Fu|l}{vi|a}$, almeno con lui.

– Può darsi mi abbia scritto e la lettera sia andata persa –. Abbassò gli occhi e proseguí: – Era cara Fulvia. Impulsiva, forse capricciosa, ma molto cara.

– Certo.

– E bella, molto bella.

Milton non rispose, solo portò avanti il labbro inferiore. Era un suo modo di ricevere il dolore e resistervi, la bellezza di Fulvia l'aveva sempre, piú che altro, addolorato.

Lei lo guardò un po' obliquamente e disse: – E pensiamo che non ha ancora diciotto anni. Sedici scarsi, allora.

– Debbo chiederle un favore. Lasciarmi rivedere la casa –. La voce gli usciva dura, senza che volesse, quasi raschiante. – Lei non immagina che... aiuto mi darebbe.

– Ma certo, – rispose lei, torcendosi le mani.

– Mi lasci rivedere solo la nostra stanza –. Aveva cercato, senza effetto, di ammorbidire la voce. – Non le prenderò piú di due minuti.

– Ma certo.

La donna gli avrebbe aperto dall'interno, per far ciò doveva aggirare la villa, avesse pazienza. – E dirò al figlio del contadino di uscire sull'aia e montare un po' di guardia.

– Da quell'altra parte, per favore. Da questa ci sta attento un compagno.

– Credevo fosse solo, – disse la donna con una nuova preoccupazione.

– È come se lo fossi.

La custode scantonò e Milton riuscí sulla spianata. Batté le mani verso Ivan e poi gli presentò una mano aperta. Cinque minuti, aspettasse cinque minuti. (Poi sbirciò il cielo per imprimersi un altro grande elemento di ricordo di quel giorno stupendo. Su quel mare grigio una flotta di nubi nerastre scivolava verso ovest investendo di prua certe nuvolette candide che immediatamente andavano in pezzi. Venne una folata di vento che scrollò gli alberi e lo stillicidio tintinnava sul ghiaino.

Ora il cuore gli batteva, le labbra gli si erano di colpo inaridite. Sentiva filtrare attraverso la porta la musica di *Over the Rainbow*. Quel disco era stato il suo primo regalo a Fulvia. Dopo l'acquisto era stato tre giorni senza fumare. Sua madre vedova gli passava una lira al giorno e lui l'investiva tutta in sigarette. Il giorno che le portò il disco, lo suonarono per ventotto volte. «Ti piace? – le domandò, contratto, abbuiato dall'ansia perché la giusta domanda sarebbe stata: – Lo ami?» «Vedi bene che lo rimetto, – aveva risposto lei. E poi: – Mi piace da svenire. Quando finisce, senti che qualcosa è veramente finito». E allora, qualche settimana piú avanti: «Fulvia, hai una canzone preferita?» «Non saprei. Ne ho tre o quattro». «Non è...?» «Forse, ma no! È carinissima, mi piace da morire, ma ne ho altre tre o quattro».

La custode veniva, sotto il suo passo il parquet scricchiolava anormalmente, con un crepitío astioso, maligno. Come se non gradisse di esser risvegliato, immaginò Milton. Si affrettò sotto il portico e una dopo l'altra raschiava le scarpe fangose sul filo del gradino. Sentí la donna scattare l'interruttore della luce e armeggiare alla serratura. Lui era a metà strada nel ripulirsi.

La porta si socchiuse. – Entri, entri cosí, entri subito.

– Il parquet...

– Oh, il parquet, – fece lei con una sorta di disperata dolcezza. Ma lo lasciò finire, e mormorava: È piovuto tanto, e il contadino dice che pioverà ancora tanto. Mai visto in vita mia un novembre cosí piovoso. Voi partigiani sempre all'aperto come vi asciugate?

– Sulla pelle, – rispose Milton, che ancora non aveva osato guardar dentro.

– Ora basta, entri, entri cosí.

La donna aveva acceso un solo lume del lampadario. La luce piombava sul tavolo intarsiato senza riverberare e nell'ombra circostante le federe bianche delle poltrone e del divano baluginavano spettralmente.

– Non sembra d'entrare in una tomba?

Lui rise stupidamente, come fa chi deve mascherare un pensiero molto serio. Non poteva certo dirle che quello per lui era il piú luminoso posto al mondo, che lí per lui c'era vita o resurrezione.

– Ho paura... – cominciò calma la donna.

Non le badava, forse nemmeno la sentí, rivedeva Fulvia raccolta nel suo favorito angolo di divano, con la testa leggermente arrovesciata, di modo che una delle sue trecce pendeva nel vuoto, lucida e pesante. E rivedeva se stesso seduto nell'angolo opposto, le lunghe magre gambe stese lontane, che le parlava a lungo, per ore, lei cosí attenta che appena respirava, lo sguardo quasi sempre lontano da lui. Gli occhi le si velavano presto di lacrime. E quando non poteva piú trattenerle, allora scattava di lato la testa, si sottraeva, si ribellava. – Basta. Non mi parlare piú. Mi fai piangere. Le tue bellissime parole servono solo, riescono solo a farmi piangere. Sei cattivo. Mi parli cosí, questi argomenti li cerchi e li sviluppi solo per vedermi piangere. No, non sei cattivo. Ma sei triste. Peggio che triste, sei tetro. Almeno piangessi anche tu. Sei triste e brutto. E io non voglio diventare triste, come te. Io sono bella e allegra. Lo ero.

– Ho paura, – diceva la custode, – che finita la guerra Fulvia non tornerà mai piú qui.

– Tornerà.

– Io ne sarei felice, ma ho paura di no. Appena finita la guerra suo padre rivenderà la villa. L'ha comprata esclusivamente per Fulvia, per farcela sfollare. L'avrebbe già rivenduta se di questi tempi e in questa zona si trovassero compratori. Temo proprio che non la rivedremo piú su queste colline. Fulvia andrà al mare, come faceva ogni estate prima della guerra. Infatti va pazza per il mare e io l'ho sentita tante volte parlare di Alassio. Lei è mai stato ad Alassio?

Non c'era mai stato, e diffidava di quel posto, in un attimo lo odiò, sperò proprio che la guerra lo riducesse in uno stato per cui Fulvia non potesse piú recarcisi o semplicemente desiderarlo.

– I suoi di Fulvia hanno una casa ad Alassio. Quando era malinconica o stufa parlava sempre del mare e di Alassio.

– Le dico che tornerà.

Andò al tavolino addossato alla parete di fondo, a lato del caminetto. Si inclinò leggermente e col dito disegnò la forma del fonografo di Fulvia. *Over the Rainbow*, *Deep Purple*, *Covering the Waterfront*, le sonate al piano di Charlie Khuntz e *Over the Rainbow*, *Over the Rainbow*, *Over the Rainbow*.

– Quanto ha lavorato quel grammofono, – disse la donna agitando una mano.

– Già.

– Qui si ballava moltissimo, si esagerava. E il ballo era severamente proibito, anche in famiglia. Si ricorda quante volte son dovuta entrare a dirvi di far piano, che si sentiva fuori, per mezza collina?

– Mi ricordo.

– Lei però non ballava. O mi sbaglio?

No, non ballava. Non ci si era mai provato, nemmeno per imparare. Stava a guardare gli altri, Fulvia e il suo compagno, cambiava i dischi e ridava la corda. Faceva insomma il macchinista. La definizione era di Fulvia. «Sveglia, macchinista! Viva il macchinista!» Aveva un timbro di voce non propriamente gradevole, ma lui era pronto ad accettare per esso la sordità a tutte le voci dell'umanità e della natura. Fulvia ballava spessissimo con Giorgio Clerici, duravano anche per cinque o sei dischi consecutivi, slacciandosi appena negli intervalli. Giorgio era il piú bel ragazzo di Alba ed anche il piú ricco, ovviamente il piú elegante. Nessuna ragazza di Alba era in condizioni di far da pendant a Giorgio Clerici. Arrivò da Torino Fulvia e la coppia perfetta fu formata. Lui era biondo miele, lei bruna mogano. Fulvia era entusiasta di Giorgio, come ballerino. «*He dances divinely*», proclamava, e Giorgio di lei: «È... è indicibile», e, rivolto a Milton: «Nemmeno tu, che con le parole sei formidabile, sapresti dire...» Milton gli sorrideva, silenzioso, tranquillo, sicuro, quasi misericordioso. Non si parlavano mai, ballando. Ballasse Giorgio con Fulvia, facesse quel poco che gli era mezzo e destino di fare. Una sola volta si era irritato, una volta che Fulvia dimenticò di stralciare dalla serie dei ballabili *Over the Rainbow*. Glielo fece osservare durante una pausa, e lei prontamente abbassò gli occhi e mormorò: «Hai ragione».

Ma un giorno, erano soli, Fulvia caricò il fonografo con le sue mani e mise *Over the Rainbow*. «Avanti, balla con me». Lui aveva detto, forse gridato di no. «Devi imparare, assolutamente. Con me, per me. Avanti». «Non voglio imparare... con te». Ma già lo teneva, lo spostava nello spazio libero e spostandolo ballava. «No!» protestò lui, ma era cosí sconvolto che non riusciva nemmeno a tentare di divincolarsi. «E soprattutto non con quella canzone!» Ma lei non lo la-

sciava e lui dovette badare a non inciampare e rovinar-
le addosso. «Devi, – disse lei. – Sono io che lo voglio.
Io voglio ballare con te, capisci? Sono stufa di ballare
con ragazzi che non mi dicono niente. Io non sopporto
piú di non ballare mai con te». Poi, d'un tratto, proprio mentre Milton cedeva, lo abbandonò, rilancian-
dogli forte le braccia contro il corpo. «Va' a morire in
Libia, – gli disse tornando al divano. – Sei un ippopotamo, un ippopotamo magro». Ma un attimo dopo lui
sentí la mano di Fulvia sfiorargli le spalle e il suo alito
sulla nuca. «Davvero, dovresti pensare di piú a star diritto con le spalle. Sei curvo, troppo. Veramente, rad-
drizza le spalle. Tienile piú presenti, capisci? E ora
torniamo a sedere e tu parlami».

Andò alla libreria, richiamato dal fioco luccicore dei
cristalli. Aveva già visto che era quasi vuota, con al piú
una decina di libri dimenticati, sacrificati. Si inclinò
agli scaffali ma subito si raddrizzò, come per l'opposto
effetto di un pugno alla bocca dello stomaco. Era pallido e gli mancava il respiro. Tra quei pochi libri tra-
scurati aveva visto *Tess dei d'Urbevilles* che lui aveva
regalato a Fulvia, dissestandosi per una quindicina.

– Chi ha scelto i libri da portar via o da lasciare? È
stata Fulvia?

– Lei.

– Proprio lei?

– Ma certo, – disse la custode. – I libri interessava-
no solo a lei. Li prese e li imballò lei stessa. Ma piú che
altro si preoccupò del grammofono e dei dischi. Di libri, come vede, ne ha lasciati, ma di dischi nemmeno
uno.

Nella porta si inquadrò la testa di Ivan. Apparve
tonda, scialba e staccata, come una luna.

– Che c'è? – fece Milton. – Salgono?

16

– No, ma andiamocene. È ora.

– Altri due minuti ancora.

Con una smorfia e un sospiro Ivan ritirò la testa.

– Mi scusi anche lei per altri due minuti. Non disturberò mai piú, non ripasserò piú prima della fine della guerra.

La donna allargò le braccia. – Si figuri. Purché non ci sia pericolo. Mi ricordavo benissimo di lei. Ha notato come l'ho subito riconosciuto? E le dirò... mi faceva piacere, allora, quando veniva a trovare la signorina. Lei piú di tutta l'altra compagnia. Lei piú del signorino Clerici, a esser sincera. A proposito, non ho mai piú visto il signorino Clerici. È partigiano pure lui?

– Sí, siamo insieme. Siamo sempre stati insieme, ma io ultimamente sono stato trasferito in un'altra brigata. Ma perché dice che preferiva me a Giorgio? Come visitatore, dico.

Quella esitò, abbozzò un gesto come per cancellare la frase di prima o almeno rimpiccolirla, ma – dica, dica, – fece Milton con tutti i nervi che gli si tendevano in corpo.

– Non ne parlerà col signorino Clerici quando lo rivede?

– Ma le pare?

– Il signorino Clerici, – disse allora, – mi fece inquietare e anche arrabbiare. Lo dico a lei perché ho stima di lei, lei è un ragazzo col viso tanto serio, mi lasci dire che non ho mai visto un ragazzo con una fisionomia cosí seria. Lei mi capisce. Io contavo poco o niente, ero solamente la custode della villa, ma la signora mamma di Fulvia, quando ce l'accompagnò, mi aveva pregato, mi aveva raccomandato...

– Un po' di governante, – suggerí Milton.

– Ecco, se la parola non è grossa. Quindi io dovevo stare un po' attenta a quel che succedeva intorno alla ragazza. Lei mi capisce. Con lei io stavo tranquilla, tanto tranquilla. Parlavate sempre, per ore. O meglio, lei parlava e Fulvia ascoltava. Non è vero?

– È vero. Era vero.

– Con Giorgio Clerici invece...

– Sí, – fece lui con la lingua secca.

– Ultimamente, l'ultima estate voglio dire, l'estate del '43, lei era soldato, mi sembra.

– Sí.

– Ultimamente veniva troppo spesso, e quasi sempre di notte. A me francamente quelle ore non piacevano. Arrivava con la macchina pubblica. Si ricorda quella che posteggiava sempre davanti al municipio? Quella bella macchina nera, poi con quel ridicolo impianto a gasogeno?

– Sí.

La donna dondolò la testa. – Loro due non li sentivo mai parlare. Io origliavo, non ho nessuna vergogna a dirlo, origliavo per dovere. Ma c'era sempre un silenzio, quasi non ci fossero. E io non stavo per niente tranquilla. Ma non dica queste cose al suo amico, mi raccomando. Si misero a far tardi, ogni volta piú tardi. Fossero sempre rimasti qui fuori, sotto i ciliegi, non mi sarei preoccupata tanto. Ma cominciarono a uscire a passeggio. Prendevano per la cresta della collina.

– Da che parte? Da che parte prendevano?

– Eh? Un po' di qui e un po' di là, ma il piú spesso prendevano verso il fiume. Sa, dove questa collina punta al fiume.

– Va bene.

– Io naturalmente stavo su ad aspettarla, ma rientravano ogni volta piú tardi.

– Che ore facevano?

– Anche mezzanotte. Io avrei dovuto fare osservazione a Fulvia.

Milton scosse violentemente la testa.

– Avrei dovuto sí, – disse la donna, – ma non ne trovai mai il coraggio. Mi dava soggezione, anche se poteva esser mia figlia, come differenza d'età. Finché una sera, anzi una notte, tornò sola. Non ho mai saputo perché Giorgio non la riaccompagnò. Era molto tardi, passata la mezzanotte. Non piú un grillo cantava per tutta la collina, mi ricordo.

– Milton, – fischiò Ivan da fuori.

Nemmeno si voltò, ebbe solo una contrazione al sommo delle guance.

– E poi?

– E poi cosa? – fece la custode.

– Fulvia e... lui?

– Giorgio alla villa non si faceva piú vedere. Ma usciva lei. Si davano appuntamento. Lui aspettava a cinquanta metri, addossato alla siepe per confondersi. Ma io ero all'erta e lo vedevo, lo tradivano i suoi capelli biondi. Quelle notti c'era una luna che spaccava.

– E questo fino a quando?

– Oh, fino ai primi dell'altro settembre. Poi successe il finimondo dell'armistizio e dei tedeschi. Poi Fulvia andò via da qui con suo padre. E io, pur affezionata come le ero, fui contenta. Stavo troppo sulle spine. Non dico che abbiano fatto il male...

Eccolo lí, che tremava verga a verga nella sua fradicia divisa cachi, con la carabina che gli sussultava sulla spalla, la faccia grigia, la bocca semiaperta e la lingua grossa e secca. Finse un accesso di tosse, per darsi il tempo di ritrovare la voce.

– Mi dica. Fulvia quando partí precisamente?

– Precisamente il dodici settembre. Suo padre aveva già capito che la campagna sarebbe diventata molto piú pericolosa della grande città.

– Il dodici settembre, – fece eco Milton. E lui, lui dove era il dodici settembre 1943? Con un immenso sforzo se ne ricordò. A Livorno, asserragliato nei cessi della stazione, digiuno da tre giorni, miserabilmente vestito di panni d'accatto. Sul punto di svenire per l'inedia e le esalazioni della latrina si era affacciato sul corridoio e aveva cozzato in quel macchinista che si stava abbottonando la brachetta. «Da dove vieni, militare?» bisbigliò. «Roma». «E dov'è casa tua?» «Piemonte». «Torino?» «Vicinanze». «Be', io ti posso portare fino a Genova. Si parte tra mezz'ora, ma ti voglio nascondere subito nella carbonaia. Mica te ne frega di sembrare poi uno spazzacamino?»

– Milton! – richiamò Ivan, ma con meno urgenza di prima e tuttavia la custode ebbe un sobbalzo di paura.

– È proprio meglio che vada, sa? Comincio ad aver paura anch'io.

Macchinalmente Milton si girò e si avvicinò alla porta. Il dover salutare decentemente la donna gli pesava addosso come un'impresa schiacciante. Serrò gli occhi e disse: – È stata molto gentile. Anche coraggiosa. Grazie di tutto.

– Ma di niente. Mi ha fatto piacere rivederla qui, anche se con tutte quelle armi addosso.

Milton diede un ultimo sguardo alla stanza di Fulvia; era entrato per raccogliervi ispirazione e forza e ne usciva spoglio e distrutto.

– Grazie ancora. Di tutto. E richiuda, subito.

– Correte molti pericoli, vero? – domandò ancora la donna.

– No, non molti, – rispose, assestandosi la carabina sulla spalla. – Finora abbiamo avuto fortuna, molta fortuna.

– Speriamo vi duri fino alla fine. E... è certo che alla fine vincerete voi?

– È certo, – rispose smorto e si avventò di corsa per il vialetto dei ciliegi, passando in tromba Ivan.

III.

Rientrarono a Treiso verso le sei. La strada sfumava sotto i loro piedi e gli ultimi chiarori sembravano concentrarsi in certe masse di nebbia grigia che la pioggia fissava sui pendii.

Tuttavia la sentinella li riconobbe a distanza e chiamandoli per nome sgattaiolò loro incontro da sotto la sbarra del posto di blocco. Era un ragazzino di appena quindici anni, si chiamava Gilera, ed era grasso e sodo, di poco piú alto del suo moschetto.

Arrivavano. Le sei batterono al campanile, per Milton con una tonalità differente da sempre. Arrivavano. In quella estrema umidità le stalle del paese puzzavano come non mai e sulla strada lo sterco dei buoi si dissolveva in rigagnoli giallastri. Arrivavano. Milton precedeva Ivan di un trenta passi e ancora marciava lungo e rapido mentre l'altro sbandava per la stanchezza.

– Milton, – fece Gilera, – che avete visto d'interessante in Alba?

Lo sorpassò senza rispondergli e accelerò verso la scuola elementare, nel fitto del paese, dove si trovava Leo, il comandante di brigata.

– Gilera, – soffiò Ivan, – sai cosa avremo per cena?

– Mi sono già informato. Avremo carne e un pugno di nocciole. Il pane è di ieri.

Ivan attraversò la strada e andò ad afflosciarsi sul

tronco addossato al casotto del peso pubblico. Poi rovesciò la testa contro il muro e ce la oscillava. L'intonaco si sbriciolava e gli inforforava la testa.

– Cos'hai, Ivan, da soffiar tanto?

– Colpa di Milton, – rispose Ivan. – Milton è un assassino della strada. Siamo tornati ai cento all'ora.

Il ragazzino si eccitò. – Li avevate dietro?

– Macché. Li avessimo avuti. Pompavamo di meno, ti assicuro.

– Ma allora?

– Allora lasciami perdere, – disse brusco Ivan.

Non poteva spiegare quel ritorno senza dire dello stranissimo, pazzesco comportamento di Milton. Raccontato a Gilera, avrebbe fatto il giro di tutta la brigata e sarebbe inevitabilmente passato anche per Milton il quale se la sarebbe presa direttamente con lui Ivan. Ora, Ivan rispettava e temeva pochissimi studenti, ma Milton era tra questi pochissimi.

– Che hai detto? – fece Gilera incredulo.

– Di lasciarmi perdere.

Gilera tornò offeso al posto di blocco e Ivan si accese una sigaretta inglese. Si aspettava un intaso di tosse da farlo accartocciare e invece la boccata gli andò liscia. «Dio fascista! – bestemmiò mentalmente. – Ma che gli è preso? È uscito come un razzo da quella villa e come un razzo ha fatto tutta la strada. E io dietro, con la milza che mi scoppiava, senza capircene niente e incapace di piantarlo al suo destino. Potevo ben piantarlo e tornarmene senza farmi scoppiare la milza».

Appoggiato alla sbarra, Gilera lo guardava di traverso, pestando un piede in terra.

Ivan torse la testa dall'altra parte. «Ma che gli è preso? Io dico che è impazzito o quasi. Eppure è sem-

23

pre stato un ragazzo a posto, piú che a posto, persino freddo. Io sono testimone. L'ho visto mantener la testa anche quando la perdeva lo stesso Leo. Un ragazzo piú che a posto. Ma è uno studente pure lui e gli studenti sono tutti un po' tocchi. Noi della plebe siamo molto piú centrati».

Ci fu una vibrazione nell'aria bassa e caddero gocce grosse e rade.

– Ora ripiove, – disse forte Ivan.

Gilera non rispose.

– Io mi sento un fungo, – insisté Ivan. – Parola che mi sento crescer la muffa addosso.

Gilera alzò le spalle e si mise a guardare la discesa. In quel momento lo sgrondo cessò.

Ivan riprese a pensare, fumando accelerato per finir la sigaretta prima che gli imputridisse fra le dita. «Io non so cosa gli sia preso, che cosa abbia visto o sentito in quella casa di ricchi. Chissà che gli ha detto la vecchia?» Buttò il mozzicone e poi si grattò forte, freneticamente, la testa sopra le orecchie. «Quella vecchiaccia! Cosa gli è andata a dire? Poteva ben farne a meno, visto il momento che passiamo. Chissà che gli avrà detto. Uno direbbe subito che c'entra una ragazza», ma intanto rideva fra sé, di incredulità e di disprezzo. «Sí, è proprio il tempo e il posto di perder la testa per una ragazza. Un partigiano serio come Milton. Le ragazze! Oggi! Fanno ridere. Fanno schifo e pietà. Comunque, è sicuro che era una cosa della vita di prima, e tornare su queste cose fa piú male che bene. Con la vita e il mestiere che facciamo si va in crisi come niente. Le cose di prima a dopo, a dopo!»

– Il vento, – annunciò Gilera, calmo, già disimbronciato.

– Sí, – fece Ivan con una sorta di gratitudine nella

voce, e si rannicchiò sul tronco con le braccia conserte e le mani sulle scapole.

Tirava dalla direzione di Alba, ampio, basso, teso.

C'era poi quell'altro fatto piú grave, pensava Ivan, il ponte minato di San Rocco. A momenti Milton non ci passava su, stravolto com'era? E che fosse minato lo sapevano anche le piante e le pietre. Poco prima della borgata Ivan era staccato da Milton di un centinaio di metri e l'aveva perso di vista per via di un ciglione trasversale. L'apprensione per il ponte gli era balenata proprio per caso e allora, sebbene già la milza gli bucasse la pelle, Ivan era scattato in salita ed era arrivato sul ciglione giusto in tempo per veder Milton che calava al ponte col passo implacabile e cieco di un automa. Si trovava a venti passi dalla spalletta. Gridò il nome di Milton, ma quello non si voltò. Urlò disarticolatamente e stavolta, fra la potenza dell'angoscia e l'amplificazione delle mani attorno alla bocca lo sentirono di certo fin sulla collina dirimpetto. Milton si arrestò netto, come raggiunto nella schiena da una pallottola. Si voltò adagio. Ritto sul ciglione, Ivan gli additò il ponticello, due o tre volte, poi sventolò una mano davanti alla fronte. Il ponte minato, era pazzo? Milton finalmente accennò con la testa, si calò a valle del ponte e passò il torrente su una fila di massi. E poi, per ringraziamento, l'aveva poi aspettato? Una volta oltre il torrente, aveva subito ripreso quel passo tremendo e a Ivan era venuta voglia di spedirgli dietro una raffica di sten.

Ivan si alzò dal tronco e appoggiando le mani sul sedere si accorse che il fondo dei calzoni piú che spazzolato andava strizzato. Tese l'orecchio al cuore del paese e poi disse: – Ma cos'è questo mortorio? Gilera, e tutti gli altri?

25

– Quasi tutti al fiume, – rispose il ragazzo con la voce nuovamente imbronciata. – Dicono che è ingrossato da vedere.

– Esagerati, – fece Ivan. – Io e Milton l'abbiamo visto due ore fa ad Alba. È grosso, ma ancora niente di speciale.

– Sarà che da queste parti il fiume è piú stretto e quindi figura piú gonfio.

– Intendiamoci, – disse Ivan. – Non è che io desideri che non ingrossi. Magari straripasse. Cosí almeno da quella parte stiamo tranquilli.

Si sentí un passo furioso e subito dopo un arresto e in cima alla rampetta apparve Milton. Una folata di vento lo investí in pieno, senza smuovergli addosso la divisa fradicia. Chiedeva di Leo, al comando non l'aveva trovato.

– C'è stato tutto il pomeriggio, – rispose Gilera. – Io che ne debbo sapere? Sarà andato a casa del medico a sentir Radio Londra. Sí, prova dal medico.

Per strada Milton, calcolando l'ora e la durata della trasmissione, stabilí che Leo aveva già lasciato la casa del dottore e tornò diretto al comando.

Infatti Leo era giusto rientrato, aveva acceso il lume a carburo e ne stava regolando il beccuccio.

Stava in piedi dietro la cattedra, che era l'unico mobile mantenuto al suo posto, tutti i banchi essendo stati accatastati negli angoli.

Milton varcò appena la soglia e si tenne ai bordi della zona di luce.

– Leo, devi darmi un permesso per domani. Mezza giornata di permesso.

– Dove hai bisogno di andare?

– Appena a Mango.

Leo in tutta fretta aumentò il volume della luce.

Ora le loro ombre toccavano con la vita il soffitto.

– Di', hai forse nostalgia della tua vecchia brigata? Di', non avrai intenzione di mollarmi solo con questa truppa di minorenni?

– Sta' tranquillo, Leo. Ti dissi che avrei firmato per finire la guerra con te. Te lo confermo. Faccio un salto a Mango unicamente per parlare con uno.

– Io lo conosco?

– È Giorgio. Giorgio Clerici.

– Ah. Siete molto amici tu e Giorgio.

– Siamo nati insieme, – disse Milton tra i denti. – Dunque posso andare? Tornerò per mezzogiorno.

– Torna pure per sera. Domani ci lasceranno annoiare. Penso ci lasceranno annoiare per un po'. Se attaccano, attaccano dai rossi. Un po' per uno del resto. L'ultima botta è stata per noi.

– Tornerò per mezzogiorno, – disse Milton con puntiglio e fece per ritirarsi.

– Un momento. E di Alba che mi dici? Niente?

– Non ho visto praticamente niente, – rispose Milton senza riavvicinarsi. – In tutto e per tutto ho visto una ronda sul viale di circonvallazione.

– In che punto esattamente?

– All'altezza del giardino vescovile.

– Ah –. Gli occhi di Leo sfolgoravano bianchi nella vampa dell'acetilene. – Ah. E dove andavano? Verso la piazza nuova o verso la centrale elettrica?

– Verso la centrale.

– Ah, – rifece Leo acremente. – Non è pignoleria, Milton, ma puro masochismo. Il fatto è che sono follemente innamorato di Alba. A furia di pensarla come centro di gravità della mia brigata... sí, se tu permetti, io sono follemente innamorato della tua città e sento il bisogno, il porco bisogno di sapere dove, quando e come me la f... Ma che hai? Nevralgia?

– Che nevralgia! – scattò Milton, ancora stralunato, con la smorfia di dolore ancora stampata netta in viso.

– Avevi una faccia! Molti dei nostri soffrono il mal di denti. Dev'essere questa enorme umidità. Che altro hai visto? Hai dato un'occhiata al nuovo bunker di Porta Cherasca?

E Milton: «Non ne posso piú, – pensava. – Se mi fa ancora domande io... io lo...! E si tratta di Leo. Di Leo! Figuriamoci con gli altri. Il fatto è che piú niente m'importa. Di colpo, piú niente. La guerra, la libertà, i compagni, i nemici. Solo piú quella verità».

– Il bunker, Milton.

– L'ho veduto, – sospirò.

– E allora dimmi.

– Mi pare molto ben fatto. Domina non solo lo stradale ma batte anche i campi aperti verso il fiume. Avrai presente, verso la segheria e il campo da tennis.

Fulvia ci giocava con Giorgio, sempre in singolo. Spiccavano candidi come angeli sul fondo rosso che Giorgio faceva rullare ed innaffiare con particolare cura prima della loro partita. Milton, lui sedeva sulla panchina, scordando o confondendo il punteggio che Fulvia gli aveva comandato di tenere. Sedeva scomodo, smuovendo senza sosta le lunghe gambe, i pugni serrati nelle tasche per tendere il calzone e mascherare la piattezza delle cosce, senza i soldi per pagarsi una bibita e darsi un contegno sorseggiandola, con solo piú una sigaretta da economizzare fino allo spasimo, con in fondo a una tasca un foglietto con la versione di una poesia di Yeats: «When you are old and gray and full of sleep...»

28

– Non ti senti bene? – diceva Leo con la sua queru-
la pazienza. – Ti sto chiedendo se giocavi a tennis
nella vita.

– No no, – rispose a precipizio. – Troppo caro.
Sentivo che quello era il mio gioco, ma troppo caro. Il
solo prezzo della racchetta mi faceva rimordere la coscienza. Cosí mi diedi alla pallacanestro.

– Magnifico sport, – disse Leo. – Tutto anglosas-
sone. Milton, non ti è mai passato per la testa, allora,
che chi praticava la pallacanestro non poteva esser fascista?

– Già. Ora che mi ci fai pensare.

– E tu, eri un buon cestista?

– Ero... discreto.

Stavolta Leo era soddisfatto. Milton si ritirò verso
la porta ripetendo che sarebbe tornato per mezzogiorno.

– Torna pure per sera, – disse Leo. – Ah, t'interessa sapere che oggi io compio trent'anni?

– È un record.

– Vuoi dire che se anche crepassi domani creperei
vergognosamente vecchio?

– È un vero record. Perciò non ti faccio auguri ma
solo congratulazioni.

Fuori, il vento era calato ad un filo. Gli alberi non
muggivano né sgrondavano piú, il fogliame ventolava
appena, con un suono musicale, insopportabilmente
triste... «*Somewhere over the rainbow skies are blue,* |
And the dreams that you dare to dream really do come
true».

Ai bordi del paese un cane latrò, ma breve e spauri-
to. Scuriva precipitosamente, ma sopra le creste resisteva una fascia di luce argentea, non come un margine del cielo ma come una effusione delle colline stesse.

Milton si rivolse alle alture che stavano tra Treiso e Mango, il suo itinerario di domani. Il suo occhio fu magnetizzato da un grande albero solitario, con la cupola riversa e come impressa in quella fascia argentata che rapidamente si ossidava. «Se è vero, la solitudine di quell'albero sarà uno scherzo in confronto alla mia». Poi, con infallibile istinto, si orientò a nordovest, in direzione di Torino, e disse audibilmente: «Guardami, Fulvia, e vedi come sto male. Fammi sapere che non è vero. Ho tanto bisogno che non sia vero».

Domani, ad ogni costo, avrebbe saputo. Se Leo non gli avesse accordato il permesso, se lo sarebbe preso, sarebbe scivolato via ugualmente, scostando e insultando tutte le sentinelle per via. Pur che resistesse sino a domani. C'era di mezzo la piú lunga notte della sua vita. Ma domani avrebbe saputo. Non poteva piú vivere senza sapere e, soprattutto, non poteva morire senza sapere, in un'epoca in cui i ragazzi come lui erano chiamati piú a morire che a vivere. Avrebbe rinunciato a tutto per quella verità, tra quella verità e l'intelligenza del creato avrebbe optato per la prima.

«Se è vero...» Era cosí orribile che si portò le mani sugli occhi, ma con furore, quasi volesse accecarsi. Poi scostò le dita e tra esse vide il nerore della notte completa.

I suoi compagni erano risaliti tutti dal fiume. Erano anormalmente quieti stasera, non meno che avessero uno dei loro steso nella navata della chiesa, in attesa della sepoltura. Dai loro locali usciva un brusio non superiore a quello che si levava dalle case dei paesani. L'unico ad alzare la voce era il cuciniere.

I suoi compagni, i ragazzi che avevano scelto come lui, venuti al medesimo appuntamento, che avevano gli stessi suoi motivi di ridere e di piangere... Scrollò la testa. Oggi era diventato indisponibile, di colpo, per mezza giornata, o una settimana, o un mese, fino a quando avesse saputo. Poi forse, qualcosa sarebbe stato nuovamente capace di fare per i suoi compagni, contro i fascisti, per la libertà.

Il duro era resistere sino a domani. Stasera non cenava. Avrebbe cercato di dormire subito, magari violentandosi in qualche modo al sonno. Se non gli riusciva, avrebbe incrociato per il paese tutta la notte, sarebbe andato da una sentinella all'altra, ininterrottamente, a costo di metterli in sospetto di un attacco e farsi tempestare di esasperanti domande. Comunque, lui incosciente o in veglia febbrile, l'alba sarebbe spuntata sulla strada per Mango.

«La verità. Una partita di verità tra me e lui. Dovrà dirmelo, da moribondo a moribondo».

Domani, sapesse di lasciare il povero Leo solo davanti a un attacco, dovesse passare in mezzo a una brigata nera.

IV.

Le sei erano appena battute al campanile di Mango.
Con la testa fra i pugni, Milton sedeva sulla panca di
pietra davanti all'osteria. Sentiva una donna trafficare
dentro, gli parve addirittura di sentirla sbadigliare, largo e crasso come un uomo. I paesani erano già tutti in
piedi, sebbene porte e finestre restassero sbarrate, e
Milton boccheggiò di disgusto all'idea degli odori rin-
serrati.

Era salito da Treiso, in un'ora, incontrando innumerevoli banchi di nebbia, alti al suo ginocchio, che
come greggi gli attraversavano la strada. Si era svegliato con la certezza della pioggia battente sul tetto rotto
della stalla, ma non pioveva. C'era invece molta nebbia, intasava i valloni e si stendeva in lenzuola oscillan-
ti sui fianchi marci delle colline. Per le colline mai aveva provato tanta nausea, mai le aveva viste cosí sini-
stre e fangose come ora, tra gli squarci della nebbia. Le
aveva sempre pensate, le colline, come il naturale teatro del suo amore – per quel sentiero con Fulvia, con
lei su quella cresta, questo gliel'avrebbe detto a quella
particolare svolta con tanto mistero dietro di essa... –
e gli era invece toccato di farci l'ultima cosa immagina-
bile, la guerra. Aveva potuto sopportarlo fino a ieri,
ma...

Sentí un passo sul selciato, dritto su di lui, ma non

sollevò la testa. Un attimo dopo rimbombò la voce di Moro.

– Ma tu sei Milton! Ti sei stufato dell'avamposto maledetto? Torni con noi?

– No. Vengo solo per parlare con Giorgio.

– È fuori.

– Lo so. La sentinella me l'ha detto. Chi è con lui?

Moro li elencò sulle dita. – Sceriffo, Cobra, Meo e Jack.

Ieri sera Pascal li ha spediti di guardia al bivio di Manera. Pascal si aspettava i fascisti di Alba da quella parte. Ma non è successo niente e quei cinque saranno già smontati dal bivio e sono per strada. Ma stai male? Hai una faccia colore del gas.

– E che colore credi abbia la tua?

– Lo so, – rise Moro. – Qui stiamo intisichendo tutti. Entriamo nell'osteria. Giorgio aspettalo dentro.

– Il freddo mi fa bene. Ho la testa che mi brucia.

– Io, scusa, mi riparo, – e Moro entrò, e un attimo dopo Milton lo udí attaccar discorso con la serva, con la voce grassa di catarro e di intenzioni.

Rabbrividí e si riprese la testa fra le mani.

Era il tre ottobre '42. Fulvia tornava a Torino, per una settimana e forse meno, comunque partiva.

«Non andare, Fulvia».

«Debbo».

«Ma perché?»

«Perché ho un padre e una madre. O pensi che non li abbia?»

«Infatti».

«Che dici?»

«Dico che non riesco a vederti, a concepirti se non sola».

«Li ho, li ho, – sbuffò lei, – e mi vogliono un po' a Torino. Ma solo per un po'. Ho anche due fratelli, se t'interessa».

«Non m'interessa».

«Due fratelli grandi, – insistette. – Tutt'e due militari, ufficiali. Uno è a Roma e l'altro è in Russia. Ogni sera prego per loro. Per Italo che sta a Roma prego per finta perché Italo la guerra la fa per finta. Ma per Valerio che è in Russia prego sul serio, meglio che so».

Sogguardò Milton che stava a testa bassa e distolta, rivolta al fiume lontano, acqua grigia fra sponde sbianchite. «Mica varco l'oceano», gli mormorò.

Ma lo varcava, se lui sentiva affondarglisi nel cuore i becchi di tutti i gabbiani.

Lui e Giorgio Clerici l'accompagnarono alla stazione. Questa pareva, quel giorno, piú pulita, meglio rassettata di quanto fosse mai stata dal principio della guerra. Il cielo era di un grigio trasparente, piú bello del piú bell'azzurro, uniforme in tutta la sua immensità. Sarebbe stata sera, una tetra affumicata sera, quando Fulvia sarebbe scesa a Torino. Ma dove precisamente abitava a Torino? Non l'avrebbe chiesto né a lei né a Giorgio, il quale certamente sapeva l'indirizzo. Voleva ignorar tutto di Torino, riguardo a Fulvia. La loro storia si faceva unicamente nella villa sulla collina di Alba.

Giorgio indossava uno scozzese di prima dell'autarchia. Milton una giacca di suo padre riaccomodata, con una cravatta che non teneva il nodo. Fulvia era già salita in treno e stava affacciata al finestrino. Sorrideva leggermente a Giorgio, scuoteva di continuo le trecce. Poi fece una smorfia verso un grosso viaggiatore che la sorpassava nel corridoio schiacciandola. Ora rideva a Giorgio. Sulla banchina il vicecapo allungò il passo verso la locomotiva, srotolando la bandierina. Il grigio del cielo si era già un tantino guastato.

Disse Fulvia: «Gli inglesi mica bombarderanno questo mio treno?»

Giorgio rise. «Gli inglesi volano solo di notte».

Poi Fulvia chiamò lui sotto il finestrino. Non sorrideva e disse parole che Milton afferrò piú dal movimento delle labbra che dal suono della voce.

«Quando torno in villa voglio trovarci una tua lettera».

«Sí», rispose, e la voce gli tremò nel monosillabo.

«Debbo trovarla, capisci?»

Il treno partí e Milton lo seguí con lo sguardo fino alla svolta. Voleva ripigliarlo dopo il ponte, rincorrendone il pennacchio di fumo al di sopra delle interminabili pioppete dell'oltrefiume, ma Giorgio lo spinse ai cancelli. «Andiamo a giocare a biliardo». Si lasciò trascinare fuori della stazione, ma per il biliardo disse di no, doveva rincasare immediatamente. Aveva appena una settimana, e forse meno, per scrivere a Fulvia che l'amava.

Tastò il muro per ritrovare la carabina che vi aveva appoggiata e faticosamente si rizzò dalla panca. Non poteva stare peggio. Tremava in tutto il corpo per scariche di freddo e la testa gli bruciava, di un ardore fisso, pieno, quasi ronzante.

Il piccolo Jim sbucò da uno dei vicoletti laterali. Senza accostarsi gli disse che Pascal era entrato in quel momento al comando, se era con Pascal che gli interessava parlare.

– No. M'interessa solo parlare con Giorgio.

– Quale? Giorgio il bello?

– Sí.

– È ancora fuori.

– Lo so. Voglio andargli incontro per un pezzo di strada.

– Non ti scostare troppo dal paese, – avvertí Jim. – C'è un nebbione da perdercisi.

Attraversò il paese per la via principale, sbirciando lateralmente in ogni vicoletto per notare i progressi della nebbia nella campagna. Gli alberi piantati ai bordi del paese erano già fantasmi.

All'angolo dell'ultima casa si arrestò netto. Aveva sentito sulla rampa sassosa il passo di una mezza dozzina di uomini. Il passo era quello inconfondibile, lungo e rapido, dei partigiani ragazzi di città. Salivano muti, evidentemente con gola e polmoni intasati dalla nebbia. Gli prese una agitazione orribile, annaspò e dovette appoggiarsi allo spigolo della casa. Ma non era la squadra di Giorgio. Senza essere interrogato, uno di quelli disse passando che venivano da sotto il camposanto, avevano passato la notte nella casa del becchino.

Ancora turbato, uscí nella campagna. Aveva deciso di aspettar Giorgio all'aperto, presso la cappelletta dell'Annunziata. L'avrebbe separato per un momento dagli altri quattro e...

La strada era invasa dalla nebbia, ma c'erano ancora spiragli e ondeggiamenti. I valloni ai due lati ne erano invece colmi rasi, di un'ovatta assestata, immota. La nebbia aveva anche risalito i versanti, solo alcuni pinastri in cresta ne emergevano, sembravano braccia di gente in punto di annegare.

Scendeva cauto verso il fantasma della cappelletta. Tutto taceva, a parte il pigolio attonito di uccelli nei loro nidi oppressi dalla nebbia e il mormorio di rigagnoli nei valloni sommersi.

36

Al campanile di Mango suonarono le sette, senza eco.

Si addossò al muro della cappella e guardò ansiosamente al passo della Torretta. Era già quasi ostruito dalla nebbia che saliva, per saturazione, dal pianoro sottostante. Rimaneva ancora uno squarcio, ma la squadra di Giorgio avrebbe dovuto apparirvi in dieci secondi. Non apparvero ed ecco, ora era fatta, un rinforzo di nebbia aveva cancellato il passo.

Accese una sigaretta. Da quanto tempo non accendeva la sigaretta a Fulvia? Valeva sí la pena di attraversare a nuoto l'oceano pauroso della guerra per giungere a riva e non far altro o piú che accendere la sigaretta a Fulvia.

Alla prima boccata gli sembrò gli scoppiassero i polmoni, alla seconda dovette piegarsi in due per le convulsioni, la terza la sopportò meglio e poté fumarla fino in fondo con solo piú qualche sussulto.

La nebbia si era ormai richiusa anche su quel tratto di strada, ma restava sospesa a circa un metro dal fondo. Fu proprio in quell'intercapedine che vide finalmente arrancare delle gambe vestite di cachi. I tronchi e le teste erano velati dalla nebbia. Saltò in mezzo alla strada e si protese per meglio distinguere le gambe, il passo di Giorgio. Come sempre, quando era estremamente emozionato, il cuore gli latitò in corpo.

I tronchi e le teste affioravano dal nebbione. Sceriffo, Meo, Cobra, Jack...

– E Giorgio dov'è? Non era con voi?

Sceriffo si era fermato di malavoglia. – Certo. È dietro.

– Dietro dove? – domandò Milton perforando la nebbia.

– Dietro di qualche minuto.

– Perché l'avete staccato?

– È lui che si è fatto staccare, – tossí Meo.

– Non potevate aspettarlo?

– Grande è grande, – disse Cobra, – e la strada la conosce quanto noi.

E Meo: – Lasciaci andare, Milton. Io crepo di fame. Se la nebbia fosse lardo...

– Aspettate. Parlavate di qualche minuto ma io ancora non lo vedo.

Rispose Sceriffo: – Si sarà fermato a far colazione in qualche casa lungo la strada. Sai com'è Giorgio. Gli schifa di mangiare in compagnia.

– Lasciaci andare, – ripeté Meo, – o se proprio vuoi parlare parliamo camminando.

– Dimmi la verità, Sceriffo, – disse Milton senza scansarsi. – Avete litigato con Giorgio?

– Macché, – fece Jack che fino ad allora non si era intromesso.

– Macché, – disse Sceriffo, – per quanto Giorgio non sia il nostro tipo. È un figlio di papà, come se ne vedeva nel porco esercito.

– E qui siamo tutti uguali, – disse Cobra riscaldandosi di colpo. – Qui i figli di papà non funzionano. Perché se funzionassero anche qui come nell'esercito...

– Ma io crepo di fame, – disse Meo e a testa bassa sorpassò Milton.

– Vieni con noi in paese, – disse Sceriffo muovendosi pure lui. – Puoi bene aspettarlo lassú.

– Preferisco aspettarlo qui.

– Come vuoi. Vedrai che ti arriva in dieci minuti al massimo.

Lo trattenne ancora. – Com'era la nebbia di là?

– Spaventosa. Voglio proprio arrivare in paese per

38

chiedere a qualche vecchio se in vita sua ne ha vista mai di simile. Spaventosa. A un certo punto, nemmeno a chinarmi vedevo piú la strada e nemmeno i miei piedi che ci posavano sopra. Ma non c'è pericolo, dato che la strada non costeggia burroni. Ti voglio però dire, Milton, che se il tuo amico avesse chiamato io lo avrei aspettato e avrei fermato anche questi. Ma non ha chiamato e io ho capito che come al solito voleva farsi i fatti suoi. Sai com'è Giorgio.

Erano rispariti tutt'e quattro nella nebbia.

Risalí ad addossarsi alla cappella. Accese una seconda sigaretta e fumando teneva d'occhio l'intercapedine che resisteva fra strada e piano della nebbia. Dopo mezz'ora ridiscese sulla strada e prese a camminare adagio verso il passo della Torretta.

Sceriffo aveva ragione a pensare che Giorgio aveva sfruttato la nebbia apposta per restar solo. Era impopolare proprio per la sua mancanza, la sua ripulsa del cameratismo. Non perdeva occasione, anzi ne creava a getto continuo, di isolarsi, per non divider nulla del suo con gli altri, nemmeno il suo calore animale. Dormire solo, mangiar da solo, fumare di nascosto in tempi di carestia di tabacco, darsi il borotalco... Milton portò avanti il labbro inferiore e vi affondò i denti. Ciò che prima di ieri, di Giorgio, lo faceva sorridere ora lo lancinava. Giorgio pareva sopportare il solo Milton, coabitava solo con Milton. Quante volte, dormendo nelle stalle, si erano stesi l'uno accanto all'altro, stretti l'uno contro l'altro, in una intimità la cui iniziativa partiva sempre da Giorgio. Siccome Milton dormiva d'abitudine ricurvo a mezzaluna, Giorgio aspettava che si fosse sistemato e poi gli si stringeva e adattava, come in un'amaca orizzontale. E quante volte, svegliatosi prima, Milton aveva avuto tutto l'agio di considerare il corpo di Giorgio, la sua pelle, il suo pelo...

La sofferenza gli fece accelerare il passo, sebbene ora si muovesse nel piú folto e nel piú cieco della nebbia. Formava spessori concreti, una vera e propria muratura di vapori, e ad ogni passo Milton aveva la sensazione del cozzo e della contusione. Era certamente vicinissimo al passo, ma poteva dedurre la sua posizione unicamente dall'andamento e dal grado di pendenza della strada. Proprio come aveva detto Sceriffo, solamente curvandosi poteva distinguere il fondo della strada e i suoi piedi, sfocati e come avulsi. Quanto alla visibilità anteriore, se Giorgio gli si fosse presentato a due metri, non l'avrebbe sicuramente visto.

Salí ancora di qualche passo e fu certo di trovarsi sul culmine. Un immenso e compatto volume di nebbia schiacciava l'altipiano sottostante.

Inghiottí saliva e poi chiamò il nome di Giorgio, regolando la voce come lo dovesse sentire chi in quel momento salisse per l'ultima rampa. Poi chiamò molto piú forte, nel caso che Giorgio avesse percorso l'altipiano e stesse attaccando l'erta. Nessuna risposta. Allora portò le mani a imbuto attorno alla bocca e urlò il nome di Giorgio, lunghissimamente. Un cane guaí, poco sotto. E piú niente.

Con ogni cura, per non sbagliarsi nell'orientarsi sul paese ormai invisibile, Milton girò su se stesso e passo passo ridiscese.

V.

Ritrovò Sceriffo alla mensa. Si era sfamato e sonnecchiava coi gomiti spianati sulla tavola. Sotto il suo fiato rantoloso le chiazze del vino versato si increspavano come stagni.

Milton lo scrollò. – Non si è visto.

– Non so cosa dirti, – rispose Sceriffo con la voce spessa ma si sollevò sul busto a significare che era pronto ad affrontare tutto un discorso. – Che ore sono? – domandò stropicciandosi gli occhi.

– Le nove passate. Sei sicuro che fascisti non ce n'erano nelle vicinanze?

– Con quel nebbione? Non basarti sulla nebbia di qui. Al bivio era un mare di latte, ti dico.

– Il nebbione può averli sorpresi in marcia, – osservò Milton. – Quando sono partiti da Alba un nebbione simile laggiú certo non c'era.

Sceriffo dondolò la testa. – Con quel nebbione, – ripeté.

Milton s'irritò. – Tu ti servi del nebbione solo per escludere che ci fossero. E se usassi il nebbione solo per giustificarti di non averli visti?

Dondolava sempre la testa, sempre pacato. – Li avrei sentiti. Da Alba non si muove mai meno di un battaglione. Un battaglione non è un topo e li avremmo sentiti. Bastava che un soldato tossisse.

41

– Pascal però li aspettava. Vi mandò di guardia al bivio proprio perché li aspettava da quella parte.

– Pascal, – sbuffò Sceriffo. – Se ci basiamo su Pascal. Ma chi è che l'ha fatto comandante di brigata? Ma non voglio criticare, dico solo che in tanti mesi non l'ho mai visto imbroccarne una. Se vuoi saperlo, è tutto ieri e tutta stanotte che noi mandiamo degli accidenti secchi a Pascal. Quello si sogna un attacco e noi dobbiamo fare una vitaccia. Cosí gliene abbiamo dette per ore a Pascal. Anche il tuo Giorgio.

Milton aggirò la tavola e venne a sedersi a cavalcioni della panca di fronte a Sceriffo.

– Sceriffo, avete litigato con Giorgio?

L'altro fece un paio di smorfie e poi annuí. – Si è preso per i denti con Jack.

– Ah.

– Ma non c'entra per niente col distacco. Non l'abbiamo perduto nella nebbia per quello, insomma. È lui che si è sganciato, di sua spontanea volontà, per fare i suoi comodacci di figlio di papà.

– Naturalmente, voi tre vi siete schierati dalla parte di Jack.

– Puoi dirlo. Jack aveva tutte le ragioni.

Per la verità, spiegò Sceriffo, erano tutt'e cinque imbestialiti. Avevano lasciato Mango poco dopo che Milton era rientrato a Treiso dalla sua puntata su Alba. Non erano ancora arrivati al passo della Torretta che era già notte nera, incarnita. Camminavano in cresta, pigliando di petto un vento forte, sinistro, di un freddo già invernale. Un vento, disse Meo, che senz'altro nasceva dalle tombe spalancate di uno di quei cimiteri d'alta collina dove lui non sarebbe rimasto nemmeno da morto fucilato. Era un deserto completo, ma tutti i cani della mezzacosta latravano, annusandoli mentre passavano in cresta. Cobra che non può soffrire i cani a ogni latrato tirava una bestemmia. Si era già incappucciato la testa nella coperta e cosí pareva una suora che camminasse bestemmiando. E considerando le bestemmie che i contadini tiravano ai loro cani che col loro zelo rivelavano l'esistenza e la posizione di case altrimenti assolutamente invisibili, si concludeva che tutto il mondo era una bestemmia. Anche perché pure gli altri quattro, che avanzavano digrignando i denti, bestemmiavano mentalmente. Erano convinti che Pascal aveva sognato o voleva semplicemente rendersi interessante, e toccava a loro pagare con la vitaccia. Il piú furibondo era certamente Giorgio, e perché la squadra non era di suo gradimento e perché il comando era stato dato a Sceriffo. «Se fra questi quattro scalzacani, – pensava senza dubbio, – io non sono considerato degno di prendere il comando, immaginiamo la figura, la carriera che faccio io nei partigiani».

Poi dovettero prendersela con Meo il quale, siccome da Mango erano partiti digiuni, aveva suggerito di andare per cena a un certo casale isolato dove una certa volta lui e il povero Rafè erano stati trattati molto bene. Pane fresco di forno, minestra sostanziosa sebbene dolce, e a volontà pancetta della migliore, di quella bianca come neve e col circoletto roseo nel mezzo. Furono tutti d'accordo di andar lí, sebbene il posto fosse molto scomodo, perché la casa stava ai piedi del grande versante. Arrivarono in basso per un sentiero da rompersi il collo, la notte era nera come pece ma come animata, dava l'illusione ottica di tante voragini che continuamente si formassero. Una volta in basso, poi, Meo non riusciva piú a rintracciare la casa, dovettero sparpagliarsi nelle quattro direzioni per ritrovarla. I suoi muri erano talmente anneriti dalle intemperie

to una volta a mangiare in casa vostra. Ricordatevi un po'.

Passò in silenzio, il vecchio stava ricordando e setacciando. – Dovete ricordarvi di me, – disse Meo. – Venni due mesi fa. Pure di sera. C'era un vento che portava via.

Il vecchio bofonchiò qualcosa in segno che cominciava a raccapezzarsi. – E tu, – domandò poi, – tu ti ricordi con chi sei venuto?

– Certo, – fece Meo, – ci venni con Rafè, Rafè che poco dopo restò morto nella battaglia di Rocchetta.

Allora il vecchio diede una voce alla sua donna, tolse il paletto ed entrarono. Ma non ci fu tutta la buona roba assicurata da Meo, anzi mangiarono da porci, non c'era che polenta e cavoli freddi e una manciata di nocciole. E toccò mangiare quella miseria sotto gli occhi fissi del vecchio. Li sorvegliava, si lisciava continuamente i baffoni bianchi e diceva ogni tanto una parola, una parola sola. «Siberia». Era il suo intercalare. «Siberia, Siberia». Giorgio non toccò la polenta e tanto meno i cavoli, mangiò una dozzina di nocciole che masticate in fretta e con rabbia gli rimasero sullo stomaco. Disse poi che se le sentiva come tante pietruzze disseminate lungo l'esofago. Quando finalmente uscirono da quella casa disgraziata e si inerpicarono per rimettersi in cresta, erano appena le nove e la notte era paurosa come un attimo prima dell'alba. Salirono dicendone di tutti i colori a Meo per quella trovata della cena. Il piú a posto era ancora Jack, borbottava senza tregua e con voce morbida e quasi allegramente: «Porci fascisti, porci fascisti, porci fascisti...»

Poi si scaldarono con Sceriffo per la scelta della casa in cui far base per la guardia al bivio. Erano ormai giunti in vista del bivio, la strada a valle biancheggiava lugubremente. Cobra dimenò la testa incappucciata e disse: – Se domattina per quella strada passano i fascisti, io giuro che ne mangerò la ghiaia fino a creparne –. I quattro volevano fermarsi a Cascina della Langa, che aveva una grande stalla, con tutte le aperture bene tappate e un gran numero di buoi che col fiato riscaldavano come tanti termosifoni. Sceriffo obiettò che, se era comoda per dormirci, era mal situata per la guardia, troppo distante dal bivio. Dovette impuntarsi, ma alla fine li condusse a una casupola abbandonata sul ciglio di un poggio proprio dirimpetto al bivio, a un tiro di sten dal suo crocchio di case già mute e spente e sprangate. Ci arrivarono seguendo un lungo filare di alberi che sotto il ventaccio crosciavano fin nelle radici.

La casupola aveva tre stanzette diroccate e scoperchiate. L'unico vano un po' sano era la stalla, ma chiamala stalla. Era cosí piccola che non ci sarebbero state sei pecore, la mangiatoia poteva contenere sí e no un nano, e l'ammattonato era assolutamente nudo salvo in un angolo dov'erano ammucchiate due o tre fascine spinose. C'era poi un'unica finestrella, mancante del vetro e con l'impannata sfondata, e l'uscio aveva delle fessure in cui passava la mano piatta.

Cominciarono la guardia alla mezzanotte. Sceriffo montò per il primo turno. Gli altri si erano messi a giacere, acciambellati, raggricciati sull'ammattonato, ma nessuno dormiva. Erano cosí abbrutiti che a nessuno venne la semplicissima idea di aumentare lo spazio scaraventando fuori quelle vecchie fascine. Se ne erano appena discostati, ma poi finí per rovesciarcisi su Jack, spinto dalle contorsioni, dalle slittate, dai guizzi di freddo degli altri. Ebbene Jack era l'unico che dormiva, sulle fascine spinose come un fachiro, dormiva e gemeva come un moribondo. Il penultimo turno lo montò Giorgio e l'ultimo toccava a Jack il quale aveva una vista straordinaria per la luce ingannevole dell'alba.

Fu durante l'ora di Jack che successe il guaio con Giorgio. Rientrato, aveva scrollato Jack e, una volta fuori Jack, aveva scostato i corpacci di Cobra e di Meo e si era semisteso sulla lettiera. Naturalmente non prese sonno e si raggomitolò con le mani intrecciate sotto i ginocchi. Fumò una sigaretta, poi provò cento posizioni, non tanto per dormire quanto per vegliare sopportabilmente, ma senza riuscirci. Allora si mise seduto e si accese un'altra sigaretta. Alla luce del fiammifero vide che Jack non era fuori a fare il suo dovere di sentinella ma stava dentro la stalla. Si era seduto contro il muro a filo della porta e ciondolava la testa.

– Giorgio, – disse Sceriffo, – deve aver visto rosso. Lui aveva fatto per bene il suo turno...

– Non c'è nessuno, – interruppe Milton, – in tutta la divisione, non c'è nessuno che monti la guardia scrupolosamente come Giorgio.

– Questo è vero, – ammise Sceriffo, – e non stiamo a guardare se la fa tanto bene solo per sé o anche per i compagni. Fatto sta che facendola cosí bene per la sua pelle automaticamente la fa bene anche per la pelle degli altri. Su questo siamo d'accordo. Come ti ho detto, Giorgio vide rosso. Si rizzò sui ginocchi e come una belva raspava con le mani la lettiera. «Perché non sei fuori di guardia?» e senza aspettare l'eventuale giustificazione coprí Jack di nomacci, dei quali figlio di puttana era il piú bello. La colpa di Jack, se è una colpa, fu quella di non spiegarsi subito. Jack, mi sembra, scrollò le spalle, borbottò qualcosa come «È inutile» e forse sputò in terra in direzione di Giorgio.

Giorgio gli saltò addosso come una rana e in volo gli disse: «È inutile!? Noi l'abbiamo fatta e tu no, porco vigliacco?» e gli zompò addosso. Noi eravamo svegli ma ancora non ci raccapezzavamo bene e inoltre eravamo talmente indolenziti e anchilosati che prima che ci mettessimo ritti passò un buon minuto. Io avevo unicamente capito che Jack non era fuori di guardia e gli gridai perché? e uscisse subito a far la sua parte. Ma Jack non mi rispose perché era occupatissimo a difendersi da Giorgio. L'aveva preso per il collo e aveva tutte le intenzioni di fargli entrare il cranio nel muro. E mentre gli stringeva il collo e gli sforzava la testa non smetteva di insultarlo. «Bastardo, è ora di finirla con la ciurma come voi! Voi non siete buoni né per noi né per loro! Andate tutti ammazzati! Siete cani, siete maiali, siete schiuma...!» Jack non rispondeva, sia perché Giorgio quasi lo strangolava sia perché lui stesso irrigidiva il collo per non cedere con la testa contro il muro. Cosí non parlava, nemmeno per chiederci aiuto. Aveva arricciato le gambe e con quelle cercava di schizzar via Giorgio. Tutto questo io te l'ho raccontato in lungo, ma non durò piú di trenta secondi. Prima che noi intervenissimo, Jack riuscí a portare i piedi contro il petto di Giorgio e lo mandò a gambe levate sull'ammattonato. Io allora gridai a Jack di dar subito spiegazione e Jack, restando seduto al suo posto, mi disse: «È inutile, ho detto. Guarda tu», e con una manata spalancò la porta. Noi guardammo fuori e capimmo il perché.

– La nebbia, – mormorò Milton.

Per descrivere la nebbia Sceriffo si alzò dalla panca.

– Immaginati un mare di latte. Fin contro la casa, con delle lingue e delle poppe che cercavano di entrare nella nostra stalla. Uscimmo fuori, uno dietro l'altro, ma con precauzione e di non piú di due passi, per paura di annegare in quel mare di latte. Ci distinguevamo appena, e sí che stavamo sulla stessa linea, a contatto di gomiti. Davanti a noi non vedevamo niente. Pestavamo i piedi per accertarci che eravamo sul solido e non su una nuvola –. Si rimise pesantemente seduto e continuò: – Cobra rise, rientrò nella stalla, fece una bracciata di quelle fascine, tornò fuori e con tutta la sua forza le buttò avanti, in bocca alla nebbia. Non le sentimmo ricadere in terra.

Per quanto sforzassero gli orecchi e non fiatassero, non sentivano il piú piccolo rumore. La lite di Giorgio e Jack era già dimenticata. L'orologio di Giorgio segnava quasi le cinque. Erano tutti d'accordo che l'attacco non c'era e non poteva esserci. Lí non avevano piú niente da fare e dovevano riprender subito la strada per Mango. – Muchachi, – disse Sceriffo, – abbiamo la strada di cresta che è la piú breve ed inoltre la sappiamo a memoria. In questa nebbia però è pericolosa perché corre a filo di rasoio sui due versanti. In questa nebbia è facile sbandare e chi sbanda non dico che si ammazzi, ma non si illuda. Rotola giú fin che ce n'è, non si ferma prima di Belbo che scorre laggiú a due chilometri. Quindi io propongo di scender coi piedi di piombo fino a metà versante e lí inserirci sulla strada della mezzacosta che è piú lunga ma almeno è protetta da un lato dalla ripa. Cammineremo tenendoci sempre a destra e tastando la ripa. Arrivati all'altezza del Pilone del Chiarle potremo risalire in cresta. A questo punto la strada è meno pericolosa perché ha ai due fianchi dei prati piuttosto larghi prima dei salti. Inoltre speriamo che là la nebbia sia meno tremenda di qua –. Gli diedero ragione e scesero a mezzacosta con tutte le cautele, inizialmente mettendo piede avanti piede come si usa fare per misurare i punti alle bocce. Sulla strada della mezzacosta, che riconobbero inginocchiandosi, camminarono poi un po' piú svelti, sebbene la nebbia fosse ugualmente fitta. Poi imbroccarono per caso il sentiero che sale al Pilone del Chiarle e si rimisero in cresta.

– Oh, – fece Sceriffo, – calcola che abbiamo fatto in tre ore la strada che normalmente si fa in una.

– E Giorgio dove l'avete perso?

– Non lo so. Ma ti ripeto che è lui che si è fatto perdere. Credo si sia sganciato al principio della strada della mezzacosta. Sta' tranquillo, Milton, io m'immagino dove sta Giorgio. Sta al caldo in qualche bella cascina, a farsi servir colazione a suon di quattrini. Ne ha sempre tanti, alle volte ne ha piú lui del cassiere della brigata. Suo padre glieli fa avere come fossero mentini. Io ormai so come fa. Si fa portare una grande scodella di latte bollente e siccome non c'è piú zucchero si fa sciogliere dentro delle belle cucchiaiate di miele. Ecco perché non lo senti mai dare un colpo di tosse, mai il piú piccolo sbruffo, mentre noialtri tossiamo l'anima. Sta' tranquillo, Milton, vedi come sto tranquillo io che ho la responsabilità della pattuglia. Va' tranquillo che per mezzogiorno lo rivedi in paese.

– Per mezzogiorno io volevo esser di ritorno a Treiso, – disse Milton. – Mi ritengo impegnato con Leo.

Sceriffo sventolò una mano in segno di lassismo. – Che ti frega di arrivare piú tardi? Che gliene frega a Leo? Qui non si fa né appello né contrappello. Il partigiano è grande anche per questo. Altrimenti sarebbe come il Regio e permetti che tocchi ferro –. Effettivamente toccò il ferro di un caricatore e aggiunse:

– Qui si va tutti a spanne e perché tu vuoi andare al millimetro?

– Io a spanne non vado.

– Ora marci anche tu coi sistemi del porco esercito?

– Dell'esercito non voglio neppur sentir parlare, ma io a spanne non vado.

– Se è cosí, per Giorgio ritorna un altro giorno.

– Ho bisogno di parlargli subito.

– Ma perché hai questa febbre di vederti con Giorgio? Che hai da dirgli di tanto importante? Che gli è morta la madre?

Vide Milton voltarsi alla porta e fece: – E ora dove vai? In paese?

– Appena qui fuori, a vedere la nebbia.

Nel vallone sottostante la nebbia stava muovendosi, come rimescolata in fondo da pale gigantesche e lentissime. In cinque minuti si aprirono buchi e fessure in fondo alle quali si mostrarono pezzetti di terra. La terra gli apparve remotissima, nerastra, come da asfissia. Le creste e il cielo erano ancora densamente coperti, ma in capo a mezz'ora qualche squarcio si sarebbe fatto anche lassú. Alcuni uccellini si riprovavano a pigolare.

Rimise dentro la testa. Sceriffo pareva essersi riaddormentato.

– Sceriffo? Hai sentito niente per strada?

– Niente, – rispose pronto, senza sollevare la testa né allargare i gomiti.

– La strada della mezzacosta, dico.

– Ma niente.

– Assolutamente?

– Niente di niente! – Sceriffo aveva scattato la testa ferocemente, ma la voce la dominò meglio. – Se

51

vuoi proprio la precisione, e cosí pignolo non ti avevo mai visto, ti dirò che in tutto e per tutto abbiamo sentito volare un uccello. Doveva aver perduto il nido e lo cercava in quel nebbione. E adesso fammi dormire.

Fuori prese a pioggerellare.

VI

Aveva lasciato detto a una decina di compagni di mandargli Giorgio appena lo vedevano e aveva lasciato il recapito della mensa. Ma verso le undici e mezzo era uscito dalla mensa e per mezz'ora aveva vagolato ai bordi del paese nella speranza di poter avvistare da una certa distanza Giorgio che tornava dal vuoto della campagna. La nebbia era dovunque in via di dissoluzione, l'acquerugiola si era un po' appesantita ma non dava ancora sensibile fastidio.

Allo sbocco del vicoletto del lavatoio si stagliò per un attimo Frank. Era un ragazzo pure di Alba, della categoria di Milton e di Giorgio. Passò via come se di Milton non avesse visto nemmeno l'ombra, ma dovette avere come una visione ritardata, perché in un istante si reinquadrò nel vicoletto. Fremeva dai capelli ai piedi e la sua faccia era piú infantile e bianca che mai, pareva di gesso.

«Mi hanno preso Giorgio», si mormorò Milton.

– Milton! – gridò Frank correndo giú. – Milton! – rigridò frenando coi tacchi sul selciato sconnesso.

– Vero, Frank, che hanno preso Giorgio?

– Chi te ne ha già parlato?

– Nessuno. Me lo sono sentito. Come si è saputo?

– Un contadino, – balbettò Frank, – un contadino della bassa collina che l'ha visto passare prigioniero su un carro ed è venuto a dircelo. Corriamo al comando, – e Frank prese la corsa.

– No, non corriamo, – disse, pregò Milton. Le gambe lo reggevano appena.

Frank gli si riaffiancò docilmente. – Anche a me ha fatto un effetto disastroso. Mi sono sentito liquefare.

Risalivano adagio, quasi con ripugnanza, verso il comando.

– È fottuto, eh? – bisbigliò Frank. – Preso in divisa e armato. Di' qualcosa, Milton!

Milton non aprí bocca e Frank riprese: – Fottuto. Non voglio pensare a sua madre. Dev'essergli finito in bocca nel nebbione. Il nebbione di stamattina era troppo straordinario perché non ci capitasse niente. Ma son cose che si pensano dopo. Povero Giorgio. Quel contadino l'ha visto passare legato su un carro.

– È sicuro che fosse Giorgio?

– Dice che lo conosceva. Del resto non manca che lui.

Un contadino stava scendendo verso l'aperta campagna. Aveva imboccato una scorciatoia scivolosissima e ci si calava afferrandosi all'erba piú alta.

– È quello! – fece Frank e gli mandò un fischio e gli schioccò le dita.

Di malavoglia si fermò e risalí sul selciato. Era un uomo sui quarant'anni, quasi albino, con schizzi e patacche di fango fin sul petto.

– Dimmi di Giorgio, – gli ordinò Milton.

– Ho già detto tutto ai vostri capi.

– Ripetilo a me. Come l'hai visto? La nebbia non copriva?

– Laggiú da noi non era cosí iniqua come quassú. E poi a quell'ora si era già quasi tutta ritirata.

54

– Di che ora parli?

– Delle undici. Mancava poco alle undici quando ho visto passare la colonna di Alba col vostro compagno legato sul carro.

– L'hanno portato giú come un trofeo, – disse Frank.

– Li ho visti per combinazione, – riprese l'uomo. – Io mi portavo a tagliar canne e li vedo passare nella strada sottana. Li ho visti per combinazione, senza sentirli, perché scendevano come bisce.

– Sicuro che era Giorgio? – domandò Milton.

– Di vista lo conoscevo bene. Era venuto piú d'una volta a mangiare e dormire in casa del mio vicino.

– Tu dove abiti?

– Subito a monte del ponte di Mabucco. La mia casa...

Milton gli troncò la descrizione della casa. – E perché non sei corso ad avvisare gli uomini di Ciccio ai piedi della collina?

– Gliel'ha già chiesto Pascal, – sospirò Frank.

– E tu hai sentito quello che ho risposto al vostro comandante, – ribatté il contadino. – Non sono mica una donna, ho fatto il militare anch'io. Mi son subito detto che l'unico dei vostri che li poteva fermare era Ciccio e son volato giú. E ho rischiato la mia parte, perché quelli in coda potevano vedermi mentre li sorpassavo di fianco e spararmi come a una lepre. Ma come arrivo al distaccamento di Ciccio non ci trovo che il cuciniere e una sentinella. Li ho avvertiti ugualmente e quelli son partiti come frecce. Io immaginavo che cercassero il grosso, che mettessero in piedi un'imboscata, che facessero qualche cosa, ma erano corsi solo a rintanarsi nel bosco. Passata la colonna, già lontana sullo stradale di Alba, quei due sono tornati e mi hanno detto: «Che potevamo farci noi due soli?»

Disse Frank: – Pascal dice che oggi stesso manda giú una squadra a riprendere a Ciccio uno dei due bren. Un bren è piú che sufficiente per quel branco di...

– Lasciatemi andare, – disse il contadino. – Se tardo troppo la mia donna si affanna ed è gravida.

– Era proprio Giorgio della brigata di Mango? – insistette Milton.

– Sicuro come la morte. Per quanto avesse la faccia sporca di sangue.

– Ferito?

– Pestato.

– E... come stava sul carro?

– Cosí, – fece l'uomo e imitò la posizione di Giorgio. L'avevano piantato seduto sul bordo del carro e legato per il busto a un paletto conficcato nel graticcio del pianale, di modo che Giorgio stava ritto come una spada, con le gambe penzolanti con le code dei buoi che tiravano il carro.

– L'hanno portato giú come un trofeo, – ripeté Frank. – Figurati la scena quando entrerà in Alba. Immaginati le ragazze di Alba, oggi e stanotte.

– Che c'entrano le ragazze? – scattò Milton stralunato. – Niente o pochissimo. Tu sei un altro che s'illude.

– Io? Scusa, di che m'illudo io?

– Non capisci che dura da troppo tempo? Che noi abbiamo fatto l'abitudine a crepare e le ragazze a vederci crepare?

– Non mi lasciate ancora andare? – domandò il contadino.

– Un momento. E Giorgio che faceva?

56

– E che vuoi che facesse? Guardava fisso in avanti.

– I soldati lo pestavano ancora?

– Non piú, – rispose l'uomo. – Come l'hanno preso debbono averlo subito pestato. Ma per strada piú niente. Avevano certo paura che spuntaste voi da un momento all'altro, da questa o da quella collina. Ve l'ho detto che scendevano senza rumore come bisce. E quindi lo lasciavano in pace. Ma può darsi che una volta fuori della zona di pericolo gli siano saltati addosso per sfogarsi un altro po'. E adesso posso andare?

Milton si era già avventato verso il comando. Frank, sorpreso da quello scatto, lo rincorreva gridando: – Adesso perché corri?

L'ingresso del comando era intasato da buona parte del presidio di Mango. Milton si infilò in quella calca di spalle, sfondando per sé e per Frank che ora lo tallonava. Un altro cerchio si era formato intorno a Pascal che già impugnava il telefono. Milton si incastrò anche in quella calca interna e si trovò in prima fila, gomito a gomito con Sceriffo, bianco come un morto.

Mentre Pascal aspettava la comunicazione, Frank mormorò: – Scommetto la testa se in tutta la divisione abbiamo uno straccio di prigioniero.

– Per me, prendete nota, ghirlanda di rose bianche, – disse un altro.

Venne in linea il comando di divisione. All'altro capo del filo era l'aiutante maggiore Pan. Disse subito che non aveva prigionieri disponibili. Volle che Pascal gli descrivesse Giorgio e poi Pan credette di rammentarselo. Ma non aveva prigionieri. Pascal si rivolgesse ai vari comandanti di brigata. Vero che il regolamento prescriveva l'immediato trasferimento al comando di divisione di tutti i prigionieri fatti dai comandi inferiori; comunque, a scarico di coscienza, Pascal telefonasse a Leo, a Morgan e a Diaz.

– Leo non ne ha, – disse Pascal nel cornetto. – Ho qui davanti a me un uomo della brigata di Treiso che mi fa segno che Leo non ne ha. Provo a telefonare a Morgan e a Diaz. Comunque, Pan, se ti arrivasse un prigioniero fresco fresco, non lo scorciate ma speditemelo subito in macchina.

– Telefona a Morgan, presto, – disse Milton come Pascal riagganciò.

– Chiamo Diaz, – rispose Pascal seccamente.

Milton sbirciò Sceriffo. Ora era grigiastro. Ma, pensava Milton, non era per il destino di Giorgio, ma solo per il terrore retroattivo dei nemici sparsi a centinaia nel nebbione, e lui Sceriffo che li passava in cieca rivista, tranquillo, incosciente, tutto assorbito dal frullo di un uccello sperduto.

– Povero Giorgio, – biascicò Sceriffo. – Che porca ultima notte si è passato. Chissà come sta male. Avrà ancora quelle nocciole sullo stomaco.

– Forse è già tutto finito per lui, – disse un tale alle spalle di Milton.

– Piantatela, – disse Pascal, mentre il telefono squillava.

Era Diaz in persona. No, non aveva prigionieri.
– I miei serpenti, – disse, – non beccano da un mese –. Ricordava benissimo il biondo Giorgio e gliene rincresceva, ma non aveva uno straccio di prigioniero.

Un partigiano col pizzetto, che Milton vedeva per la prima volta, domandò in giro dove lo facessero in Alba.

Rispose Frank: – Qua e là. Il piú delle volte contro il muro del cimitero. Ma anche contro la scarpata della ferrovia o in un punto qualsiasi della circonvallazione.

– Non buono a sapersi, – disse quello col pizzetto. E si risentí. – Per me rose bianche.

Morgan parlava già. – Fottuted boys. Non ne ho. Chi era questo Giorgio? Dio sergente, vedi come capita. Tre giorni fa ne avevo uno, ma ho dovuto smistarlo alla divisione. Era un pulcino bagnato, e poi si rivelò un buffone di prima forza. Una rivelazione. Ci fece spanciare per tutta la giornata che passò con noi. Pascal, l'avessi visto imitare Totò e Macario. L'avessi visto suonare tutta una batteria invisibile. Lo spedii alla divisione raccomandando di non scorciarlo, ma lo sotterrarono nella notte. Vedi come capita, Dio sergente! Chi era questo Giorgio?

– Un bel biondo, – rispose Pascal. – Se ne pigli uno fresco fresco, non lo scorciare, Morgan, e non lo smistare nemmeno alla divisione. Sono già d'accordo con Pan. Mandamelo in macchina.

Pascal agganciò e vide Milton che premeva verso l'uscita.

– Dove vai?

– Torno a Treiso, – rispose voltandosi a metà.

– Resta a mangiare con noi. Che parti adesso per Treiso a fare?

– A Treiso si sa prima.

– Che cosa?

Ma Milton si era già avventato fuori. Ma fuori cozzò in un'altra ressa. Facevano cerchio serrato intorno a Cobra il quale si era accuratamente rimboccato le maniche fin sui potenti bicipiti e ora si curvava verso un immaginario catino. – Guardate, – diceva, – guardate tutti quel che farò se ammazzano Giorgio. Il mio amico, il mio compagno, il mio fratello Giorgio. Guardate. Il primo che beccherò... mi voglio lavar le mani nel suo sangue. Cosí –. E si curvava sull'immaginario

59

catino e immergeva le mani e poi se le strofinava con una cura e una morbidità spaventevoli. – Cosí. E non solo le mani. Ma anche le braccia voglio lavarmi nel suo sangue –. E ripeteva l'operazione di prima sull'avambraccio e sul lacerto. – Cosí. Guardate. Se ammazzano il mio fratello Giorgio –. Parlava con la stessa morbidità e nettezza con cui si lavava, ma in ultimo scoppiò in un urlo altissimo: – Voglio il loro sangue! Voglio entrare nel loro sangue fino alle ascelleeeee!

Milton partí di lí e si fermò non prima dell'arco al principio del paese. Guardò lungo in direzione di Benevello e Roddino. La nebbia si era sollevata dappertutto, in basso non ne restava che qualche francobollo appiccicato sulla fronte nera delle colline. La pioggia cadeva sottile e regolare, senza disturbare minimamente la visibilità. Torse la testa dall'altra parte e guardò in profondo verso Alba. Il cielo sulla città era piú cupo che altrove, decisamente violetto, segno di una pioggia molto piú violenta. Pioveva a dirotto su Giorgio prigioniero, forse su Giorgio già cadavere, pioveva a dirotto sulla sua verità di Fulvia, cancellandola per sempre. «Non potrò saperlo mai piú. Me ne andrò senza sapere».

Sentí correre alle sue spalle, l'uomo puntava dritto su lui. Cercò di partir via in anticipo, ma non ce la fece, Frank gli arrivò addosso.

– Dove vai? – ansimò. – Mica te la batti? Non mi lascerai qui solo. Oggi arriverà certamente il padre di Giorgio a vedere se abbiamo da scambiare suo figlio. Se tu te la batti, resto solo io a riceverlo, a parlargli, ed io non me la sento. Questa parte io l'ho già fatta una volta, coi fratelli di Tom, e non la voglio rifare, perlomeno da solo. Tu, per piacere, resti qui con me.

Milton gli indicò i bricchi di Benevello e Roddino.

– Io vado da quelle parti. Se il padre di Giorgio arriva e chiede anche di me...

– Figurati se non chiede di te.

– Tu digli che io sono fuori a cercare un cambio per Giorgio.

– Davvero gli posso dir questo?

– Glielo puoi giurare.

– E dove vai a cercare?

Pioveva rado e pesante, con gocce piatte come monete.

– Vado da Hombre, – rispose Milton.

– Vai dai rossi?

– Visto che noi azzurri non abbiamo prigionieri.

– Ma quelli, ammesso che l'abbiano, non te lo daranno mai.

– Me lo farò... imprestare.

– Non te lo presteranno nemmeno. Con la ruggine che c'è, con la testa che gli montano i commissari, con la bile che hanno in corpo per via dei lanci che noi riceviamo e loro no...

– Hombre ed io siamo amici, – disse Milton. – Amici speciali. Tu lo sai. Glielo chiederò come favore personale.

Frank scrollò la testa. – Ammesso che l'abbiano e te lo diano... Non ce l'hanno, perché in mano a loro un prigioniero non fa in tempo a esser tale... ma ammesso che l'abbiano e te lo diano, tu che fai? Lo porti qui direttamente?

– No, no, – disse Milton torcendosi le mani. – Perderei troppo tempo. Mando avanti il primo prete che trovo e lo scambio sulla collina di Alba col minimo di formalità. Casomai mi farò accompagnare da due uomini di Nick.

La pioggia si stiacciava sulle loro teste e infradiciava

le loro divise, ma essi si accorsero che rinforzava unicamente dal piú secco crepitare del fogliame dell'allea.

– Per di piú ripiove sul serio, – disse Frank.

– Perdiamo tempo, – disse Milton e a gamba tesa si calò per la proda nella stradina inferiore. Il suo tacco apriva nel fango piaghe lunghe e profonde e lustre.

– Milton! – chiamò Frank. – Io sono convinto che tornerai a mani vuote. Ma se riesci ad avere l'uomo e vai per lo scambio, quando sarai sulla collina della nostra Alba metti cent'occhi e guardati da ogni parte. Attento ai trucchi, attento alle finte. Hai capito? Lo sai che questi scambi alle volte sono trappole infernali.

VII.

La pioggia era minutissima, quasi impercettibile sulla pelle, ma sotto di essa il fango della strada continuava a lievitare a vista d'occhio. Erano quasi le quattro. La strada rampava. Milton doveva già trovarsi nel raggio di avvistamento e di sorveglianza della brigata di Hombre e perciò procedeva con gli occhi larghi e le orecchie tese, camminando a filo della scarpata. Poteva aspettarsi ad ogni passo che gli fischiasse vicina una pallottola. I rossi sospettavano delle uniformi e avevano la dannata inclinazione a scambiare per tedesche le divise inglesi. Cosí marciava tenendo d'occhio i pendii e i macchioni e, in particolare, i casotti per gli attrezzi nelle vigne a mezzacosta.

Uscendo da una curva si arrestò netto. Gli si era parato dinnanzi un ponticello intatto. «È intatto. Ponte intatto ponte minato». Studiò il corso d'acqua e la marcia, nera natura a monte e a valle del ponticello. A monte il rio era troppo incassato e cosí pensò di guardare a valle. Si calò nel prato e quindi sulla sponda, ma all'ultimo momento si trattenne. «Non mi fido. Puzza di tranello. Il sentiero battuto è molto piú a valle. La gente avrà i suoi motivi per passare laggiú». Scese e passò laggiú. Sebbene ci fossero dei massi intermedi non poté evitare di inzupparsi fino ai polpacci. L'acqua marrone era gelida.

La strada ripassava giusto sopra di lui, ma la scarpa-

63

ta era alta, erta, gonfia e lustra di fango. Il fango aveva seppellito l'erba e spuntoni e cancellato i sentieri. Salí con estrema concentrazione ma dopo quattro passi scivolò e ricadde al piano lordandosi tutto un fianco. Si staccò il fango a manate e riprovò. A metà dell'erta barcollò, annaspò nella vana ricerca di un appiglio, ripiombò rotoloni. Fece per urlare ma poi richiuse la bocca con uno scatto di denti che si udí tutto all'intorno. Già che era vestito e calzato di fango, la terza volta salí puntando gomiti e ginocchia. Issatosi sul ciglio della strada, si diede a ripulire dal fango la carabina, quando sentí a monte il rotolio di una piccola frana. Allungando lo sguardo vide una sentinella uscire a balzi da una crepacciatura della rupe calcarea a sinistra della strada. Il paese doveva stare subito dietro la rupe, perché nel cielo fuggiva veloce il fumo bianco di numerosi comignoli.

La sentinella si era piantata a gambe larghe in mezzo alla strada.

– Abbassa l'arma, Garibaldi, – disse forte Milton. – Sono un partigiano badogliano. Vengo a parlare al tuo comandante Hombre.

Abbassò impercettibilmente il moschetto e gli accennò di avanzare. Era poco piú di un ragazzino, vestito tra il contadino e lo sciatore, con una vivida stella rossa nel centro del mefisto.

– Tu devi avere sigarette inglesi, – disse per prima cosa.

– Sí, ma la manna è quasi finita, – e Milton gli presentò con una scossina il pacchetto di Craven A.

– Facciamo due, – disse il ragazzo servendosi. – come sono?

– Piuttosto dolci. Allora mi accompagni?

Salivano e Milton ad ogni passo si staccava fango dalla divisa.

– Quella è la carabina americana, eh? Che calibro?

– Otto.

– Allora i suoi colpi non vanno bene per lo sten. Non avresti qualche colpo di sten sperduto nelle tasche?

– No, e poi che te ne faresti? Non hai lo sten.

– Me lo farò. Possibile che non ti ritrovi addosso qualche colpo da sten? Avete i lanci, voi.

– Ma vedi bene che porto la carabina e non lo sten.

– Io, – disse ancora il ragazzo, – se avessi la scelta che hai avuto tu, prenderei lo sten. Quella non fa le raffiche, e son le raffiche che piacciono a me.

Dal piano della strada emergeva il tetto sconciato di una casa costruita alla rinfusa nel pendio sottostante. La sentinella tagliò in quella direzione.

– Ma quello non può essere il comando, – osservò Milton. – Quello sarà un posto di guardia.

Il ragazzo si calava per la ripa senza rispondere.

– Io voglio andare al comando, – insistette Milton. – Ti ho detto che sono amico di Hombre.

Ma il ragazzo era già saltato in un'aia bulicante di fango. Si voltò appena e disse. – Per qui si passa. Ho l'ordine da Nèmega di far passare tutti per qui.

Sull'aia stava una mezza dozzina di partigiani, chi ritto e chi accoccolato, ma tutti addossati al muro, al confine del fango e dello stillicidio. A un lato stava un portico semidiroccato, ingombro di stie, l'aria scura era appestata dalle esalazioni, esaltate dall'umidità, dello sterco di gallina.

Uno di quelli alzò gli occhi e disse con una imprevedibile voce di falsetto: – To', un badogliano. Questi son signori. Guardate, guardate come sono armati ed equipaggiati questi cristi.

– Guarda anche come sono infangato, – gli disse Milton tranquillo.

– Ecco, quella è la carabina americana famosa, – disse un secondo.

E un terzo, con tanta ammirazione che non lasciava piú posto all'invidia: – E quella è la Colt. Prendete la foto alla Colt. Non è una pistola, è un cannoncino. È piú grossa della Llama di Hombre. È vero che spara i medesimi colpi del Thompson?

La sentinella l'aveva preceduto in uno stanzone tutto nudo salvo per due pancacce e il rudere di una madia. Si vedeva poco e il ragazzo maneggiò per accendere un lume a petrolio. Illuminava poco e mandava un fumo nero, grasso, che faceva sternutire.

– Nèmega viene subito, – disse il ragazzo e riuscí prima che Milton potesse domandargli chi era questo Nèmega.

Non tornò al suo posto di guardia alla rupe, si fermò sull'aia con quegli altri. Uno di loro stava mirando per finta un cane alla catena che Milton passando non aveva notato.

– Che vuoi?

Milton ruotò su se stesso. Nèmega era vecchio, aveva certo trent'anni, e una faccia che pareva la fronte di un bunker, con le feritoie degli occhi e della bocca. Portava un giubbetto impermeabile che sotto la pioggia continua aveva assunto la squadratura di una scatola di cartone.

– Parlare col comandante Hombre.

– Parlargli di che?

– Lo dirò a lui.

66

– E tu chi sei che vuoi parlare con Hombre?

– Sono Milton della 2ª divisione badogliana. Brigata di Mango –. Si disse della brigata di Pascal perché era piú grossa e piú nominata della brigata di Leo.

Gli occhi di Nèmega erano praticamente invisibili.

– Sei un ufficiale? – gli domandò Nèmega.

– Non sono ufficiale, ma ho compiti da ufficiale. E tu chi sei? Sei ufficiale tu, commissario o vicecommissario?

– Sai che noi ce l'abbiamo amara con voi badogliani?

Milton lo fissò con malinconico interesse. – E perché?

– Avete accolto un uomo che aveva disertato da noi. Certo Walter.

– Tutto lí? Ma è uno dei nostri principî. Da noi si entra e si esce liberamente. A patto di non finire nelle brigate nere, è ovvio.

– Noi ci siamo presentati alle vostre postazioni per riavere l'uomo, e voialtri non solo non ce l'avete riconsegnato, ma ci avete fatto fare dietrofront e sparire, o ci menavate coi bren.

– Dov'è successo? – sospirò Milton.

– A Cossano.

– Noi siamo di Mango, ma penso che anche noi avremmo agito ugualmente. Voi eravate nel torto a rivolere un uomo che di voi non voleva piú saperne.

– Intendiamoci, – disse Nèmega schioccando le dita. – A noi non interessava l'uomo, a noi interessava l'arma. Ha disertato col moschetto e il fucile apparteneva alla brigata e non a lui. Nemmeno il moschetto avete voluto ridarci, e sí che voi avete i lanci, ricevete tante armi e munizioni che ve ne crescono e le dovete sotterrare. È falso quel che diceva Walter, nascosto dietro le spalle dei vostri, e cioè che il moschetto era suo, che lui l'aveva portato alla brigata. L'arma era della brigata. Di elementi come Walter possono scapparcene anche una dozzina, ma non un'arma dobbiamo perdere. Di' a Walter, quando lo vedi, di non sbagliar mai strada, di girare alla larga dal nostro distretto.

– Glielo dirò. Me lo farò indicare e glielo dirò. Ora posso vedere Hombre?

– Tu conosci Hombre? Di persona, voglio dire, non per sola fama.

– Eravamo insieme al combattimento di Verduno.

Sembrò impressionato, quasi colto in fallo, e Milton credette di capire che all'epoca di Verduno Nèmega non era ancora in collina.

– Ah, – fece. – Ma Hombre non c'è.

– Non c'è!? Me l'hai intonata di quel Walter e del suo miserabile moschetto per dirmi ora che Hombre non c'è? E dov'è?

– Fuori.

– Fuori dove? Fuori tanto?

– Di là del fiume.

– Io divento pazzo. Ma che è andato a fare di là del fiume?

– Voglio dirtelo. Per benzina. Per solvente da usare come benzina.

– Di stasera non torna?

– Sarà già tanto che di stanotte ripassi di qua.

– Io ero venuto per una cosa importante e urgentissima. Avete un fascista prigioniero?

– Noi? Noi non ne abbiamo mai. Noi li perdiamo nell'istante stesso che li facciamo.

– Noi non siamo piú teneri di voi, – disse Milton.

– Prova ne sia che non ne abbiamo e siamo venuti a chiederne a voi.

– Questa è abbastanza nuova, – disse Nèmega. – E noi ve li dovremmo regalare?

– Un prestito. Un regolare prestito. C'è almeno il commissario?

– Non l'abbiamo ancora. Per ora viene qualche volta il commissario della divisione di Monforte.

Nèmega andò ad aumentare la fiamma del petrolio e tornando disse: – Che volevate farne? Scambiarlo con uno dei vostri? Quando l'hanno beccato?

– Stamattina.

– Dove?

– Sull'altro versante, verso Alba.

– Come?

– La nebbia. Da noi era un mare di latte.

– È tuo fratello?

– No.

– Allora un tuo amico? Si capisce, se hai sfangato fin quassú a fare una parte del genere. Ma non siete capaci di darvi da fare in giro per beccarne uno?

– Certo, – rispose Milton. – Girano già dei nostri per questo. Ecco perché eravamo certi di potervi rendere l'uomo. Ma non è come andare a coglier l'uva il mese di settembre. Potrebbe volerci qualche giorno e intanto, forse proprio mentre noi stiamo qui a discutere, il mio compagno è già andato al muro.

Nèmega bestemmiò, piano ma concentrato.

– Dunque non ce l'avete?

– No.

– Io presto o tardi rivedrò Hombre e gli riferirò di questa mia venuta.

– Potrai riferirgli tutto quel che ti pare, – rispose secco Nèmega. – Io sono a posto. Ti ho detto che non

69

abbiamo prigionieri ed è la verità. Ma aspetta, ti faccio parlare con uno che può dirti perché non ne abbiamo.

– È inutile... – cominciò Milton, ma quello era già sparito nell'interno della casaccia e stava chiamando Paco, Paco.

Il nome lo fece trasalire. Paco. Fosse quel Paco che conosceva lui. Ma non poteva essere, era certamente un altro Paco. Tuttavia, di partigiani col nome di battaglia Paco non potevano essercene tanti.

Riudí Nèmega chiamare Paco, verso il vallone, con voce stufa e calante.

Milton pensava a un Paco che prima era badogliano, del presidio di Neive, al principio dell'estate. Poi aveva litigato per una requisizione col suo comandante Pierre ed era scomparso, e qualcuno sí aveva immaginato che fosse passato alla Stella Rossa. «Ma non può essere quel Paco», conclude Milton.

E invece era proprio lui, immutato, grosso e disarticolato, con le mani come palette da fornaio e il ciuffo rossigno sulla fronte gialla. Entrando riconobbe subito Milton. Era sempre stato un tipo socievole ed anche Milton fece una volta tanto l'espansivo.

– Milton, vecchio serpente, ti ricordi di Neive?

– Certo. Ma poi tu te ne andasti. Fu per causa di Pierre?

– Macché, – rispose Paco. – Tutti credono che io me la sia battuta per causa di Pierre, ma non è vero. Neive non mi piaceva.

– A me non dispiaceva.

– A me no. Ultimamente non mi ci vedevo piú, non ci chiudevo piú occhio. Sarà stata pura superstizione, ma non mi andava la sua posizione, non mi andava che fosse diviso in due borghi, non mi andava

70

che la ferrovia ci passasse in mezzo. Ultimamente non potevo nemmeno piú soffrire il suono delle sue campane quando battevano le ore.

– E ora come te la passi nella Garibaldi?

– Niente male. Ma l'importante non è essere rossi o azzurri, l'importante è scorciare tanti neri quanti ce n'è.

– D'accordo, – disse Milton. – Puoi dirmi se Hombre ha un fascista prigioniero?

Paco scrollò immediatamente la testa.

– Fuma un'inglese, – disse Milton porgendogli il pacchetto.

– Sí, ho piacere d'assaggiarne una. Gli inglesi non buttavano ancora quando io stavo nei badogliani.

– È vero che Hombre è fuori?

– È di là del fiume. Tabacco dolce, da donna.

– Sí. Dunque non avete un prigioniero?

– Arrivi tardi di un giorno, – rispose Paco sottovoce.

Milton sorrise di disperazione. – Meglio non me l'avessi detto, Paco. E chi era?

– Un caporale della Littorio.

– Quello che faceva per me.

– Un magrone. Un lombardo. Lo cerchi per fare uno scambio? Chi hanno preso dei vostri?

– Giorgio, – disse Milton. – Un nostro compagno di Mango. Forse te lo ricordi. Quel bel ragazzo biondo, elegante...

– Mi pare, mi pare.

Milton chinò la testa e si riassestò sulla spalla la carabina.

– Proprio ieri, – bisbigliò Paco, – proprio ieri l'abbiamo spedito.

Ridiscesero nell'aia. Quei cinque o sei erano spariti

chissà dove, solo il cane alla catena si fece vivo, si avventò verso loro ringhiando da strozzato. Era incredibilmente scuro e tirava un vento pazzo, che faceva gorghi, come se si rigirasse a mordersi la coda.

Paco lo accompagnava sulla strada e per un altro tratto ancora. – Tu eri un azzurro che mi andava, – disse.

Una volta sulla strada Paco disse: – Vuoi sapere come è morto?

– No. A me basta sapere che è morto.

– Te lo garantisco.

– Tu gliel'hai fatto?

– No. Io ce l'ho solamente accompagnato. In un bosco che da qui non si vede. E appena fatto io me la sono subito filata. Chi lo fa lo ricopre, giusto?

– Giusto.

– Piantò due urlacci. Sai cosa urlò? Viva il Duce!

– Padronissimo, – disse Milton.

Non pioveva, ma sotto il vento obliquo le acacie sgrondavano di traverso, quasi con malizia, con acredine. Milton e Paco tremavano sonoramente. La grande rupe calcarea sfumava nel buio.

Paco comprese che Milton non si sarebbe piú opposto e cominciò:

– Tutto ieri mattina me la fece andare col porco duce. L'avevo io in consegna. Verso le dieci Hombre mandò una moto a prelevare il parroco di Benevello perché questo caporale desiderava il prete. A proposito del parroco di Benevello, ieri mattina mi fece ridere e adesso voglio far ridere anche te. Come scende dal sidecar corre da Hombre e gli fa: «Ma è ora di finirla, sempre io a confessare i vostri condannati! Per piacere, la prossima volta usate il parroco di Roddino. A parte il fatto che è piú giovane di me e abita meno lontano, un tantino di avvicendamento, di rotazione, per nostro signor Gesú Cristo!»

Milton non rise e Paco continuò: – Allora, il prete e il soldato si ritirano a metà della scala della cantina. Io e un altro di nome Giulio in cima alla scala, pronti a fregarlo se faceva una mossa falsa. Ma di quel che si dicevano non capivamo una parola. Dopo dieci minuti risalgono e sull'ultimo scalino il prete gli dice: «Io ti ho messo in regola con Dio, con gli uomini purtroppo non posso farci nulla», e svicola. Il caporale resta con me e con Giulio. Tremava, ma non tanto. «Che cosa aspettiamo ancora? Io sono pronto», dice. Ed io: «Non è ancora il tuo momento». «Vuoi dire che non me lo fate di oggi?» «Di oggi sí, ma non subito». Allora casca seduto in mezzo all'aia, su due palmi di fango e si prende la testa fra le mani. Io gli dico: «Se volessi scrivere una lettera, da consegnare al prete prima che riparta...» E lui: «E a chi scrivo? Tu non sai che io son figlio di una puttana e del piú lesto. O vuoi che scriva al Presidente dei Trovatelli?» E Giulio: «Oh, ma in questa repubblica siete in tanti a esser figli di nessuno». Subito dopo Giulio dice che deve andare per una commissione di cinque minuti e se ne va lasciandomi l'arma. «Quello va a cagare», dice il caporale senza seguirlo con gli occhi. «Tu ne avresti voglia?» domando io. «Magari, ma che pro mi fa?» «Fumati allora una sigaretta», gli dico io, e gli sporgo il pacchetto, ma rifiuta. «Non ho l'abitudine. Tu non ci crederai, ma non ho l'abitudine del fumo». «E fuma. Non sono fortissime, sono abbastanza buone». «No, non sono abituato a fumare. Se fumassi non finirei piú di tossire. E io voglio gridare. Almeno questo». «Gridare? Adesso?» «Non adesso, ma quando sarà il mio momento». «Grida quanto ti pare», dico io. «Griderò Viva il Duce!»

mi annunzia lui. «Ma grida quel che ti pare, – dico io, – tanto qui nessuno si scandalizza. Però ricordati che ti sprechi. Il tuo duce è un gran vigliacco». «Puah! – mi fa, – il Duce è un grande, grandissimo eroe. Voi, voi siete grandi vigliacchi. E anche noi, noi suoi soldati, siamo grandi vigliacchi. Se non fossimo grandi vigliacchi, se non avessimo tirato solo a campare, a quest'ora vi avremmo già sterminati tutti, avremmo piantato la nostra bandiera sull'ultima vostra collina. Ma il Duce, lui è un grandissimo eroe, e io morirò gridando Viva il Duce!» Ed io: «Ti ho già detto che puoi gridare quel che ti pare, ma ti ripeto che secondo me ti sprechi. Io sono sicuro che tu morirai molto meglio di come saprà fare lui quando sarà la sua ora. E sarà presto, se c'è una giustizia al mondo». E lui: «E io ti ripeto che il Duce è un grandissimo eroe, un eroe mai visto, e tutti noi italiani, voi e noi, siamo tutti degli schifosi che non ce lo meritavamo». Ed io: «Io non voglio discutere con te al punto che sei. Però il tuo duce è un grandissimo vigliacco, un vigliacco mai visto. Io gliel'ho letto in faccia. Senti qua. Tempo fa mi è venuto tra le mani un giornale di allora, dei tempi belli per voi, con una fotografia di lui che pigliava mezza pagina, e me la sono studiata per un'ora. Ebbene, io gliel'ho letto in faccia. E se insisto tanto è perché non voglio che tu ti sprechi a gridare Viva Lui in punto di morte. Io me lo vedo, chiaro come il sole. Quando toccherà a lui come ora tocca a te, lui non saprà morire da uomo. E nemmeno da donna. Morirà come un maiale, io me lo vedo. Perché è un vigliacco fenomenale». «Viva il Duce!» mi fa quello, ma piano, sempre tenendosi la testa fra i pugni. E io non perdo la pazienza e gli dico: «È un vigliacco enorme. Quello di voi che morirà piú da schifoso morirà sempre come un dio in

74

confronto a lui. Perché lui è un vigliacco colossale. È il piú vigliacco italiano che sia esistito da quando esiste l'Italia, e per vigliaccheria non ne nascerà piú l'uguale anche se l'Italia durasse un milione di anni». E quello: «Viva il Duce!» mi rifà, sempre sottovoce. Poi arrivò Giulio e mi disse: «Vogliono che ci sbrighiamo». Ed io al caporale: «Alzati». «Ma sí, – fa lui, – togliamoci dal sole». E nota che pioveva grosso un dito.

Erano arrivati in vista del ponticello.

– Lasciami pure qua, – disse Milton. – Mi secca solo di dovermi infangare di nuovo come un porco.

– Perché?

– Il ponte. È minato, no?

– Macché minato. E dove lo pigliamo l'esplosivo? E ora che fai?

– Torno dai miei.

– Che cosa farai per quel tuo compagno?

Milton esitò, poi glielo disse.

Paco aspirò rumorosamente e poi disse: – Dimmi da che parte tenti. Alba, Asti o Canelli?

– Asti è troppo lontano. Alba è casa mia e se mi andasse male... odio il pensiero di finir male a casa mia. Poi farebbero la processione a venirmi a vedere. Se poi combinassi un pasticcio, se fossi costretto a sparare per sganciarmi, loro hanno Giorgio sul quale vendicarsi immediatamente.

– Resta Canelli, – disse Paco, – ma sai meglio di me che a Canelli è tutta San Marco. Vai a pescare nello stagno peggiore.

– Gli uomini presi di spalle son tutti uguali.

Verso le dieci di notte, Milton, anziché riessere a Treiso con Leo, era in un casale sperduto alle falde della immensa collina che dà su Santo Stefano e Canelli, a due ore di cammino da Treiso.

Nel buio la casa l'aveva trovata a tentoni, ma la conosceva a memoria. Era bassa e sbilenca come se si fosse ricevuta sul tetto una tremenda manata e non si fosse mai piú riassestata. Era grigia del medesimo grigio del tufo del vallone, con finestrelle slabbrate e quasi tutte mascherate da assiti fradici per le intemperie, con un ballatoio di legno anch'esso marcio e rattoppato con parti di latte da petrolio. Un'ala era diroccata e le macerie si ammucchiavano intorno al tronco di un ciliegio selvatico. L'unico sorriso lo faceva, quella casa, dalla parte del tetto rimessa a nuovo, ma faceva senso, come un garofano rosso infilato nei capelli di una vecchia megera.

Milton fumava e guardava fisso il magro fuoco di tutoli di meliga, dando le spalle alla vecchia che stava affondando i piatti della cena in una conca di acqua fredda. Si era già messo in borghese e si sentiva insufficientemente coperto. In particolare la giacca gli andava leggera, come estiva, ed accentuava la sua dura magrezza. Aveva appoggiato la carabina a un angolo del focolare e accanto a sé, sulla panca, teneva la pistola.

Senza girar gli occhi la vecchia gli disse: – Tu hai la febbre. Non alzar le spalle. La febbre non vuole che le si alzino le spalle. Ne hai appena un'oncia, ma ce l'hai.

A ogni boccata Milton tossiva o si sforzava convulsivamente di soffocare la tosse.

La donna riprese: – Stavolta ti ho fatto mangiar male.

– Oh no! – disse Milton vivamente. – Mi avete dato un uovo!

– Questo fuoco di tutoli non scalda, eh? Ma la legna va risparmiata. L'inverno sarà lunghissimo.

Milton annuí con le spalle. – Sarà l'inverno piú lungo da che mondo è mondo. Sarà un inverno di sei mesi.

– Perché di sei mesi?

– Non avrei mai creduto che avremmo dovuto passare un secondo inverno. Nessuno venga a dirmi che lui l'aveva previsto o gli do in faccia del bugiardo e del millantatore –. Si voltò a metà verso la vecchia e aggiunse: – L'altro inverno avevo un bellissimo pellicciotto di agnello. Verso la metà di aprile lo buttai via, sebbene fosse bellissimo e sebbene il cuore mi si stringa sempre un po' al buttar via la mia roba. Pensate che da ragazzo, prima che venissi in guerra, mi si stringeva il cuore a buttare le cicche delle sigarette, specie quelle che buttavo di notte, nel buio. Pensate: mi stringeva il cuore il destino delle cicche. Quel pellicciotto lo buttai dietro una siepe, dalle parti di Murazzano. Allora ero convinto che prima del nuovo freddo avremmo avuto tutto il tempo di rovesciarne due di fascismi.

– E invece? Invece quando sarà finita? Quando potremo dire fi-ni-ta?

– Maggio.

– Maggio!?

– Ecco perché ho detto che l'inverno durerà sei mesi.

– Maggio, – ripeté la donna a se stessa. – Certo che è terribilmente lontano, ma almeno, detto da un ragazzo serio e istruito come te, è un termine. È solo di un termine che ha bisogno la povera gente. Da stasera voglio convincermi che a partire da maggio i nostri uomini potranno andare alle fiere e ai mercati come una volta, senza morire per la strada. La gioventú potrà ballare all'aperto, le donne giovani resteranno incinte volentieri, e noi vecchie potremo uscire sulla nostra aia senza la paura di trovarci un forestiero armato. E a maggio, le sere belle, potremo uscire fuori e per tutto divertimento guardarci e goderci l'illuminazione dei paesi.

Mentre la donna parlava, descriveva l'estate della pace, una smorfia dolorosa si disegnò e fermò sulla faccia di Milton. Senza Fulvia non sarebbe estate per lui, sarebbe stato l'unico al mondo a sentir freddo in quella piena estate. Se però Fulvia era ad aspettarlo sulla riva di quell'oceano burrascoso attraversato a nuoto... Doveva assolutamente sapere, doveva assolutamente, domani, rompere quel salvadanaio ed estrarne la moneta per l'acquisto del libro della verità.

Poté pensare a tutto questo perché per un minuto la donna tacque, stette attenta alla pioggia che si schiantava sul tetto.

– Non ti pare, – disse poi, – che su casa mia il Padreterno la rovesci piú forte che altrove?

Passò davanti a Milton, rovesciò nel fuoco ciò che restava di tutoli nel cestone e gli si fermò davanti, secca, oleosa, sdentata, puzzolente, con sui fianchi le mani ridotte a un fascio di ossicini, mentre Milton cercava disperatamente di rivedere la giovane, la ragazza che era stata.

– E il vostro compagno? – domandò lei. – Quel povero ragazzo che ha avuto la disgrazia stamattina?

– Non so, – rispose, torcendo lo sguardo all'impiantito.

– Si vede che ci patisci. Non avete potuto far niente per lui?

– Niente. In tutta la divisione non c'era un prigioniero per lo scambio.

La vecchia levò e agitò le braccia. – Vedi che i prigionieri bisognerebbe risparmiarli, tenerli per i casi come questo di stamattina? Eppure ne avevate. Ne vidi uno io, qualche settimana fa, passare sul sentiero davanti a casa mia, con gli occhi bendati e le mani legate, e con Firpo che lo spingeva avanti a ginocchiate. Io dall'aia gli gridai di avere un po' di misericordia, che di misericordia siamo al caso di averne bisogno tutti. Firpo si voltò come una furia e mi diede della vecchia strega e se non andavo subito a nascondermi mi sparava. Firpo al quale avrò dato cento volte da mangiare e dormire. Vedi che i prigionieri bisognerebbe risparmiarli?

Milton scrollò la testa. – Questa guerra non la si può fare che cosí. E poi non siamo noi che comandiamo a lei, ma è lei che comanda a noi.

– Può darsi, – disse lei, – ma intanto laggiú in Alba, in quel posto maledetto che è diventata Alba, lo avranno già ammazzato. Ammazzato come noi ammazziamo un coniglio.

– Non lo so, non credo ancora. Tornando da Benevello, sulla strada di Montemarino, ho incontrato Otto del presidio di Como. Conoscete Otto?

– Conosco anche Otto. Gli ho dato da mangiare e dormire piú di una volta.

– Otto non ne sapeva ancora niente. Lui è del presidio piú vicino ad Alba. L'avessero già fucilato Otto l'avrebbe già saputo.

– Allora fino a domani non c'è da aver paura?

– Non vuol dire. L'ultimo dei nostri fucilato laggiú lo fucilarono alle due di notte.

La vecchia alzò le mani alla testa ma non ce le posò.

– Se non sbaglio, era di Alba come te.

– Sí.

– Eravate amici?

– Siamo nati insieme.

– E tu?

– Io cosa? – scattò Milton. – Io... che posso farci?

– Volevo dire che tu potresti benissimo essere al posto suo.

– Oh certo.

– Ci pensi?

– Sí.

– E non...?

– No. Anzi. Peggio di prima.

– Ma ce l'hai ancora tua madre?

– Sí.

– E a lei non pensi?

– Sí. Ma sempre dopo.

– Dopo che cosa?

– Passato il pericolo. Prima e durante il pericolo mai.

La vecchia sospirò e quasi sorrise, di un sollievo quasi beato.

– Tanto che mi disperai, – disse, – tanto che mi arrovellai, che a momenti mi portavano al manicomio...

– Ma che cosa dite?

– Parlo dei miei due figli, – rispose, accentuando il sorriso, – che mi son morti di tifo nel trentadue. Uno di ventuno e l'altro di vent'anni. Tanto che mi disperai, tanto che impazzii, che mi volevano ricoverare anche quelli che mi volevano veramente bene. Ma adesso sono contenta. Adesso, passato il dolore col tempo, sono contenta e tanto tranquilla. Oh come stanno bene i miei poveri due figli, come stanno bene sottoterra, al riparo degli uomini...

Milton alzò una mano a comandarle silenzio. Impugnò la Colt e puntò la porta. – Il vostro cane, – mormorò alla vecchia. – Non mi piace come fa.

Il cane fuori ringhiava sordamente, lo si sentiva bene attraverso il rumore confondente della pioggia. Milton si era sollevato a metà dalla panca e teneva sempre la pistola puntata all'uscio.

– Non ti scomodare, – disse la vecchia con voce piú alta del normale. – Io conosco la bestia. Fa cosí non perché ci sia pericolo ma perché ce l'ha con se stesso. È un cane che non si può soffrire, non ha mai potuto soffrirsi. Non mi stupirei una mattina di uscire sull'aia e trovarlo impiccato con le sue stesse zampe.

Il cane si arrovellava ancora. Milton ascoltò un altro po', poi depose la pistola e risedette. La vecchia era tornata nell'angolo lontano della cucina.

A un certo momento si voltò curiosamente verso Milton e gli domandò che avesse detto.

– Io non ho parlato.

– Hai parlato sí.

– Ma non mi pare.

– Io sono vecchia e non dovrei competere con un ragazzo di vent'anni in fatto di sensi buoni. Ma hai detto quattro con qualcos'altro insieme. Forse hai detto uno di quei quattro.

– Sarà, ma io non me ne sono accorto.

– Meno di un minuto fa. Pensavi a qualcosa con un quattro dentro?

– Non mi ricordo. Qui piú nessuno è normale. Solamente la pioggia è ancora normale.

In realtà aveva pensato intensamente a «uno di quei quattro» e certamente aveva finito col darvi voce. E continuava a pensarci, mentre dal cervello gli scendeva al naso la gran puzza di polmone di vacca bollito che c'era nell'osteria di Verduno, quella mattina.

Quella era stata la prima volta che azzurri e rossi avevano combattuto insieme. Il presidio di Verduno era badogliano e il versante successivo era occupato da una brigata rossa al comando di Victor il francese. Un battaglione del reggimento di Alba era già apparso in fondo alla valle. C'era fanteria e cavalleria, ma la cavalleria sbucò fuori all'ultimo momento. La fanteria avanzava senza criterio, senza punte di sicurezza, senza protezione laterale, senza niente. Victor, che era già arrivato sulla piazza, l'aveva tenuta a lungo sotto il binocolo e poi disse: – Non spariamole in fase di avvicinamento, diamo a vedere che il paese è indifeso e pacifico e li riceveremo nelle strade e sulla piazza, *à bout portant*, a bruciapelo. Non se ne accorgeranno che quando saranno in trappola. Quelli sono deficienti o ubriachi, non vedete? – Si ritirarono a discuterne nell'osteria, c'era una schifosa puzza di polmone di vacca bollito. Edo, il comandante badogliano, era contrario al piano di Victor perché poi il paese avrebbe subito tremende rappresaglie. Era molto meglio, disse, combattere regolarmente fuori paese, in campo aperto, e qualunque fosse stato l'esito, il paese avrebbe dovuto, ragionevolmente, andare esente da conseguenze.

– Questo è tipicamente, spaventosamente azzurro, – bisbigliò a Milton Hombre che allora era semplice comandante di distaccamento. Milton e qualche altro azzurro appoggiarono il piano di Victor, ma Edo manteneva la sua linea regolare. Aveva una testa da ufficiale effettivo e soprattutto era convinto che, certa la vittoria finale, i partigiani avrebbero invariabilmente perduto tutte le piccole o grandi battaglie intermedie. Allora, mezzo in francese e mezzo in italiano, Victor disse: – Verdun è presidio vostro, ma io ci son dentro e non me ne ritiro. Voi difendetelo pure dall'esterno, io lo difenderò da dentro. E Verdun ne andrà di mezzo ugualmente, perché con le sole mie forze io non potrò tenerli lontani –. Al che anche Edo si convinse e cedette.

Si era rimasti d'accordo di riceverli dentro il paese e non dare nel frattempo il piú piccolo segno di vita. Milton si era appostato dietro il parapetto della piazza e accanto a lui venne ad accosciarsi proprio Hombre. Insieme guardavano i fascisti arrancare. Una parte saliva per la strada, l'altra tagliava per campi e prati. Questi penavano di piú, sdrucciolavano spesso, la terra si era snevata da una settimana appena, e non ci fossero stati gli ufficiali sarebbero tutti passati per la strada, come un gregge. Ormai erano cosí vicini e l'aria tanto limpida che Milton col suo occhio superiore li vedeva bene in faccia, chi aveva barba e baffi e chi no, chi portava una automatica e chi il moschetto. Poi si voltò a vedere la disposizione nell'interno del paese e vide accanto alla pesa pubblica Victor e il grosso dei suoi appostati col Saint-Etienne. Guardò dall'altra parte e vide i suoi azzurri con la mitragliatrice americana. Restarono dietro il parapetto qualche attimo ancora, poi si ritirarono carponi e Milton andò a riunirsi ai suoi sotto il portico del Comune. Hombre lui non andò in gruppo, si isolò invece il piú possibile, si defilò dietro l'angolo della privativa. Il primo che si presentò – un sergente grande e grosso, con una barba a spazzola – spuntò proprio di fronte alla privativa. Hombre si sporse appena e lo rafficò dall'angolo. Non al corpo, alla testa mirò, e si vide volar via mezzo cranio e l'elmetto di quel sergente.

La raffica di Hombre diede il segno del fuoco generale. I fascisti non spararono che qualche colpo, erano troppo sbalorditi, non si ripresero piú. La strage piú grande la fece il Saint-Etienne di Victor. Dopo, sulla strada davanti alla pesa, ne contarono diciotto stesi, ognuno impiombato per due. Prima della pesa la strada è selciata e fa discesa, lí il sangue ruscellava come vino e pezzi di cervello vi galleggiavano sopra. Milton ricordava che Giorgio Clerici vomitò e svenne e dovettero curarlo come se fosse ferito grave.

Non si sentivano piú spari, ma solamente urla. Urlavano i fascisti ancora vivi e urlava la gente nelle case. I soldati pur di salvarsi dalle strade erano entrati nelle case sforzando il barricamento e si erano nascosti sotto i letti e nelle madie, persino sotto le sottane delle vecchie, nelle stalle sotto il foraggio e tra le bestie. Si sentiva Victor in una viuzza laterale correre come un cavallo e urlare: «En avant! En avant, bataillon!»

A un certo momento Milton si era trovato solo, senza saper come, ma improvvisamente e del tutto solo, a parte i cadaveri dei soldati. In quel mezzo silenzio e in quel deserto completo tremò. Poi udí un passo studiato, dalla sua parte, si appostò dietro una pila e spianò l'arma. Ma era Hombre. Si andarono incontro da amici, da fratelli. Intanto si risentivano urla e spari, ma era il loro festeggiamento della vittoria. Erano vicini alla chiesa e gli parve di cogliere un trepestío, gente che scappa a nascondersi in punta di piedi. Milton col mento accennò di sí a Hombre che con gli occhi gli domandava se avesse sentito pure lui. – In chiesa, – bisbigliò Hombre ed entrarono con ogni precauzione. C'era ombra e fresco. Cominciarono col frugare nel battistero, quindi nel primo confessionale. Non si sentiva un alito. Hombre sbirciò su alla cantoria ma poi scacciò l'idea e si diede a perquisire i banchi uno dopo l'altro. Cosí, a spina di pesce, si avvicinavano all'altare maggiore. Si avvicinavano e da dietro l'altare sbuca un soldato con le mani alzate e dice: – Siamo qui dietro, – con una voce da fanciulla. Aveva tanta paura che consegnarsi era un sollievo. Hombre gli fece l'ombra di un sorriso e: – Venite fuori, quanti siete, – disse piano, dolce, col tono di un anziano che perdona una ragazzata nel punto in cui la scopre. E quelli, quattro, uscirono a mani alte da dietro l'altare e vedendo Hombre e Milton fare a quel modo, calmi, superiori, senza calci né pugni né insulti, respirarono.

Uscirono dalla chiesa. Il sole parve il doppio piú caldo e piú lustro. I quattro prigionieri non cessavano di sbatter le ciglia e trasferir lo sguardo dalla stella rossa di Hombre al fazzoletto azzurro di Milton. Le armi dovevano averle buttate molto prima.

Milton vide che il loro grosso era già fuori paese, diretto al crinale, e disse a Hombre di sbrigarsi a fare altrettanto. Uscirono dalle case e presero diagonalmente per la collina, a tre quarti dalla cresta. La collina non era molto alta ma piuttosto rigonfia e senza una pianta né una siepe.

D'un tratto Milton notò un movimento nella coda del grosso che li precedeva di un trecento metri. Un movimento che lo rimescolò tutto, di allarme improvviso e di scatto disperato, e subito dopo gli martellò le orecchie il galoppo di molti cavalli. Il grosso si era scompigliato ma Victor lo rinserrò in un baleno e fece la mossa piú giusta. Comandò a tutti di volare al crinale e tuffarsi nel vallone, una specie di scivolo per gli uomini ma per i cavalli poco meno di un burrone. Arrivarono al ciglione, si tuffarono e rotolarono giú e potevano dirsi in salvo, ma Milton e Hombre erano esposti alla carica. Erano molto indietro, a duecento passi dal crinale. Ce l'avrebbero fatta solamente a volare, ma se loro volavano non volavano i quattro che avevano capito la situazione. – Correte! – ordinò Hombre, – correte da maledetti! – ma quelli correvano come donne. Milton scoccò un'occhiata al basso e vide i primi cavalli rampare sul pendio, fumando dai fianchi come stufe. I prigionieri si erano leggermente disuniti, il piú a valle era a forse cento metri dai primi cavalli e abbozzava segnali ai cavalleggeri. Questi non sparavano ancora, per la distanza e perché nel tormento del galoppo rischiavano di colpire i loro camerati. Potevano distinguerli dal grigioverde, mentre Hombre e Milton vestivano a piú colori.

– Che facciamo? – gridò Hombre e Milton: – Fa' tu! – ma avevano entrambi i capelli ritti in testa come aghi. I cavalli erano a ottanta passi, galoppavano in diagonale. Allora Hombre urlò ai quattro di serrare e riunirsi, con tanta autorità che quelli gli obbedirono istantaneamente e come li ebbe in un mazzo Hombre gli fece dentro tutto il caricatore. Andarono giú in un fascio, poi ognuno per suo conto ed abbrivo rotolava morto giú incontro alla cavalleria, e si sentí il tremendo urlo dei montati. Fu quel tremendo urlo a far riscuotere Milton e farlo partire a razzo, perché la cosa di Hombre l'aveva congelato. I cavalleggeri sparavano, ma era un caso li colpissero, sebbene stessero a cinquanta passi. Insieme arrivarono al crinale e insieme si tuffarono a corpo perduto. Arrivarono in fondo e di tra le felci riguardarono su al ciglione e i cavalli non vi si erano ancora affacciati.

Milton si alzò massaggiandosi il petto che gli doleva in ogni punto.

– Perché non resti qui a dormire? – disse la vecchia. – Io non ho nessuna paura a tenerti sotto il mio tetto. Sento che sarà una notte vuota e cosí anche la prima mattina.

Aveva rinfoderato la pistola e stava affibbiandosi il cinturone sotto la giacca. – Grazie, ma voglio fare la collina stasera. Non voglio svegliarmi con la collina tutta da fare.

Attraverso il muro e la tenebra e la pioggia poteva vederla, altissima, che immobilmente ondava sulla casa coi suoi mastodontici mammelloni.

La vecchia insisteva. – Potrei svegliarti all'ora che desideri, per fare domattina la collina. Potrei svegliarti alle tre. Per me non è disturbo. Io non dormo quasi piú. Sto distesa, con gli occhi larghi, e penso a niente o alla morte.

Tastava che tutto fosse in ordine, controllò i due caricatori e i dieci colpi sciolti nel borsellino del cinturone. – No, – disse poi, – voglio dormire sulla cima della collina, in modo che svegliandomi abbia solo piú a scendere.

– Sai già dove fermarti?

– Conosco un fienile proprio sotto il ciglione.

– E sei sicuro di trovarlo in questo buio e con questa pioggia spessa?

– Lo troverò.

– Quella gente ti conosce?

– No. Ma io conto di nemmeno svegliarla. Purché il cane non abbai.

– Ci metterai un'eternità a salire fin lassú.

– Un'ora e mezza, – e Milton mosse un passo verso la porta.

– Aspetta almeno che la pioggia...

– Se aspetto che la pioggia diminuisca domani a mezzogiorno sono ancora qui, – e fece un altro passo verso la porta.

– Che cosa vai a fare, cosí in borghese?

– Ho un appuntamento.

– Con chi?

– Con uno del Comitato di Liberazione.

La vecchia lo fissava con occhi duri e stinti. – Bada, bada che due morti son peggio di uno.

Milton chinò la testa. – Vi raccomando la mia arma e la mia divisa, – disse poi.

– Per ora stanno nascoste sotto il mio letto, – rispose. – Ma domattina, come mi alzo, le metto in un sacco bene asciutto e le calo nel pozzo. A metà del mio pozzo c'è un buco quadrato e io ci ficcherò il sacco manovrando la catena e una canna lunga. Lascia fare a me.

Milton annuí. – Per il resto siamo intesi. Se fra due sere non ripasso, voi fate una cosa sola. Date il sacco al vostro vicino e lo mandate a Mango. A Mango lo consegni al partigiano Frank e gli dica di mandarlo a Leo, comandante della brigata di Treiso. E se chiedessero perché e come mai, lui dica semplicemente: «Milton è passato, si è messo in borghese e non è piú ritornato».

La vecchia gli puntò l'indice. – Tu però fra due sere ripassi.

88

– Mi rivedrete domani sera, – rispose Milton e aprí la porta.

Pioveva fitto, pesante ed obliquo, la massa enorme della collina era tutta annullata nel buio, il cane non ebbe reazioni. Partí a testa bassa.

Dall'uscio la vecchia gli gridò: – Domani sera mangerai meglio di stasera. E pensa di piú a tua madre!

Milton era già lontano, schiacciato dal vento e dall'acqua, marciava alla cieca ma infallibilmente, mugolando *Over the Rainbow*.

IX

Da un promontorio della collina Milton guardava giú a Santo Stefano. Il grosso paese giaceva deserto e muto, sebbene già interamente sveglio, come dichiaravano i comignoli che fumavano bianco e denso. Deserto era pure il lungo rettilineo che collegava il paese alla stazione ferroviaria, e vuota, dalla parte opposta, la diritta strada per Canelli, tutta visibile fin oltre il ponte metallico, fino allo spigolo della collina che copriva Canelli.

Sbirciò l'orologio al polso. Segnava le cinque e minuti ma si era certamente rallentato nella notte. Erano perlomeno le sei.

La terra era fradicia e nera, non faceva gran freddo e il cielo, sebbene grigio, era leggero ed ampio come da lunghi giorni non appariva. I calzoni di Milton erano schizzati di fango fin sulla coscia e gli scarponi erano due gnocchi di mota.

Si calava su Santo Stefano aggirando i macchioni scheletriti e puntando là dove sapeva esistere una passerella su Belbo. Quando arrivava a piombo delle sporgenze poteva intravvedere certi tratti del torrente. L'acqua era scura e pastosa, ma ancora lontana dallo straripare e la passerella era certamente in piedi. Il solo pensiero di dover passare a guado lo scuoteva come una febbre. Stava male, in particolare gli dolevano i polmoni, pareva si sfregassero l'uno contro l'altro con punte fattesi da cartilagine in metallo, e gli davano senso e sofferenza. Ad ogni passo gli cresceva dentro una sensazione di totale debolezza e miserabilità. «Non posso farlo in queste condizioni, non posso nemmeno tentare. Dovrei quasi sperare che non mi si presenti l'occasione». Ma scendeva.

Eppure aveva dormito magnificamente nel fienile sotto lo spartiacque. Si era addormentato di colpo, aveva fatto appena in tempo a finir di seppellirsi sotto il fieno, con appena un piccolo tunnel scavato davanti alla bocca. La pioggia crosciava sul tetto buono del fienile, violentissima e dolce. Un sonno di piombo, senza sogni, senza incubi, senza la minima interferenza della difficile, terribile cosa da fare l'indomani. L'aveva poi svegliato un canto di gallo, l'uggiolío di un cane a valle e il silenzio della pioggia. Subito era sgusciato via da sotto il monticello di fieno. Sobbalzando sul sedere si era trasportato sul bordo del fienile ed era rimasto con le gambe penzoloni nel vuoto. Lí lo possedette la piena coscienza di sé, di Fulvia, di Giorgio e della guerra. Allora tremò, di un tremito unico ed interminabile che andò a trovargli fin i talloni, e pregò che la notte resistesse al giorno un po' meglio di quel che facesse. Quand'ecco uscire dalla casa il contadino e sfangare verso la stalla, ancora fantomatico nella luce che cresceva a fiotti grigi. Milton stava strusciandosi il mento e il fruscio quasi metallico della barba lunga e rada si diffondeva per metri all'intorno. Infatti il contadino guardò su e restò secco. – Hai passato la notte lassú? Be', meglio cosí. Non è successo niente ed io ho potuto dormire. Se ti avessi saputo sotto il mio tetto, non avrei chiuso occhio. Ma ora scendi –. Milton saltò a piedi uniti nell'aia, atterrando con un gran botto e un ampio spruzzo di fango. Restò piantato dov'era piombato, a testa china, tastandosi il cinturone. – Avrai fame, – disse il contadino, – ma io non ho proprio da darti da mangiare. Di una pagnotta mi potrei privare... – No, grazie. – O vuoi un bicchiere di grappa? – Fossi matto.

Il pane aveva sbagliato a rifiutarlo, ora si sentiva vuoto e inconsistente, quasi senza baricentro nei tratti piú ripidi della calata, e si disse che gli conveniva fermarsi a chieder pane in qualche casa isolata prima di arrivare in vista di Canelli.

Era giunto al piano e si affrettò verso la passerella. Poi si accorse di aver puntato troppo a valle e dovette risalire il torrente di una cinquantina di passi.

Passò sulla pedanca fradicia e sbilenca. Il paese oltre il greto era sempre perfettamente silenzioso, formicolava di silenzio.

Il greto era largo, le pietre posavano su un letto di fango vivo, cosicché dondolavano e sgusciavano sotto i suoi piedi. Non vedeva nessuno, non una vecchia né un bambino, alle finestre o sui ballatoi posteriori delle case sopraelevate che da quella parte chiudevano la piazza maggiore del paese.

Contava di sboccare nella piazza per un vicoletto che sapeva, attraversarla a balzi, riuscire sull'altro lato del paese e mettersi nella campagna a destra della strada per Canelli. Anche se quella era zona della Stella Rossa e con novantanove probabilità su cento l'avrebbe fermato una loro pattuglia. «E chi sei, di che comando, e perché sei in borghese, e che ci fai nella nostra zona, sai la nostra parola d'ordine...?»

Accelerò verso l'imbocco del vicoletto, sul greto che si interrava, tra ciuffi di ortiche marce, quando gli inondò le orecchie il rombo della colonna. Era lanciatissima, stava divorando l'ultimo tratto del rettilineo avanti il paese, dovevano essere sei od otto camions. Nessun strido, nessun sussulto ebbe il paese, già investito dalla ventata di quell'arrivo. Ma da una casa sul greto a monte di Milton partí un uomo seminudo il quale si avventò sui sassi verso Belbo. Correva cosí forte che sotto i suoi tacchi ciottoli schizzavano all'intorno come proiettili. Di volo guadò il torrente e in un attimo sparí in una albereta ai piedi della collina.

A giudicare dalla qualità del rumore, la colonna stava rallentando per svoltare nella piazza. Allora Milton scattò verso Belbo, puntando al tratto di sponda che presentava maggior riparo di vegetazione. Qualcosa detonò alle sue spalle, ma doveva essere semplicemente lo schiocco di un'imposta sbattuta di furia.

Irruppe nell'acqua, cosí gelida che gli tolse il fiato e la vista. Cosí guadò alla cieca e appena a terra si abbatté dietro un ciuffo di felci. Subito osservò dietro la collina, la vide vuota e tranquilla, quindi si rigirò a spiare il paese, e gli bastò quella mezza torsione per rendersi conto di quanto lo avesse già invischiato il fango.

Si spensero i motori e subito dopo Milton sentí i tonfi a terra dei soldati, la loro corsa a controllare i quattro angoli della piazza, i comandi degli ufficiali. Era la San Marco di Canelli.

Vennero in vista in quel momento. Dall'angolo dell'ultima casa a sinistra sbucò una squadra portando a braccia una mitragliatrice già montata e trottava al ponte su Belbo. Milton prese a retrocedere strisciando per mettere maggior distanza tra sé e la mitragliatrice sul ponte che era appena a sessanta passi.

L'avevano piazzata presso la spalletta, lentamente la brandeggiarono su tutto il corpo della colossale collina a piramide strapiombante su Belbo e infine la puntarono definitivamente all'ultima svolta della strada della collina discesa da Milton. Subito dopo arrivò dalla piazza un ufficiale. Parve approvare il puntamento dell'arma e si mise a chiacchierare coi soldati. Si vedeva da lontano che cercava popolarità. A un certo momento si tolse il basco, si lisciò con una mano i capelli biondi e ci ricalcò su il basco.

L'esatta contropartita di Giorgio, pensava Milton. Ma era certo che l'ufficiale non gli sarebbe venuto a tiro, e nemmeno l'ultimo dei suoi soldati, che avrebbe fatto ugualmente al caso suo. I soldati erano arrivati da cinque minuti appena e Milton già sapeva che quella puntata, che gli aveva portata la preda a metà strada, valeva solo ad obbligarlo a raddoppiare la sua strada per Canelli, a tramutare in gran parte di salita tutta pianura, e alla sola idea si vide come una formica che debba aggirare un macigno.

L'acqua gli sciaguattava nelle scarpe, dandogli brividi che si risolvevano in convulsioni come per vomito a secco. Poi sentí montargli in gola un grosso nodo di tosse e allora cacciò la testa nella curva del braccio, con la bocca quasi aderente al fango, per tossire il piú sommessamente possibile. Tossí a scoppi, a schianti, con stelle e lampi rossi e gialli nel cielo nero degli occhi serrati, sussultando sul terreno come un serpe trafitto. Poi, con le labbra sporche di fango, rispianò gli occhi al ponte. I soldati non avevano sentito, fumavano e scorrevano con gli occhi ogni strato della collina piramidale. Quel tenente era rientrato in piazza.

Lo assalí il terrore di aver perduto la pistola in tutti quegli scossoni e rotolamenti. Trattenendo il fiato portò adagio la mano sopra la coscia, poi l'abbatté di colpo sulla fondina. C'era.

Le ore, le sette, suonarono al campanile della parrocchia. Ribatterono. Nessun borghese si era ancora fatto vivo, non il piú innocente bambino, non una bisnonna, non un mutilato. La linea di case prospicienti il torrente pareva la facciata di un cimitero. Milton si immaginò l'incrociare dei soldati nella piazza grande, i loro ufficiali nei due bar che stavano bevendo caldo e tormentando le cameriere. «Tu hai l'amante nei partigiani. A noi non la racconti. Come fanno i partigiani a far l'amore?»

Altri soldati non venivano in vista. Milton continuò lungamente a sorvegliare quelli sul ponte. Fumavano senza tregua e osservavano tutt'intorno, ora sembravano particolarmente attirati da qualcosa sul greto a valle del ponte, verso la chiesa. Anche Milton allungò il collo da quella parte, traguardando sotto l'arcata del ponte, cercando invano di scoprire che cosa potesse esserci di tanto interessante. Ma poi uno dei soldati scoppiò in una risata e tutti gli altri lo seguirono a ridere. Poi un altro puntò precipitosamente il dito al ventre della collina piramidale e un paio si buttarono dietro la mitragliatrice. Ma non fecero niente, e dopo un momento si arressarono tutti a picchiar sulla schiena quello del dito.

Niente da fare. Tutt'al piú, uno di quelli poteva scendere sul greto a fare un bisogno, protetto a vista dai camerati sul ponte. Al massimo, uno, per braveria, avrebbe potuto spingersi da solo al principio della deserta strada della collina, ma Milton non avrebbe potuto fargli niente. Solamente ucciderlo, per bene che gli andasse.

Tossí forte, senza precauzioni, poi prese a retrocedere carponi verso la falda della collina. Appena fu in una pioppeta si alzò su tutta la persona, crocchiando come una canna. Per il primo sentiero venutogli sot-

95

t'occhio prese a risalire la collina. Era certamente ancora sotto il tiro utile della mitragliatrice sul ponte, ma nessun nemico era in grado di distinguerlo di contro il fianco nerastro della collina. Cosí saliva curvo e lento ma sicuro e indifferente, tremando e dimenando la testa. Si parlò a voce alta e rotta. «Mi hanno tagliato la strada. Mi obbligano a fare un giro pazzesco. E io sto male. A casa, a casa. Tanto non saprò mai. Lui è già stato fucilato».

Aveva petto, ventre e ginocchia impiastrati di fango. Salendo cercò di scrostarsene almeno una parte, ma le dita intirizzite non gli risposero. Smise, ma dovette sforzarsi per superare la nausea del fango.

I soldati sul ponte non erano piú che pupazzetti. Da quell'altezza poteva anche ficcare lo sguardo nella piazza del paese. Gli autocarri erano sei, parcheggiati di fronte al monumento ai caduti dell'altra guerra. I soldati erano un centinaio e incrociavano adagio ma senza posa.

Bruscamente lasciò il sentiero verso la cresta e si mise per traverso a mezza costa, puntando alla collina a piramide. «Non l'hanno ancora fucilato. Ed io non posso stare senza sapere». Le piogge e gli smottamenti avevano cancellato ogni sentiero, sgretolato ogni rilievo. Traversava, affondando nel fango fino alle caviglie. Non poteva avanzare di piú di quattro passi senza doversi fermare a scollarsi i chili di fango che gli gravavano gli scarponi. Puntava alla fascia boscosa che cingeva a metà la collina piramidale. Era appena il preambolo dell'aggiramento della puntata dei San Marco a Santo Stefano.

Gli alberi erano anneriti dalle piogge e, senza che tirasse vento, sgrondavano fragorosamente.

Come vi entrò sotto, subito sentí un trepestio, annaspamenti, delle esclamazioni smozzicate di allarme e di disgrazia. Allora stese avanti una mano e disse: – Non abbiate paura. Sono un partigiano. Non scappate.

Erano cinque o sei uomini di quella collina che, riparati nel bosco, spiavano le mosse dei fascisti laggiú in Santo Stefano. Erano tutti ammantellati e uno portava a tracolla una coperta arrotolata. Avevano anche fagottini di roba da mangiare. Se i soldati avessero puntato di sorpresa alla loro collina, essi erano pronti ed equipaggiati per fuggire e restar lontani per ventiquattro ed anche quarantott'ore.

Senza parlare, solo guardando di sottecchi la sua straordinaria infangatura, tornarono ai loro osservatori, indifferenti allo stillicidio che gli infradiciava i berretti e le spalle. Il piú anziano di loro, ed anche quello che sembrava sopportare con piú buon umore la situazione, un uomo con capelli e baffi bianchi e occhi umorosi, domandò a Milton: – Quando dici che finirà, patriota?

– Primavera, – rispose, ma la voce gli uscí troppo rauca e falsa. Diede un colpo di tosse e ripeté: – Primavera.

Allibirono. Uno bestemmiò e disse: – Ma quale primavera? C'è una primavera di marzo e una primavera di maggio.

– Maggio, – precisò Milton.

Rimasero tutti sbalorditi. Poi il vecchio domandò a Milton come avesse fatto ad infangarsi cosí.

Milton arrossí, inspiegabilmente. – Sono caduto in discesa e sono scivolato di petto per molti metri.

– Verrà pure quel giorno, – disse il vecchio guardando Milton con troppa intensità.

– Certo che verrà, – rispose Milton e richiuse la

bocca. Ma il vecchio insisteva a fissarlo con un'avidità insoddisfatta, forse praticamente insaziabile. – Certo che verrà, – ripeté Milton.

– E allora, – disse il vecchio, – non ne perdonerete nemmeno uno, voglio sperare.

– Nemmeno uno, – disse Milton. – Siamo già intesi.

– Tutti, tutti li dovete ammazzare, perché non uno di essi merita di meno. La morte, dico io, è la pena piú mite per il meno cattivo di loro.

– Li ammazzeremo tutti, – disse Milton. – Siamo d'accordo.

Ma il vecchio non aveva finito. – Con tutti voglio dire proprio tutti. Anche gli infermieri, i cucinieri, anche i cappellani. Ascoltami bene, ragazzo. Io ti posso chiamare ragazzo. Io sono uno che mette le lacrime quando il macellaio viene a comprarmi gli agnelli. Eppure, io sono quel medesimo che ti dice: tutti, fino all'ultimo, li dovete ammazzare. E segna quel che ti dico ancora. Quando verrà quel giorno glorioso, se ne ammazzerete solo una parte, se vi lascerete prendere dalla pietà o dalla stessa nausea del sangue, farete peccato mortale, sarà un vero tradimento. Chi quel gran giorno non sarà sporco di sangue fino alle ascelle, non venitemi a dire che è un buon patriota.

– State tranquilli, – disse Milton muovendosi. – Siamo tutti d'accordo. Piuttosto di pensare di perdonarne uno solo...

Passò via senza completar la frase e prima che fosse fuori portata sentí uno di quei contadini dire pacificamente: – Non è strano che a quest'epoca non abbia ancora nevicato?

Proprio al finire del bosco si innestava alla piramide un lungo ciglione che correva parallelo al rettilineo della stazione e poi degradava proprio dirimpetto alla stazione stessa. Milton decise di percorrerlo in cresta, scendere alla stazione, aggirarla e poi mettersi per i campi aperti, riparandosi ogni tanto alla vista dietro qualche filare di gelsi, e arrivare cosí, lasciandosi a destra il ponte metallico, allo sperone dietro il quale stava Canelli. In questo modo, pensò, evitava ogni possibile nuova interferenza della colonna di Santo Stefano la quale a una certa ora doveva pur rientrare alla base.

Si frugò in tasca, estrasse le due sigarette e le confrontò. Una si era tagliuzzata a metà e l'altra perdeva tabacco da un capo. Si mise tra le labbra quest'ultima, ma poi non gli riuscí di trovare la minima superficie asciutta su cui sfregare lo zolfanello. C'erano sí le guance zigrinate del calcio della Colt, ma non si sentí di farlo. Con un risolino di disperazione rimise in tasca la sigaretta e si cacciò avanti per il ciglione.

Marciava seguendo ininterrottamente con gli occhi le rotaie parallele alla strada. Erano rugginose e mascherate qua e là da ciuffi di erbaccia fradicia, deserte, inviolate da treni dal giorno dell'armistizio. Per Milton la strada ferrata diceva ancora «otto settembre», forse l'avrebbe detto sempre.

Si rivide di ritorno a casa, sporco e camuffato, stanchissimo ma con nessunissima voglia di coricarsi e nemmeno di sedersi, in quella grigia e calda mattina del tredici settembre. Sua madre non riusciva a credere, volle toccarlo, ancora incredula volle scostargli di dosso i panni presi d'accatto, detergergli dal viso la polvere... «Da Roma!? – disse. – Sei tornato da Roma! Io vedevo l'inferno che succedeva nella nostra piccola Alba e mi figuravo quel che capitava a Roma. Non credevo che ce la facessi, sai? Un ragazzo come te, sempre con la testa nelle nuvole...» Invece ce l'aveva fatta; non ne aveva mai dubitato, dal momento che era salito su quel mostruoso treno a Termini. Sapeva che avrebbe avuto fortuna, fortuna nella infinita disgrazia dell'esercito.

«E... la signorina di Torino?» Ecco che usava l'espressione immancabile di sua madre per indicare Fulvia, quell'espressione ironica e trepida insieme, forse presaga. «L'ho vista spesso, – gli rispose, – era spesso in città, coi ragazzi riformati». Poi guardò basso e aggiunse: «È tornata a Torino. Tre giorni fa», e allora Milton era andato, brancolando, alla ricerca di una sedia.

Al campanile di Santo Stefano batté fioco un mezzo tocco, senza che Milton potesse dire se erano le otto e mezzo o le nove e mezzo.

Ai piedi dello sperone sentí scoccare le dieci, e queste erano certamente i campanili di Canelli a batterle.

Il cielo si era purgato di ogni macchia e fumosità ed era ora perfettamente bianco. Non pioveva, ma il fogliame di alberi e arbusti crepitava monotonamente.

Saliva con lentezza ed attenzione, perché il sentiero a lastroni di tufo spalmati di fango era scivolosissimo e perché già si trovava nel raggio di azione di pattuglie eventualmente staccate da Canelli in perlustrazione. Malgrado quella immediata, repentina possibilità di pericolo, smaniava per la voglia di fumare, ma anche quassú non trovava un centimetro quadro asciutto su cui sfregare lo zolfanello. Ripensò alle guance zigrinate della Colt ma ancora non si sentí di maltrattare a quel modo la sua pistola.

Inoltre, in quel preciso momento – si trovava a piú di due terzi della salita – sentí sulla strada dietro lo sperone il fragore della colonna che rientrava a Canelli dalla puntata a Santo Stefano. A giudicar dal rumore, i camions erano lanciati alla massima velocità lungo la strada sfondata. «Sono in gamba», pensò con tristezza. Il rombo si spense rapidamente nel fondovalle, ma per riprendere a salire Milton aspettò che gli si fosse completamente scaricato lungo la spina dorsale il tremito messogli dentro dal rumore dei nemici. Aiutò quello scarico con un languido scrollo di tutto il corpo e ripartí.

Calcolava che al momento in cui si sarebbe affacciato sul ciglione la colonna sarebbe già rientrata intera in caserma. A proposito di questa, Milton sapeva che la San Marco era accantonata nella ex Casa Littoria, ma, non essendo stato mai a Canelli, ignorava dove questa fosse situata. Era però certo di individuarla alla prima occhiata nel grosso paese mezzo rustico e mezzo industriale. Non pensava alla caserma come a un traguardo, bensí come a un indispensabile punto di riferimento.

Salí piú velocemente e a un passo dalla cresta trattenne il respiro aspettandosi di vedere immediatamente il paese sottostante. Ma la cresta si smussava in un ampio spiazzo incolto, disseminato di cardi selvatici. Lo percorse rannicchiato, sorvegliandosi ai lati. L'unica casa visibile stava a duecento passi a sinistra, affiorava appena coi tetti nerastri da un viluppo di vegetazione fradicia.

Arrivò in scivolata dietro un roveto in bilico sul ciglio, ci si acquattò dietro e di tra i rami guardò giú a Canelli. Un solo sguardo, rapido e comprensivo, poi subito si diede a esplorare i viottoli e le stradine che rimontavano il versante, se non ci fossero pattuglie al lavoro. Nulla e nessuno, e allora si concentrò a studiare il paese.

Era perfettamente, innaturalmente deserto e silenzioso, privo anche di quel brusio che pur si leva dal piú piccolo borgo. Attribuí quella totale inanimazione al passaggio fresco fresco della colonna rientrata da Santo Stefano. L'unico segno di vita era il fumigare bianco e denso dei comignoli, il fumo bianco subito si mimetizzava nel bianco cielo bassissimo.

Individuò la Casa Littoria. Un grosso cubo di un rosso dilavato, molto scrostato, con le finestre semiaccecate da assiti e da sacchetti a terra, con una torretta sulla quale con tutta probabilità stava una sentinella col binocolo. Ma era anche probabile che quella guardia sorvegliasse costantemente le colline dirimpetto il versante di Milton, brulicanti di rossi.

Cercò di ficcare lo sguardo nel cortile della caserma, l'alto muro laterale non gli lasciò scorgere altro che una striscia deserta del cortile, con in fondo un porticato vuoto.

Si sporse ad esaminare l'abitato alle falde del suo versante. Muto e deserto, era un sobborgo completamente rustico, salvo per una grossa segheria, inattiva.

Sospirò, non sapendo che fare. Con la mano sulla fondina sbottonata, non sapeva che fare. Vide oltre una gobba un canneto, ci arrivò in quattro sbalzi e di tra le canne riesaminò il paese. Nulla di mutato, si era accentuata l'eruzione dei comignoli.

Non sapeva che fare, all'infuori di scendere oltre. Scelse come secondo traguardo un casotto per attrezzi, nulla piú di un tetto montato su quattro pali, nel mezzo di una vigna, ormai a mezzacosta. C'era un sentiero apposito, ma cosí diritto e ripido, cosí allineato alla torretta della caserma che Milton non poteva assolutamente fidarsi di percorrerlo. Cosí arrivò al casotto tra i filari, sforzando tralci e fili di ferro, affondando alla caviglia in un fango giallo come zolfo, tenace come mastice. Si appostò dietro un palo di sostegno ma subito scrollò la testa, miserabilmente interdetto. «Non è il mio genere, – si diceva, – non è proprio il mio affare. Conosco uno solo che ci si troverebbe male come me. Anzi peggio. Ed è proprio Giorgio».

Ma gli restava il coraggio di scendere ancora. Aveva adocchiato un contenitore di verderame al termine dell'ultima vigna confinante con la sodaglia che poi si innestava al piano. Scendere oltre gli conveniva, anche nel caso che avesse dovuto fuggire davanti all'apparizione di una pattuglia dal paese. Avrebbe cercato di salvarsi lateralmente, indifferente se a destra o a sinistra, comunque non certo risalendo il versante. A guardarlo dal basso gli appariva ora come una muraglia, plasticata di fango.

Scendeva con la pistola in pugno. Un passero frullò via dal sentiero, ma senza affanno. Nel paese echeggiò un rimbombo sordo, ampio, misterioso, quale poteva prodursi solamente in una grande officina siderurgica che a Canelli non c'era. Non si replicò, e nel paese non ci fu la minima reazione. La caserma stava a meno di cento metri in linea retta. Il silenzio era tale che Milton credette di cogliere lo sciacquio di Belbo contro i macigni ammucchiati dietro la caserma.

Si accoccolò dietro il contenitore, la pistola su una coscia, cingendo col braccio il freddo cemento. Da lí poteva vedere, a trattini, la strada per Santo Stefano, infossata e bucherellata. In quell'ultima discesa si era lasciato la grossa segheria molto a sinistra, ben piú di quanto avesse calcolato, e gliene rincrebbe perché in caso disperato poteva rappresentare coi suoi blocchi di cataste un eccellente nascondiglio provvisorio e poi un dedalo di scampo.

Sentiva acuta la nostalgia del suo presidio, del paese di Treiso e dell'uomo Leo.

Da destra gli veniva un brusio filato e continuo e Milton si disse che da quella parte la vigna scoscendeva in una breve scarpata giusto sotto la quale stava una casa. Il ricciolo di fumo subito inghiottito dal cielo bianco usciva dal suo invisibile comignolo.

Strinse la pistola. Un rumore, ma era soltanto il cigolio di un uscio sul ballatoio dell'ultima casa prima dello stradale. Una donna si sporse dal vano, staccò dal muro un tagliere e rientrò, senza un'occhiata alla collina. E non si sentiva un verso di cane o di galline, non un passero volava in cielo.

In quell'istante percepí con la coda dell'occhio, a destra, un'ombra nera, che lo lambiva giusto col suo estremo. Ruotò con tutto il corpo dietro il contenitore e spianò la pistola verso la sorgente di quell'ombra. Subito la riabbassò, in uno stupore. Era una vecchia, tutta vestita di nero unto e bisunto. Lo stupore gli era nato dal fatto che distava un venti passi e non c'era sole e lui si era sentito letteralmente schiacciato dall'ombra.

Gli stava parlando, ma Milton percepiva solamente il movimento delle labbra piatte e violacee. Una gallina l'aveva seguita fino al margine della vigna e ora razzolava nel fango di un filare. Poi la vecchia si raccolse la sottana ed entrò nel filare in corrispondenza di Milton, sui suoi scarponi maschili, nel fango che schioccava.

Al palo si fermò e disse: – Tu sei un partigiano. Che ci fai nella nostra vigna?

– Parlatemi ma senza fissarmi, – mormorò Milton. – Guardate per aria e intanto parlatemi. Ne arrivano soldati fin quassú?

– È una settimana che non ne vediamo.

– Parlate pure un tantino piú forte. In quanti sono generalmente?

– Cinque o sei, – rispose la vecchia rivolgendo la faccia al cielo. – Una volta è passata tutta una colonna, tutti col cappello di ferro, ma quasi sempre sono in cinque o sei.

– Isolati mai?

– Quest'estate, e ancora in settembre, per rubarci la frutta. Ma dopo settembre piú. Che ci fai nella nostra vigna?

– Non abbiate paura.

– Io non ho paura. Io sto dalla vostra parte. E come potrei non stare dalla vostra parte con tutti i miei nipoti grandi nei partigiani? Tu li conoscerai. Sono tutti nella Stella Rossa.

– Io sono badogliano.

– Ah, allora sei di quelli travestiti da inglesi. E perché sei mascherato da vagabondo? Vuoi dirmi che ci fai nella nostra vigna?

– Guardo il vostro paese. Lo studio.

La donna annaspò per l'affanno. – Forse per dargli l'attacco? Non sarete mica matti? È ancora troppo presto!

– Non mi fissate. Guardate per aria.

Guardando in cielo la vecchia disse: – Dovete prendere solo quel che potete tenere. Noi siamo felici di esser liberati, ma solo se è una volta per tutte. O quelli ritornano e ce la fanno pagare col sangue.

– Non abbiamo la minima idea di attaccare.

– Ora che ci penso, – fece lei, – è impossibile che tu sia venuto per studiare l'attacco. Tu sei badogliano, e chi attaccherà Canelli sarà la Stella Rossa. Canelli è riservato alla Stella Rossa.

– Questo è inteso, – disse Milton, e poi: – Dovreste farmi un piacere. Non mangio da ieri sera. Dovreste andare a casa a prendermi una pagnotta. Non sarà necessario che sfanghiate di nuovo fin qui, basterà che me la buttiate dal principio del filare. Io la piglierò al volo, state sicura.

Al campanile batté il primo tocco delle undici.

La vecchia lasciò completare le ore e poi disse: – Vado e torno. Ma non te lo butterò come a un cane. Vado a farti un sandwich di pane e lardo e se te lo buttassi si disferebbe per aria. E poi tu non sei un cane. Voi siete tutti nostri figli. Vi teniamo per tali al posto di quelli che ci mancano. Pensa a me che ho due figli in Russia e chissà quando mi tornano. Ma non mi hai ancora detto che cosa ci fai qui, appostato nella nostra vigna.

– Aspetto uno di loro, – rispose Milton senza guardarla.

Lei scattò alto il mento. – Deve passare per qui?

– No. Dovunque lo vedo. Se è fuori dell'abitato è meglio per tutti.

– Per ammazzarlo?

– No. Mi serve vivo.

– Quelli stanno bene solo morti.

– Lo so, ma morto non mi serve.

– E che te ne vuoi fare?

– Guardate per aria. Fingete di interessarvi alla vigna. Voglio scambiarlo con un mio compagno. L'hanno preso ieri mattina e se non lo scambio...

– Povero piccolo. È in prigione qui a Canelli?

– Ad Alba.

– Io so dove si trova Alba. E perché tu sei venuto a Canelli a tentare il colpo?

– Perché io sono di Alba.

– Alba, – disse la vecchia. – Non ci sono mai stata ma so dov'è. E una volta avrei dovuto andarci, col treno.

– Non abbiate paura, – disse Milton. – Appena mi avrete dato da mangiare io mi toglierò dalla vostra vigna, mi sposterò sopra lo stradale.

– Aspetta, – disse lei. – Aspetta che ti porti da mangiare. Quello che mi dici è un lavoro tremendo e non lo puoi affrontare con lo stomaco che piange.

Già si allontanava per il filare, il fango le schizzava fin sopra l'orlo della veste. Si voltò a dargli un'ultima occhiata e scese la ripa.

Passarono dieci minuti, quindici, venti e non tornava.

Milton concluse che non sarebbe piú tornata, l'aveva incocciato per caso e gli aveva fatto tutto quel discorso di disimpegno e poi si era levata d'impaccio, ben sapendo che lui non aveva né il tempo né la voglia di rintracciarla e castigarla. Ne era cosí certo che si sarebbe spostato, solo che avesse saputo dove.

Invece, proprio mentre batteva la mezza, ricomparve, tenendo nascosto dietro la schiena un grosso pane attraversato da una fettona di lardo. Milton dovette schiacciarlo con forza per ridurlo alle dimensioni della sua bocca. Masticava con violenza, la fetta di lardo era cosí spessa e ricca che a Milton faceva quasi senso incontrarla coi denti pur dopo l'alto spessore del pane.

– Adesso andate, grazie, – disse dopo il primo boccone.

Invece quella gli si accoccolò davanti, addossata al palo del filare, e Milton tirò via gli occhi per non vederle ciò che mostrava, la scarna coscia grigia sopra la calza di lana nera sorretta da un cordino.

– Che fate? Io non ho piú bisogno di niente.

– Aspetta a dirlo. Ho una cosa che ti potrebbe interessare. Voleva uscire a dirtela mio genero ma io l'ho convinto a restarsene al chiuso e lasciar fare a me.

– Che cosa?

– Una cosa che da tempo volevamo dire al piú vecchio dei miei nipoti che sono nella Stella Rossa. Ma ora avremmo deciso di dirla a te che ne hai bisogno urgente e non puoi aspettare di piú.

– Ma che cos'è?

– È che io posso darti il filo per il fascista che cerchi.

Milton posò il sandwich sull'orlo del contenitore. – Intendiamoci. Io cerco un soldato, non un fascista borghese.

– E io ti segnalo un soldato. Un sergente.

– Un sergente, – ripeté Milton affascinato.

– Questo sergente, – rispose la vecchia, – viene spesso dalle nostre parti, quasi ogni giorno e sempre da solo. Ci viene per una donna, una sarta, una nostra vicina e purtroppo una nostra nemica.

– Dove abita? Mostratemi subito la casa.

– Ti ho detto che è una nostra nemica e te lo voglio spiegare. Ma sia chiaro che noi non ti informiamo per far dispetto a lei, ma solo per aiutarti a salvare il tuo compagno.

– Sí.

– Questo pur con tutto il male che ha fatto a noi e particolarmente a mia figlia. È una lurida, l'hai già capito, e questo che fa adesso con questo sergente è poco o niente in confronto a quello che ha fatto prima. Basti dirti che prima dei vent'anni aveva già abortito tre volte. È la piú porca di Canelli e di tutti i dintorni e non so se girando tutto il mondo se ne trova una piú porca.

– Ma dove abita?

Andò avanti per il suo verso, con una tenacia disarmante.

– Ha messo tanto male fra mia figlia e mio genero, e mio genero, che non è di queste parti, ha avuto il torto di credere a quella là invece che a noi che gli giuravamo che non era vero niente. Ma ora finalmente l'ha capita e con mia figlia vanno meglio di prima, prima che quella lurida cercasse di avvelenarci.

– Sí, sí, ma dove...?

– E lo fece per pura malvagità, forse perché non poteva sopportare d'essere l'unica vera porca dei paraggi e cosí si è inventata una compagna, ma se l'è solo inventata.

Milton springò con le dita e fece cadere il sandwich nel contenitore. – Non m'importa niente di voi e della sarta, volete capirla? M'importa quel sergente. Viene spesso a trovarla?

– Tutte le volte che può. Noi stiamo per ore alla finestra. Facciamo questa specie di sacrificio per poter notare e segnare tutte le volte che la va a trovare.

– Guardate per aria, – disse Milton. – Quando ci va d'abitudine?

– Quasi sempre di sera, verso le sei. Ma qualche volta arriva verso l'una, dopo il rancio. Dev'essere nelle maniche dei superiori, è molto spesso in libera uscita, nessun altro si vede tanto in libera come lui.

– Un sergente, – disse Milton.

– È stato mio genero a dirmi che è un sergente, io non li so distinguere dai gradi. Se ti capita, dovrai andarci attento. Ha una faccia molto decisa, ha dei muscoli che spingono sotto la divisa, e dalle nostre parti viaggia sempre con la rivoltella pronta. Una volta lo incontrai, non feci piú in tempo a nascondermi nelle gaggie. La teneva cosí, la pistola, metà fuori della tasca.

– Solo la pistola, – disse Milton. – Non l'avete mai visto col mitra? Quel coso con la canna a buchi?

– So bene cos'è un mitra. Ma quello viaggia sempre solo con la pistola.

Milton si sfregò le gambe che prendevano a anchilosarsi. Poi disse: – Se non passa all'una, lo aspetterò alle sei. E tutto domani, se occorre.

– Entro stasera passerà di sicuro. E potrebbe farci una scappata anche verso l'una.

– E allora sbrigatevi a mostrarmi la casa.

Le sgattaiolò accanto e tra i tralci, seguendo l'indice di lei, vide la casa. Una casetta rustica con la facciata rifatta di recente alla civile. Davanti aveva una piccola aia, con un palmo di fango e alcuni pietroni lisci scaglionati fra il cancello e la porta. Sorgeva a una ventina di metri oltre lo stradone e sul retro aveva un orto abbandonato.

– Per andarci passa sempre dalla strada? Mai per i campi? Vedo che dalla caserma può arrivarci diretto per i campi.

– Sempre per la strada. Almeno di questa stagione. Non vorrà arrivare da lei tutto infangato.

Istintivamente Milton controllò la pistola. La donna si scostò impercettibilmente e prese a respirare con orgasmo.

– Non è detto che passi adesso, – disse. – Ricordati che io ho detto che ci va quasi sempre di sera. Ben preciso ti dico ora che ci va ogni volta che può, fosse solo per mezz'ora. E lei è sempre pronta, a quanto pare. Sono due cani sempre in calore.

– Che c'è dopo la vostra vigna?

– Quel po' di gerbido che vedi.

– E dopo?

– C'è un folto di acacie. Se il terreno non facesse quella gobba, vedresti le punte di queste acacie.

– E dopo?

– Lo stradale –. Per meglio vedere e descrivere la vecchia aveva chiuso gli occhi. – Lo stradale, – ripeté. – Le acacie si affacciano proprio sullo stradale.

– Va bene. Le acacie corrono fino all'altezza della casa?

– Non capisco che cosa mi chiedi.

– Quando sarò alla fine delle acacie, mi troverò dirimpetto alla casa?

– Quasi di fronte, poco spostato a sinistra. Se vai a piazzarti alla fine delle acacie.

– Che c'è alla fine delle acacie?

– Una stradina.

– Proprio a livello delle acacie?

– Ci sarà un salto di un metro.

– La stradina si attacca allo stradale, eh? E al contrario dove porta? In cima alla collina?

– Sí, in cima alla nostra collina.

– Ed è anche incassata o è tutta allo scoperto?

– Si incassa anche.

– Vado a cacciarmi nelle acacie, – disse Milton. – Se mi va bene... – e si preparò a sottopassare il filare.

La vecchia gli afferrò una spalla. – Aspetta. E se ti andasse male? Se ti va male, dirai che siamo stati noi a darti il filo?

– State tranquilla. Sarò muto come un morto. Ma dovrebbe andarmi bene.

X.

Strisciava verso il termine dell'acacieto, fluido e silenzioso come un serpente. La sincronia era perfetta, la dislocazione ideale, nel senso che Milton strisciando anticipava di cinque secondi il sergente il quale marciava. L'impatto sarebbe avvenuto matematicamente alla confluenza della stradina con lo stradale e il sergente gli avrebbe presentato con un centimetro quadrato di schiena tutto se stesso. Purché nulla interferisse, purché per cinque secondi il mondo si arrestasse, lasciando liberi loro due soli di muoversi.

Era cosí facile che poteva farlo ad occhi chiusi.

Si raccolse sulle ginocchia e balzò, compiendo nel volo una mezza torsione a sinistra. Gli piantò la pistola nel centro della schiena, tanto ampia che copriva la strada e quasi tutto il cielo. Per il contraccolpo la nuca del sergente quasi gli finí in bocca, poi subito gli scadde sotto il livello visivo, come l'uomo cedette sulle ginocchia. Lo rimise su e con un secondo urto della pistola lo fece ruotare nella stradina, al riparo delle acacie. Poi gli strappò la pistola dalla tasca gonfia del calore dell'inguine, l'intascò, con ripugnanza gli tastò il torace e infine lo spinse su.

– Intreccia le mani dietro la nuca.

Subito dopo l'acacieto, dalla parte del paese, si profilava una proda di fango rossastro che riverberava sul viottolo un'ombra di tramonto.

– Cammina svelto ma attento a non scivolare. Se scivoli io ti sparo tal quale facessi una mossa falsa. Tu non l'hai veduta ma in mano ho una Colt. Sai che buchi fa la Colt?

L'uomo saliva con passi estesi e ponderati. La strada già rampava, la ripa cresceva. L'uomo era poco meno alto di Milton e largo quasi il doppio. Milton non esaminò, non approfondí oltre, troppo ansioso di metterlo al corrente.

– Vorrai sapere ciò che ti farò, – gli disse.

Il sergente tremò e tacque.

– Ascolta. Non rallentare e ascoltami attentamente. Anzitutto non ti ammazzerò. Hai capito? Non ti ammaz-zerò. I tuoi camerati di Alba hanno preso un mio compagno e stanno per fucilarlo. Ma io lo scambierò con te. Dovremmo essere in tempo, tu ed io. Quindi tu verrai scambiato in Alba. Hai sentito? Di' qualcosa.

Non rispondeva.

– Di' qualcosa!

Biascicò un paio di sí, a testa rigida.

– Quindi non fare scherzi. Non ti conviene. Se fai bene, domani a mezzogiorno sarai già libero in Alba, in mezzo ai tuoi. Hai capito? Parla.

– Sí, sí.

Mentre Milton parlava, al sergente le orecchie si espandevano e ventolavano come ai cani quando si sentono chiamati da lontano.

– Se mi costringi a spararti, ti sarai suicidato. Intesi?

– Sí, sí –. Teneva la testa rigida, quasi fissata, ma certo doveva roteare le pupille in ogni dove.

– Non sperare, – disse Milton, – non sperare di incocciare una vostra pattuglia, perché in questo caso io ti sparo. Come la vedo io ti sparo. Quindi ti auguereresti di morire. Parla.

– Sí, sí.

– E di' qualcos'altro che sí, sí.

A valle del costone un cane abbaiò, ma d'allegria, non per allarme. Erano già quasi a un terzo dell'erta.

– Non passerà, – disse Milton, – ma se passasse un contadino, tu subito ti porti sul ciglio della strada, dalla parte della ripa. Cosí quello può passare senza nemmeno sfiorarti e a te non viene la pessima idea d'avvinghiarti a lui. Hai capito?

Annuí con la testa.

– È un'idea che può venire a chi sa di andare a morire. Ma tu non vai a morire. Attento a non scivolare. Io non sono rosso, sono badogliano. Questo ti solleva un pochino, eh? Spero tu ti sia già persuaso che io non ti ammazzerò. Non lo dico perché siamo ancora troppo vicini a Canelli e c'è ancora la possibilità di sbattere in una vostra pattuglia. Piú in là ti tratterò anche meglio, vedrai. Hai sentito? E non tremare. Ragiona, che motivo hai piú di tremare? Se è per lo shock della pistola nella schiena, a quest'ora dovresti averlo già superato. Sei o non sei un sergente della San Marco? Eri anche tu di quelli che stamattina facevano i gradassi a Santo Stefano?

– No!

– Non alzar la voce. Non m'interessa. E smettila di tremare, e di' qualcosa.

– E che vuoi che dica?

– Andiamo già meglio.

La stradina svoltava bruscamente e Milton si portò tutto su un lato per adocchiare la faccia dell'uomo che aveva preso. Ma dopo, a causa dei gomiti spianati all'altezza del viso e per l'ondulamento del passo, non poté dire d'aver colto di piú che una spera d'occhio grigio e il naso, piccolo e marcato. Non ne fu contrariato, in fondo non gli interessava. La sua faccia non gli interessava come non avrebbe interessato il comando fascista di Alba che l'avrebbe riscattato. Non importava nemmeno che fosse un graduato. Bastava che fosse un uomo, con indosso una certa divisa! Ma che uomo, e che divisa! Milton esaminava con soddisfazione, quasi con dolcezza quel corpo greve ed elastico ed era, per la prima volta, in amicizia con quella uniforme, amico persino degli scarponi sui quali camminava al traguardo fissato da lui Milton. Che grossa moneta di scambio, quale capacità di acquisto rappresentava! Si sorprese a pensare che per un sergente come quello il comando fascista gliene avrebbe venduti tre di Giorgi. Ma nel medesimo istante si sorprese a pensare che l'uomo aveva certamente ucciso, o meglio aveva certamente fucilato. Aveva tutto del fucilatore. Gli si arressarono davanti agli occhi le facce smunte e infantili dei ragazzi fucilati, i loro nudi petti, magri che lo sterno vi sporgeva come una prua. Oh, questa era un'altra verità da non poter stare senza sapere. Ma non gliel'avrebbe chiesta. Quello tanto avrebbe negato, disperatamente; forse, premendolo con la Colt, avrebbe confessato di aver ucciso sí, ma in regolare combattimento. Ma poi questa inchiesta di Milton avrebbe certamente complicato le cose, il cammino a Mango sarebbe certamente stato meno liscio e sollecito di quel che Milton ora cominciava a sperare. La verità su Fulvia aveva la precedenza assoluta, anzi esisteva essa sola.

– Togliti dalla testa le pattuglie, – gli disse con voce dolce, quasi ipnotica. – Prega che non ce ne siano in giro. Io non ti ammazzerò, ma ti proteggerò, non lascerò che alzino un dito su di te. Da noi c'è gente scottata e vorranno metterti le mani addosso, ma dovranno lasciarti in pace. Tu servi a una cosa sola. Te ne sei convinto? Parla.

– Sí, sí.

– Di dove sei?

– Di Brescia.

– Siete in molti bresciani. E ti chiami?

Non rispondeva.

– Non vuoi dirmelo? Hai paura che me ne vanti? Non parlerò mai di te, né ora né fra vent'anni. Non me ne vanterò mai. Tientelo pure per te.

– Alarico, – disse il sergente a precipizio.

– Di che leva sei?

– Del ventitre.

– La leva del mio compagno. Coincidiamo anche in questo. E che facevi nella vita?

Non rispondeva.

– Studente?

– Ma no!

La proda degradava rapidamente, ora si annullava e la strada affiorava in piena vista sul versante. Milton sbirciò in basso Canelli e lo vide meno distante di quanto calcolasse. Il paese gli venne su sotto gli occhi, come su una piattaforma elevatrice.

– Passa all'interno. Cammina rasente alla proda.

Un'altra svolta a gomito, ma stavolta Milton non fece nulla per scoprirgli una maggior parte di faccia, anzi per negazione chinò gli occhi.

Il sergente ansimava.

– Siamo piú che a metà, – disse Milton. – Dovresti rallegrarti. Ti avvicini sempre piú alla salvezza. Domani a mezzogiorno sarai libero, e potrai tornare contro di noi. E chissà che tu non mi renda il pane. Proprio tu ed io. Non è da escludere, col tipo di guerra che facciamo. Tu naturalmente non mi scambierai, eh?

– No, no! – stranfiò il sergente. Piú che negare implorava.

– Perché scandalizzarsi? Non credere che io ti considererei piú crudele di me. Ognuno avrà cavato il massimo dall'altro. Io ne caverò uno scambio, tu ne caverai la mia pelle. Saremmo perfettamente alla pari. Quindi...

– No, no! – ripeté quello.

– Lasciamo perdere. Dicevo per scherzare, per divagare. Pensiamo al momento. Ti ho detto che ti proteggerò. Appena arrivati ti farò mangiare e bere. Ti regalerò un pacchetto di sigarette. Inglesi, per te una novità. Ti darò anche da farti la barba. Voglio che ti presenti bene al comando di Alba, hai capito?

– Lasciami abbassare le mani.

– No.

– Le terrò strette contro i fianchi come se fossi legato.

– No, ma poi ti tratterò meglio. Stanotte dormirai in un letto. Noi dormiamo sulla paglia ma tu dormirai in un letto. Mi metterò io stesso di guardia davanti alla porta, cosí siamo sicuri che nel sonno non ti capiteranno scherzi. E domattina per lo scambio ci accompagneranno i migliori dei miei compagni. Li sceglierò io. Vedrai. Io non ti sto trattando male. Di', ti sto trattando male?

– No, no.

– Vedrai quegli altri. Al confronto io sono un bruto.

Erano quasi alla cresta. Milton sbirciò l'orologio. Mancava qualche minuto alle due, per le cinque sarebbero stati a Mango. Sbirciò giú a Canelli e gli prese una breve vertigine, in cui non sapeva se concorreva di piú la stanchezza o l'inedia o il successo.

– Tu ed io siamo a posto ormai, – disse.

A quelle parole il sergente si arrestò netto e gemette.

Milton si riscosse e strinse meglio la pistola. – Ma cos'hai capito? Hai capito male. Non tremare. Non ti voglio ammazzare. Né qui né altrove. Non ti ammazzerò mai. Non farmelo piú ripetere. Sei convinto? Parla.

– Sí, sí.

– Ricammina –. Si inerpicarono sullo spiazzo e presero a percorrerlo. Pareva a Milton piú vasto di quel che gli fosse apparso nella mattina. Milton sbirciò alla casa solitaria, muta, chiusa e indifferente come nella mattina. Il sergente ora camminava alla cieca, sgambava nel fango senza evitare i cardi selvatici.

– Aspetta, – disse Milton.

– No, – fece quello, arrestandosi.

– Piantala, eh? Stavo pensando a una cosa. Ascolta. Dovremmo passare in un paese che ha un nostro presidio. Naturalmente anche lí c'è gente scottata. In particolare ci sono due miei compagni ai quali avete ammazzato i fratelli. Non dico siate stati voi San Marco. Quelli vorranno mangiarti il cuore. Quindi noi scarteremo quel paese, lo aggireremo per un vallone che so io. Ma tu non farmi...

Le dita del sergente si slacciarono da sulla nuca con uno schiocco terribile. Le braccia remigavano nel cielo bianco. Cosí sospeso, era tremendo e goffo. Volava di lato, verso il ciglio, e il corpo già pareva arcuarsi nel tuffo in giú.

– No! – aveva gridato Milton, ma la Colt sparò, come se fosse stato il grido ad azionare il grilletto.

Ricadde sulle ginocchia, e stette per un attimo, tutto contratto, con la testa appiattita e il naso piccolo e marcato come conficcato nel cielo. Pareva a Milton che la terra non c'entrasse, né per lui né per l'altro, che tutto accadesse in sospensione nel cielo bianco.

– No! – urlò Milton e gli risparò, mirando alla grande macchia rossa che gli stava divorando la schiena.

XI.

Era appena spiovuto e tirava un vento cosí forte e radente che scrostava la ghiaia dal suo letto di fango e la faceva ruscellare per la strada. La luce si era già quasi tutta ritirata dal mondo e i mulinelli del vento concorrevano a diminuire la visibilità.

I due uomini si confrontavano a una ventina di passi di distanza, con gli occhi fissi avanti a riconoscersi o a anticipare i movimenti e le mani prossime alle fondine. Poi quello che era sbucato dall'angolo della casa solitaria, con l'impermeabile mimetico che gli garriva addosso come una vela, spianò adagio la pistola contro l'uomo che si era arrestato netto all'uscita della curva e se ne stava laggiú, ondulando al vento come se fosse una pianta.

– Avvicinati, – disse quello della pistola. – Tieni alte le mani e battile. Batti le mani una contro l'altra, – ripeté piú forte, per vincere il vento.

– Tu non sei Fabio? – domandò l'altro.

– E tu? – domandò Fabio abbassando impercettibilmente la pistola. – Tu chi sei? Saresti... Milton?

E si corsero incontro, quasi freneticamente, come se l'uno non potesse aspettare nemmeno piú un secondo l'appoggio all'altro.

– Tu da queste parti? – fece Fabio che era il vicecomandante del presidio di Trezzo. – Erano secoli che non ti si vedeva da queste parti. Viviamo ad una collina appena di distanza e lasciamo passar secoli... Come mai sei in borghese? – Aveva dovuto sforzar gli occhi per distinguere il vestito borghese di Milton, talmente questi era impiastricciato di fango.

– Vengo da Santo Stefano, per una cosa mia privata.

Parlavano all'estremo delle loro voci, per l'invadenza del vento, e spesso si ripetevano apposta, senza che l'altro richiedesse ripetizione.

– A Santo Stefano c'era la San Marco stamattina.

– A me lo dici, che ho dovuto saltar Belbo per salvarmi?

Fabio rise cordialmente, e in un baleno la risata fu mulinata dal vento lontana, come fosse una piuma.

– Hai un uomo disarmato, Fabio?

– E chi non ne ha?

– Allora dagli questa, – e Milton gli tese la Beretta del sergente.

– Certo. Ma tu perché la dài via?

– Mi cresce.

Fabio soppesò la pistola, poi la confrontò con la sua. – Ma è bellissima, è piú nuova della mia. Mi riservo di ricontrollare alla luce, ma intanto... – e Fabio infilò nella fondina la pistola del sergente e fece scivolare in una tasca la sua vecchia pistola.

– Mi cresceva, – disse Milton. – Fabio, che si sa di Giorgio?

– Che hai detto?

– Entriamo a parlare in quella stalla, – gridò Milton indicando la casupola oltre il bordo della strada.

– Non entriamoci affatto. Dentro ci sono tre miei uomini con la scabbia. Con la scabbia!

Fabio si girò con la schiena al vento e mezzo accartocciato parlò, quasi non parlasse all'appaiato Milton, ma a uno disteso nel fosso della strada. – Non fosse per questo vento, li sentiresti gemere da qui. Bestemmiano e gemono e si fregano contro i muri come gli orsi. Io là dentro non ci voglio piú entrare perché pretendono che li gratti. Ti presentano dei pezzi di legno e di ferro perché li gratti con quelli. Le unghiate non le sentono piú. Cinque minuti fa Diego a momenti mi strozza. Mi diede un pettine di ferro perché lo grattassi con quello, io naturalmente mi rifiutai e Diego mi è saltato al collo.

– Parliamo di Giorgio, – gridò Milton. – Tu dici che è ancora vivo?

– Non ne sappiamo niente. Il che dovrebbe voler dire che è ancora vivo. L'avessero fucilato, qualcuno usciva da Alba per avvisarci.

– Può darsi non sia uscito per questo tempaccio.

– Per una notizia del genere qualcuno si scomodava anche con questo tempaccio.

– Secondo te... – riprese Milton, ma in quella lo investí una superiore raffica di vento.

– Là dietro! – gridò Fabio e toccando Milton nel gomito si avventò con lui a un piloncino che sorgeva all'ingresso di Trezzo.

– Secondo te, – riprese Milton appena al riparo, – è ancora vivo?

– Io direi di sí, dato che non se ne sa niente. Gli faranno il processo. I suoi faranno certamente intervenire il Vescovo e in questi casi il processo non si salta.

– Quando glielo faranno?

– Questo non lo so, – rispose Fabio. – Io so di un nostro uomo che è stato processato una settimana dopo che fu preso. Vero è che lo fucilarono appena fuori del tribunale.

– Io debbo esser sicuro, – disse Milton. – Tu, Fabio, non mi dici niente di sicuro.

Fabio protese la testa, quasi gli diede della fronte nella fronte. – Ma sei impazzito Milton? Io come faccio a dirti qualcosa di sicuro? O vuoi che mi presenti al posto di blocco di Porta Cherasca col berretto in mano...

Milton agitò una mano per troncare ma Fabio volle finire: – ... col berretto in mano e dica: «Scusate, signori fascisti, sono il partigiano Fabio. Posso chiedere alla vostra cortesia se il mio compagno Giorgio è ancora vivo?» Ma sei impazzito, Milton? A proposito, sei venuto quaggiú solo per sapere di Giorgio?

– Certo. Voi siete piú vicini alla città.

– E ora che fai? Torni a Treiso?

– Resto a dormire da voi. Domani voglio avvicinarmi ad Alba e mandar dentro un ragazzino a prender notizie.

– Dormi pure da noi.

– Ma non vorrei dover fare il turno di guardia. Sono in piedi dalle quattro di stamane e ho marciato pure tutto ieri.

– Nessuno ti chiederà di montare di guardia.

– Mostrami allora dove dormite.

– Noi dormiamo sparpagliati, – spiegò Fabio. – Alba è troppo vicina e quelli ora si muovono anche di notte. Noi non dormiamo tutti in un posto. Cosí se ci sorprendono ne massacrano solo una parte –. Intanto si era scostato dal piloncino e col braccio che ondulava nel vento come un ramo nell'acqua gli indicò una casa lunga e bassa, ai piedi della collina su Treiso, al di là di una serie di campi che nel buio mareggiavano. – Ha una stalla di prim'ordine, – aggiunse Fabio. – Ci sono parecchie bestie e tutte le finestre hanno i vetri.

123

– Dico che mi mandi tu?

– Non c'è bisogno. Ci troverai dei nostri.

– Io ne conosco qualcuno? – domandò Milton, nauseato dalla prospettiva di compagnia.

Fabio selezionò mentalmente e poi disse che tra gli altri ci avrebbe trovato il vecchio Maté.

Annottava e migliaia di alberi stormivano disperatamente. Smarrí quasi subito il sentiero e senza stare a ricercarlo traversò direttamente per i campi, tracciando il fango fino al polpaccio. Fisso al fantasma della casa che non si avvicinava mai, gli pareva di arrancare immobilmente.

Quando finalmente fu sull'aia, poco piú solida dei campi fangosi, e sostò per scrollarsi una parte di fango, la nera facciata della collina di Treiso lo fece ricordare di Leo. – Gli ho già fregato un giorno e un altro glielo fregherò domani. Cascasse il mondo. Chissà come sarà arrabbiato e preoccupato. Ma arrabbiato e preoccupato è il meno, chissà come sarà poi deluso. Non posso farci nulla, ma è un vero peccato. Lui che non sapeva che meritorio aggettivo darmi. Si scervellò tanto che alla fine lo trovò. Classico. Un classico. Diceva che ero grande perché mi mantenevo freddo e lucido quando tutti, lui compreso, perdevano la testa.

Amaramente marciò all'uscio della stalla e lo spinse con violenza.

– Aoh! – fece una voce. – Fa' piano. Noi siamo malati di cuore.

Lui si era bloccato sulla soglia, sfiatato dal calore della stalla, abbacinato dal riverbero dell'acetilene.

– Ma tu sei Milton! – fece la voce di prima e Milton riconobbe la voce di Maté, e vide per prima cosa i suoi duri lineamenti e gli occhi dolci.

Era una grande stalla, illuminata da due lumi a carburo appesi a travi. C'erano sei buoi alla greppia e in uno stazzo una decina di pecore. Maté stava nel centro della stalla, seduto su un ballotto di paglia. Due altri partigiani sedevano sulla mangiatoia, continuamente rintuzzando con le ginocchia i musi accostanti dei buoi. Un altro dormiva in fondo al cassone del foraggio, gli si vedevano i piedi divaricati appoggiati all'asse del cassone. Presso l'uscio della cucina una vecchia sedeva su un seggino da bimbo e filava la conocchia. I suoi capelli apparivano della medesima materia del filato. – Buona sera, signora, – le disse Milton. Accanto alla vecchia un bambino inginocchiato su uno strato di sacchi stava scrivendo il compito su un mastello capovolto.

Maté lo chiamò accanto a sé, battendo la mano sulla paglia. Sebbene fosse in riposo, teneva addosso tutte le sue armi e non aveva nemmeno allentato le stringhe degli scarponi.

– Non dirmi che ti ho messo paura, – disse Milton sedendoglisi accanto.

– Ti giuro. Ormai sono debole di cuore. Questo mestiere per dar sul cuore è peggio del palombaro. Hai spalancato l'uscio come una cannonata. E poi, sai che faccia hai? Di' un po', è molto che non ti specchi?

Milton si sdrumò la faccia con le mani. – Che stavate facendo?

– Niente. Fino a cinque minuti fa abbiamo giocato alla mano del soldato. Da cinque minuti a questa parte sto pensando.

– A che cosa?

– Ti sembrerà strano. A mio fratello prigioniero in Germania. Con tutta la roba che abbiamo al fuoco qui, stavo pensando proprio a lui. Tu non hai nessuno prigioniero in Germania?

– Solo amici e compagni di scuola. È cosa dell'otto settembre? Era in Grecia, Jugoslavia...?

– Macché, – disse Maté. – Era ad Alessandria, a due passi da casa, ma non si salvò. Vedemmo arrivare gente da Roma, gente da Trieste, gente da casa del diavolo, ma non lui da Alessandria. Nostra madre stette sulla porta fino all'ultimo di settembre. Chissà come si è svolto il fatto. Nota che non era un addormentato, di noi fratelli era senz'altro il piú sveglio. Tutti gli espedienti, tutte le audacie ce le aveva insegnate lui, persino certe cose che ancora mi servono anche nei partigiani. Be', a parte mio fratello, io dico che dovremmo pensare un po' di piú a quelli di noi che son finiti in Germania. Ne hai mai sentito parlare una volta che è una? Mai uno che si ricordi di loro. Invece dovremmo, dico io, tenerli un po' piú presenti. Dovremmo schiacciare un po' di piú l'acceleratore anche per loro. Ti pare? Si deve stare tremendamente male dietro un reticolato, si deve fare una fame caína, e c'è da perdere la ragione. Anche un solo giorno può essere importante per loro, può essere decisivo. Se la facciamo durare un giorno di meno, qualcuno può non morire, qualcun altro può non finir pazzo. Bisogna farli tornare al piú presto. E poi ci racconteremo tutto, noi e loro, e sarà già triste per loro poter raccontare solo di passività e dover stare a sentir noi con la bocca piena di attività. Tu che ne dici, Milton?

– Sí, sí, – rispose, – ma io stavo pensando a uno che sta infinitamente peggio di quelli finiti in Germania. Uno che, se ancora è vivo, firmerebbe per la Germania, per lui la Germania sarebbe tanto ossigeno. Hai saputo di Giorgio?

– Giorgio Pigiama di Seta?

126

– Perché lo chiami Pigiama di Seta? – domandò Riccardo, uno dei due a cavalcioni della greppia.

– Non glielo dire, – sibilò Milton.

– Non t'interessa, – disse Maté a Riccardo, e poi a Milton sottovoce: – Che ci vuoi fare? Quando ho saputo che l'avevano preso non ho saputo fare a meno di ricordarlo mentre si metteva il pigiama di seta per coricarsi sulla paglia.

– Ma che pensi che gli faranno?

Maté gli sgranò gli occhi in faccia. – Perché tu cosa pensi?

– Prima però lo processeranno.

– Ah sí, – fece Maté. – Questo forse sí. Questo senz'altro sí, anzi. I tipi come Giorgio prima li processano sempre. Come se beccassero te, del resto. Processerebbero pure te, te piú ancora di Giorgio. Voi siete studenti universitari, pesci fini, belle scatole da aprire. A voi lo fanno. A voi gli va di farvi il processo, mi spiego? I tipi come me invece, e quei due là dietro, non siamo abbastanza interessanti. Come li pigliano li scaraventano contro un muro e già gli sparano quando ancora sono a mezz'aria. Però, Milton, sia chiaro che io non te ne voglio per questa differenza. Crepare subito o tre giorni dopo. E che differenza è?

– Dio fascista, – fece il ragazzino.

La nonna lo minacciò con la conocchia. – Che non ti risenta. Belle cose impari in mezzo ai partigiani.

– Non sono capace di farlo, – le disse lui del compito.

– Prova ancora e vedrai che sei capace. La maestra non vi dà roba di cui non siete capaci.

Pinco, l'altro dei due sulla greppia, disse: – Parlate di quello che si è fatto beccare ieri mattina al bivio di Manera?

– Non ieri mattina, – osservò Milton, – è l'altro ieri mattina.

– Bada che ti sbagli, – disse Maté sbirciando Milton, – è stato ieri mattina.

– È di quello che parlavate? – insisté Pinco. – Be', non mi ha convinto granché la maniera in cui l'hanno beccato.

Milton ruotò sul ballotto. – Che vuoi dire? – e intanto fissava con occhi esorbitati quel maledetto estraneo che criticava Giorgio, e gli pareva proprio che stesse direttamente insultando Fulvia. – Che vuoi dire?

– Voglio dire che non è stato il tipo di difendersi fino all'ultimo come Blackie o di spararsi subito in bocca come Nanni.

– C'era la nebbia, – rispose Milton, – e la nebbia non gli ha lasciato fare né una cosa né l'altra. Non gli ha lasciato il tempo nemmeno di capire.

– Pinco, – disse Maté, – ha perso una buona occasione di star zitto. Non ti ricordi già piú che nebbione avevamo ieri mattina? Come si sono sbattuti in lui i fascisti potevano sbattersi in una pianta o in una vacca al pascolo.

– Nella nebbia, – rincarò Milton, – non poté dimostrarsi né un uomo né nient'altro. Solamente un corpo. Ma io ti posso garantire che era un uomo. Se solo avesse potuto materialmente farlo, si sarebbe certo sparato in bocca come Nanni. Me lo dimostrò una volta. Parlo dell'ottobre dell'anno scorso, quando nessuno di noi era già nei partigiani, quando anzi i partigiani erano un mezzo mistero. Ricordate quanto me com'era la città in quell'ottobre. I bandi di Graziani a tutte le cantonate, i tedeschi che ancora giravano in sidecar con la mitragliatrice, i primi fascisti che rialzavano la testa, i carabinieri rinnegati...

– Io, – interruppe Pinco, – io ne disarmai uno di questi carabinieri rinnegati...

– Tu lasciami finire, – disse Milton tra i denti.

Le famiglie li tenevano sotto chiave, in soffitta o in cantina, o se li lasciavano liberi lo facevano con certi discorsi di responsabilità e di colpa che al solo uscire per strada pareva di commettere parricidio. Ma una sera di quell'ottobre Milton e Giorgio non ne poterono piú di stare chiusi e nascosti e tramite la domestica dei Clerici si diedero per andare al cinema. Davano un film con Viviane Romance.

– Me la ricordo, – disse Riccardo. – Aveva la bocca come una banana.

– Dove lo davano? – s'informò meticolosamente Maté. – Al cinema Eden o al Corino?

– Al Corino. Io raccontai a mia madre che scendevo un momento a comprar sigarette da un nostro vicino che ne faceva la borsa nera e Giorgio coi suoi avrà inventato qualcosa di simile.

Andarono al cinema per le vie piú traverse. Camminavano senza paura ma pieni di rimorso. Non incontrarono un gatto e a sbigottirli di piú ci si mise il tempo con un temporale. Ancora non pioveva ma i fulmini erano tanti e cosí bassi che a ogni istante le strade si allagavano di viola. Arrivarono al cinema e fin dall'atrio capirono che la sala doveva essere pressoché deserta. La cassiera gli diede i biglietti con una smorfia di disapprovazione. Salirono in galleria e ci trovarono cinque persone, tutte sedute in prossimità dell'uscita di sicurezza. Milton si sporse dalla galleria e sbirciò giú in platea. Una quindicina di spettatori, e dovevano esser quasi tutti ragazzini, senza l'incubo dell'età di leva e dei documenti. Però le uscite di sicurezza erano aperte spalancate, sebbene spifferasse e i tuoni fuori disturbassero.

– Di che parlava quel film? – domandò Riccardo.

– Non ha importanza. Ti dirò solo che s'intitolava *La Venere cieca*.

Prima che finisse il secondo tempo restarono loro due soli in galleria. Quei pochi altri erano arrivati in anticipo e avevano visto tutto il film. Di nuovi arrivi nessuno. Milton e Giorgio si spostarono e si sedettero a filo della ringhiera, proprio per aver la vista della platea, per una specie di mutua sicurezza e solidarietà. Quando a un tratto sentirono gridare e scorrazzare nell'atrio e quelli della platea avventarsi alle uscite di sicurezza. «Ci siamo! – disse Milton a Giorgio. – Sia maledetta Viviane Romance!» Milton si slanciò alla porta di sicurezza ma la trovò sbarrata, chiusa dall'esterno. Ci si scagliò contro di spalle ma la fece appena tremare. Sotto continuava il tumulto, anzi era aumentato. Gridavano, correvano, sbattevano porte, davano cozzi nel muro. «Salgono in galleria!» gridò a Giorgio e si avventò all'uscita normale, sperando di anticiparli sulla scala, riuscire sul ballatoio esterno e lasciarsi cadere da quattro metri in cortile. Fece cosí pur convinto che era tardi, che avrebbe dato nello stomaco ai fascisti che salivano a quattro gradini l'ultima rampa. Slanciato com'era diede un'ultima occhiata a Giorgio e lo vide a cavalcioni della ringhiera, già sbilanciato nel vuoto.

– Chi di voi è stato al cinema Corino sa che tra galleria e platea è un salto di dieci metri. Ebbene, Giorgio stava per buttarsi giú, a sfracellarsi sulle sedie di ferro della platea. «No!» gli gridai, ma lui nemmeno mi rispose, nemmeno mi guardò, avanti a me fissava la porta per cogliere il momento in cui irrompevano i fascisti. Invece da basso tutto si quetò. Non era successo niente, niente di fascista voglio dire. C'era stato appena un tentativo di furto al botteghino, la cassiera aveva urlato, gli inservienti erano accorsi e cosí via, e tutti avevano pensato a una retata dei fascisti. Ma resta il fatto, la prova. Al primo grugno di fascista Giorgio si sarebbe buttato a morire.

Ci fu un silenzio e poi Maté disse: – Mi sa che Giorgio si scorcia da solo, se già non gliel'hanno fatto loro. Io me lo vedo nella cella. Se ripensa a come gli è andata, per la rabbia e la disperazione si butta a sfracellarsi la testa contro il muro.

Un altro silenzio e poi il ragazzino disse alla nonna: – È inutile, questo componimento non son capace di farlo.

La vecchia sospirò e si voltò ai partigiani. – Non c'è nessuno fra voi che sia un po' maestro?

Maté indicò Milton e macchinalmente Milton si levò dal ballotto e andò a chinarsi sul ragazzo.

– Quello è piú che un maestro, – bisbigliava Maté alla vecchia, – quello è addirittura professore. Viene dritto dritto dall'università.

E la vecchia: – Ma vediamo, vediamo che fior di gente questa maledetta guerra trascina nei nostri poveri posti.

– Com'è il tema? – aveva domandato Milton.

– I nostri amici gli alberi, – compitò il ragazzino.

Milton si raddrizzò con una smorfia. – Non lo so fare. Mi dispiace, ma non ti posso aiutare.

E il ragazzino: – Tu sei maestro come io... Ma, Dio fascista! perché sei venuto se non potevi aiutarmi?

– Io... credevo... che il tema fosse un altro.

Andò in un angolo della stalla e cominciò a prendere a calci un ballotto di paglia per disfarlo. Doveva dormire. Sperava di dormire di piombo nel giro di dieci minuti. Quel sergente non lo disturbava, si era ucciso da sé, lui non c'entrava, del resto non l'aveva nemmeno visto in faccia. Guai se non dormiva. Era debolissimo, sfatto, finito. Si sentiva piú sottile di una foglia, e come una foglia macero.

Parlava forte Riccardo, sempre appollaiato sulla greppia.

– Quanti anni hai precisamente, Maté?

– Ne ho tanti, – rispose Maté. – Ne ho venticinque.

– Sei vecchio sí. Sei quasi da bassa macelleria.

– Stupido! – fece Maté. – non lo dicevo in quel senso. Volevo dire che sono carico d'esperienza. Troppi ne ho visti lasciarci la pelle. Per impazienza, per la voglia di donna, per la voglia di tabacco, e per la manía di fare il partigiano in automobile.

Milton si contorceva sulla paglia, sempre con le mani sugli occhi. – Domani. Che cosa farò domani? Dove andrò a cercare? Ma tanto è inutile. Finito il sergente, finito tutto. Queste occasioni si presentano una volta sola. Ma quel disgraziato...! chissà se già l'hanno trovato, o è ancora lassú solo al buio, nel marcio. Ma perché, perché? Si è fissato che io lo illudessi fin che eravamo a portata di pattuglie e una volta lontani io lo... disgraziato! Ma domani, come passerò io domani senza il programma nemmeno di cercare?

Sebbene con le mani si otturasse anche parte delle orecchie, sentiva bene i discorsi degli altri e ne soffriva atrocemente.

Pinco aveva portato il discorso sulla nuova maestra giovane del paese, mandata a supplire la vecchia maestra ammalata. A Pinco piaceva, ed anche a Riccardo.

– Lasciatela stare quella povera maestra, – disse la vecchia.

– E perché? Noi mica la cerchiamo per farle del male. La cerchiamo per farle del bene, – e Pinco rise.

– Vedrete, – disse la vecchia, – vedrete dove vanno a finire tutte queste cose.

– Voi parlate della vecchiaia, – disse Riccardo, – e la vecchiaia non è proprio affar nostro, in nessun senso.

– Ci risiamo con le maestre? – disse Maté. – Attenti, ragazzi, alle maestre perché è una categoria col fascismo incarnato. Io non so che gli abbia fatto il duce a quelle, ma nove su dieci sono fasciste. Io potrei raccontarvi di una maestra, di una per tutte.

– E racconta.

– Fascista fino alla punta delle unghie, – continuò Maté. – Era una di quelle che sognavano di fare un figlio con Mussolini. Ed era anche cotta per quel porco di Graziani.

– Un momento, – fece Pinco. – Era giovane, era bella? È importante saperlo subito.

– Era sui trent'anni, – specificò Maté, – ed era una bella pianta di donna. Un po' robusta, un po' mascolina, ma ben messa e ben distribuita come carne. E soprattutto aveva una carnagione magnifica, una vera seta.

– Meno male, – disse Pinco, – se era vecchia e brutta potevi avanzare di raccontare, anche se fosse il fatto piú interessante del mondo.

– Quando si venne a sapere che ci faceva propaganda contraria... Un momento. Ho dimenticato di dire che allora io ero nella Stella Rossa. Eravamo sulle colline di Mombarcaro, montagne si potrebbero chiamare. Il commissario si chiamava Max e aveva come tirapiedi un certo Alonzo, uno che aveva fatto la guerra di Spagna e si diceva delegado militar. Non so che razza di grado sia, però la Spagna doveva averla fatta sul serio, su tre parole ne diceva una spagnola e anche senza saper la lingua si capiva che non bluffava. Ma che avesse fatto la Spagna contava e non contava, l'importante era che si trattava di uno che ammazzava. Io gliel'avevo visto fare, ma anche se non gliel'avessi visto fare capivo che era uno che voleva e sapeva ammazzare. Lo si capisce dagli occhi, dalle mani ed anche dalla bocca.

Ci fu intorno un borbottio di assenso e poi Maté riprese: – La maestra che dico io viveva e insegnava a Belvedere, a dieci chilometri dalla nostra base. Quando si venne a sapere che ci faceva propaganda contraria – e quella povera scema non aveva ancora parlato che già correvano a riportarcelo – allora il commissario Max la fece diffidare una prima volta. Al nostro compagno che le portò la diffida, un buon ragazzo ragionevole, quella rise in faccia e lo caricò di insulti, gliene appioppò di quelli che una maestra non dovrebbe nemmeno conoscere. Quello non reagí perché in fondo era una donna. Poi ci riportarono che aveva detto in piazza che i fascisti dovevano salire a sterminarci tutti con la mitraglia. Noi ci passammo sopra. La volta dopo disse che i fascisti dovevano salire coi lanciafiamme e che lei sarebbe morta volentieri dopo averci visti tutti arrostiti. Allora Max le mandò una seconda diffida. Questa gliela portò uno piú duro del primo, ma anche lui ricevette la medesima accoglienza e per non ammazzarla sul posto si ritirò bestemmiando. Capite, questa maestra era un fenomeno curioso, magari divertente, ma solo per chi non avesse ancora il cuore avvelenato. Cosí continuò come prima, anzi peggiorava, e una sera che tornavamo dalla pianura – avevamo freddo e fame e non avevamo trovato un goccio di carburante che era l'obiettivo della missione – Max fece fermare il camion a Belvedere. Venne ad aprirci il padre della maestra e capí a volo. Capí a volo e si buttò sul pavimento e lí si rotolava. Noi entrammo scavalcandolo e lui da sotto cercava di avvilupparci le gambe. Venne anche sua moglie e si inginocchiò davanti a noi. Ci dava tutte le ragioni di questo mondo, ma non gliela ammazzassimo.

La vecchia si alzò e disse al nipotino: – Su, è ora di andare a dormire.

– No e no, io voglio restare a sentire.

– A dormire, e subito! – e col fusto della conocchia lo parava verso l'usciolo della cucina. E ai partigiani disse buonanotte e: – Speriamo di svegliarci vivi domattina.

Maté aspettò che fossero usciti e continuò: – Ma non gliela ammazzassimo. Era la loro unica figlia e per darle il diploma di maestra avevano fatto tanti sacrifici. Se ne sarebbe incaricata lei d'ora innanzi, a costo di non fare piú nient'altro, nemmeno da cucina, l'avrebbe sorvegliata lei, le avrebbe tappato la bocca come a una bambina. Il padre ritrovò la voce anche lui, disse che era un buon cittadino e un buon combattente dell'altra guerra, che aveva dato all'Italia infinitamente di piú di quanto ne avesse ricevuto. Ebbene, offriva il suo credito a compenso, a riparazione delle idee storte di sua figlia. Ma Max rispose che era impossibile, troppo tardi; nei riguardi di sua figlia, disse Max, si era usata una sopportazione che addirittura puzzava di tradimento della causa. In quel momento sbucò fuori lei, la maestra. Doveva essersi nascosta in qualche buco della casa ma poi non aveva resistito ai lamenti dei

suoi vecchi. Del resto, era piú coraggiosa di tanti uomini. Come spuntò, cominciò a vomitare insulti e il
primo a riceverli era Max. Sputava anche, ma come la
maggioranza delle donne non sapeva sputare e la saliva
le cadeva sulla maglietta. Alonzo lo spagnolo era accanto a me e subito dietro Max e comincia a soffiare:
«Fucilarla, fucilarla, fucilarla», regolare come un orologio. Alonzo soffiava nel collo di Max e Max dondolava la testa quasi ne fosse già persuaso. «Provatevi solo a fucilarmi, brutti delinquenti!» urlò la maestra. Mi
si accosta un compagno, un tipo per niente sanguina-
rio e: «Maté, – mi dice, – qui la fucilano, qui finisce
che la fucilano davvero. E a me non va. È troppo, in
fondo è troppo per una donna che ragiona con l'utero». «Già, – faccio io, – e questo maledetto spagnolo
che non la smette e finisce che ci suggestiona tutti».
«Difatti, – dice quel mio compagno, – da' un'occhiata a Max e vedi se non è già bell'e suggestionato». Nel
mentre un partigiano semplice passa avanti a Max, va
dalla maestra e le dice: «Hai fatto molto male ad augu-
rarci la morte coi lanciafiamme. Coi lanciafiamme non
ce la dovevi augurare», e siccome la maestra gli rideva
sul muso lui fa un altro passo in avanti e alza la mano
per schiaffeggiarla, per spaccarlo quel ghigno come un
vetro. Ma Max gli fermò la mano per aria e disse:
«Fermo. Le diamo la grande lezione. Le mezze lezioni
ormai guasterebbero soltanto». E: «Fucilarla, fucilarla», soffiava sempre Alonzo, ormai sicuro. E quel mio
compagno si rivolge di nuovo a me: «Maté, io non
posso vederla fucilare. Facciamo qualcosa, per amor di
Dio!» Allora gli dico di coprirmi le spalle da Alonzo,
vengo avanti e con la mano alzata chiedo la parola.
«Tu che vuoi?» mi fa Max tutto sudato. «Voglio dire
la mia idea. Democraticamente. Ebbene, io non la fu-

cilerei, commissario. In fondo è solo una donna che ragiona con l'utero. Per castigo, perché castigata va castigata, io direi di farle quello che i titini fanno alle slave che vanno coi fascisti. Rapiamola a zero». Max dà uno sguardo in giro, vede che la grande maggioranza è con me, anzi mi lancia occhiate di sollievo e di ringraziamento, ma Alonzo diventò bianco dalla rabbia, mi sputò su una scarpa e mi gridò Ratero!

– Che nome è Ratero? – domandò Pinco.

– Non lo so, e non me lo son mai fatto tradurre. Ma vidi rosso, non tanto per il nome quanto per quel lurido pezzo di polmone sulla mia scarpa. Gli diedi una testata nel petto e Alonzo si afflosciò come se fosse di cartavelina. Gli volai sopra e mi pulii la scarpa sulla pelle della sua faccia. Quando mi rialzai, Max taceva e la maestra sogghignava. Capite, sogghignava. Ma quando Max disse: «D'accordo, non la si fucila piú, tutto considerato non merita nemmeno la raffica, la si rapa a zero come dice Maté», allora smise di ridere, si portò le mani alla testa e subito le tolse, come se già sentisse il ribrezzo della rapatura. Uno che si chiamava Polo si incaricava lui dell'operazione e chiese le forbici alla madre della maestra. La vecchia stava tutta incantata, era contenta che non gliela fucilavamo ma nel medesimo tempo sbalordita dalla novità dello sfregio che le avremmo fatto, e cosí non dava retta a Polo. «Sbrigati, zia, – le diceva Polo toccandole i fianchi, – i capelli ricrescono, la pelle no». Intanto l'avevano presa e la insaccarono su una sedia, a cavalcioni. La gonna le montò su, mostrava mezze le coscie. Sarebbero piaciute a te, Pinco, che sei per la sostanza e la profondità. Le aveva potenti come quelle di un corridore ciclista. Polo aveva già impugnato le forbici, ma la maestra dibatteva la testa perché Polo non potesse la-

vorarci e infatti Polo dovette chiamar due perché gliela tenessero ferma. Le forbici erano grosse e senza filo,
il taglio veniva male e faticoso. Comunque Polo tagliava e cominciava ad apparire il cranio. Ragazzi, non as-
sistete mai alla rapatura di una donna, non vedetele
mai la zucca, non cercate nemmeno di figurarvela. È la
piú brutta patata che ci sia, e l'impressione si allarga a
tutto il resto del fisico. Però, per quanto orribile, è anche una cosa che inchioda. Eravamo tutti fissi, come
ipnotizzati, e la maestra non si ribellava piú, ma continuava a insultarci e maledirci con una voce ormai
rauca che faceva anche piú effetto. Qualcuno dei nostri uscí alla chetichella, tornò fuori dal camion. La
maestra faceva ancora qualche mossa di sofferenza o
di senso e la gonna le montò piú su, ora mostrava le
giarrettiere. Max si asciugava il sudore e diceva a Polo
di far presto. Polo si lagnava delle forbici, malediceva
di essersi incaricato dell'operazione e aveva le dita violacee per la pressione del metallo. La maestra era ormai esaurita, ora gemeva solo piú, come una bambina.
Suo padre era rannicchiato sul sofà, con la testa tra le
mani, e con gli occhi tra le dita guardava, senza parere,
le ciocche di sua figlia che fioccavano sul pavimento.
Sua madre si era inginocchiata davanti a un quadretto
della Madonna e pregava, senza sussulti e senza piú
piangere. Lei, la maestra, in testa non la potevi piú
guardare. Quasi tutti i nostri se l'erano filata. Uscii anch'io e sapete come li trovai? Stavano allineati sul ciglio della strada, spalle al paese e fronte al vallone. Era
già buio ma io vidi benissimo quel che facevano.

– Che cosa facevano? – domandò Pinco.

Riccardo gli diede un buffetto e Maté sgranò gli occhi in faccia a Pinco.

– Dimmi che cosa facevano, – ripeté Pinco.

– Ti dài tante arie, Pinco, ma sono tutte a vuoto. Ascolta me, Pinco. Mangia del pane.

Ci fu un lungo silenzio. Già il calore diminuiva e si disperdeva, la maggior parte delle bestie si era addormentata e respirava in economia. Poi parlò Riccardo, bisbigliava appena, rivolto a Pinco: – Io ho una sola religione, ed è di non ammazzare mai se non in combattimento. Se io ammazzassi a sangue freddo finirei anch'io ammazzato in quella maniera. E questa è la mia unica religione.

Poi si sentí una lunga vibrazione di tutto il mondo esterno e un attimo dopo la pioggia tamburellò sul tetto. Rapidamente arrivò a crosciare e per la soddisfazione Maté si stropicciò le mani, come un vecchietto. Passando a dormire gettò un'occhiata a Milton prono sulla paglia. Certamente dormiva già, sebbene tremasse in tutte le giunture e mani e piedi non cessassero di zappettare la paglia.

Ma Milton non dormiva. Ripensava alla custode della villa di Fulvia e si sentiva disintegrare il cervello. «Ma io non ho sbagliato tutto? Non ho esagerato? Ho capito bene, interpretato bene? Ho il cervello disintegrato, ma bisogna che mi riconcentri. Che ha detto la custode? Ha proprio detto quelle parole riguardo a Fulvia e a Giorgio? Non me le sarò per caso sognate? Ma sí, le ha dette. Ha detto "..." ancora "..." Riesco ancora a rivedere le pieghe della sua bocca mentre lo diceva. Ora, non può darsi che io abbia capito male? Che vi abbia dato un senso anziché un altro? Ma no, il senso era quello, quello era l'unico senso possibile. Una... specifica... relazione... intima. Un momento. La custode voleva arrivare fin lí, o sono io che l'ho fatta arrivare fin lí? Non ho esagerato io? No, no, lei ha parlato chiaramente ed io ho capito giustamente. Ma

139

perché ha voluto che io sapessi? Sono cose che normalmente si tacciono proprio agli interessati. Lei sapeva che io ero e sono innamorato di Fulvia. Non poteva non saperlo, proprio lei. Lo sapevano il cane di guardia, i muri della villa, le foglie dei ciliegi che ero innamorato di Fulvia. Figurarsi lei, che oltre tutto sentiva mezzi i discorsi che le tenevo. E allora perché ha voluto disilludermi, farmi mettere il cuore in pace, aprirmi gli occhi? Per simpatia? Certo, mi aveva un pochino in simpatia. Ma basta la simpatia a indurre a una parte del genere? Doveva sapere che quelle sue parole mi passavano da parte a parte come baionette. Che necessità ha avuto, cosí all'improvviso, di passarmi da parte a parte? Forse ha pensato che quello era il momento piú adatto, meno pericoloso per me. Non volle dirmelo fintanto che ero soltanto un ragazzo. Ma rivedendomi ha dovuto pensare che ero ormai un uomo, che la guerra mi aveva fatto uomo e che ormai potevo sopportare... Oh sí, ho sopportato bene, veramente, mi ha passato da parte a parte come un bambino nudo e inerme. Voglio sperare che abbia parlato seriamente, in spirito di verità, purché non mi abbia fatto costruire un mondo di dubbio e di sofferenza su certe parole dette tanto per dire, approssimativamente. Cosí come, forse, Fulvia mi ha fatto costruire tutto un mondo di amore su certe parole dette pure cosí per dire... Basta, basta, basta. Stavo male per non saper che fare, dove andare, cosa risolvere, domani. Ma ora so che cosa farò domani. Ritorno alla casa di Fulvia, rivedo la donna, mi faccio ripetere tutto per filo e per segno. La guarderò tutto il tempo negli occhi, senza sbattere nemmeno una volta le palpebre. Dovrà ridirmi tutto, e aggiungere anche quello che non mi disse l'altra volta».

XII.

Erano giuste le nove di mattina. Il cielo era tutto a pecorelle bianche, con qualche golfetto color grigioferro, ed in uno di questi stava la luna, smozzicata e trasparente come una caramella lungamente succhiata. La pioggia visibilmente premeva contro l'ultimo strato di cielo, ma forse, cosí pensava il tenente, la cosa si sarebbe fatta prima che cadesse il primo rovescio.

Il tenente passò oltre la sala sottufficiali che stavano trasformando in camera ardente per il sergente Alarico Rozzoni e si portò al centro del cortile da dove fece un cenno al sergente d'ispezione.

– Bellini e Riccio in cortile, – gli disse quando gli si fu presentato.

– Bellini è fuori, con la comandata al mattatoio.

E cosí Riccio faceva il primo, pensò il tenente, proprio Riccio che dei due era il piú ragazzino, non avendo ancora i quindici anni di Bellini.

– Portami fuori Riccio.

– Sarà in cucina o nei sotterranei. Ora chiedo se si è visto, – disse il sergente.

– Non allarghiamo la cosa. Cercalo tu stesso. E digli che in cortile... c'è materiale da scaricare.

Il sergente aggrottò la fronte e guardò l'ufficiale in modo particolare. Poteva permettersi un minimo di confidenza anche perché erano entrambi marchigiani. Il tenente gli rispose con gli occhi. Allora il sergente

sbirciò di lato alle finestre del comando e poi disse:
– Io sono d'accordo di vendicare Rozzoni. Figuriamoci se non lo voglio vendicare. Ma vorrei vendicarlo
su uno di quei grossi bastardi che se ne stanno liberi e
superbi in collina...

– Non c'è niente da fare.

– Questi due sono ragazzini, questi due erano portaordini, ragazzini che credevano di giocare...

– Non c'è niente da fare, – ripeté il tenente. – Il
comandante ha ordinato cosí.

Il sergente partí verso le cucine e il tenente si sfilò a
strattoni i guanti e poi se li rinfilava adagio. Lui non
aveva messo parola, ma anche perché non aveva fia-
tato il capitano sardo. Entrambi avevano battuto i
tacchi. – È rimasto ucciso per una baldracca, – aveva
detto il comandante. – Non lo compiango, però lo
vendico. E lo vendico immediatamente, sulle persone
nemiche che ho a disposizione. Nessun mio soldato,
caduto come si sia, deve restare invendicato –. Essi
avevano battuto i talloni. Ma poi l'incarico era toccato
a lui, il capitano sardo era rimasto su a stendere il manifesto da affiggere nel pomeriggio in tutto Canelli
perché la popolazione sapesse.

La cagna lupa mascotte attraversò il cortile all'am-
bio, col muso a fil di terra. Il tenente cessò di seguirne
la corsa sentendo zoccolare nel fango Riccio. Era in
calzoncini mimetici e una maglietta tutta sbrindellata,
sporca di scolaticci di rancio e di sudore rappreso.
Aveva i capelli cosí lunghi che dietro gli facevano co-
dino e non passava minuto senza che si grattasse freneticamente la testa.

– Mettiti sull'attenti, – disse il sergente a Riccio.

– Lascia perdere, – bisbigliò il tenente, e a Riccio:
– Fa' due passi con me per il cortile.

142

– Ma, tenente, dov'è questa roba da scaricare? – domandò il ragazzino sputandosi sui palmi delle mani.

– Niente roba, – gorgogliò il tenente.

Dopo qualche passo si accorse che Riccio aveva una mascella gonfia. – Ti hanno menato?

Un lampo di doloroso divertimento passò negli occhi, furbi e docili, di Riccio. – Macché picchiato, – rispose. – Pare tanto che mi abbiano gonfiato, ma non è altro che mal di denti. No, non mi hanno picchiato, anzi mi hanno dato del piramidone.

– Ti duole?

– Poco, ora che il piramidone comincia a fare effetto.

Il cortile era deserto, salvo per loro due e la cagna mascotte che ora scavallava, sempre col muso a terra, rasente il muro di cinta verso il torrente. Il tenente sapeva che dietro quel muro stava arrivando, se già non era arrivato, il sergente...

– Ma dov'è il materiale da scaricare? – ridomandò Riccio.

– Niente materiale, – rispose il tenente, stavolta chiaramente.

Dal portico erano sbucati tre soldati e col moschetto a bilanciarm stavano progredendo alle spalle di Riccio.

– Non ci avete mai fatti uscire per niente, me e Bellini, – disse Riccio grattandosi la fronte.

– Devi ascoltarmi, – disse il tenente.

Riccio si raccolse in attenzione, ma subito dopo si voltò di scatto verso i tre che erano venuti a fermarglisi alle spalle.

– E questi...? – cominciò Riccio con una smorfia da vecchio.

– Sí, devi andartene, – disse il tenente a precipizio.

– Morire?

– Sí.

Il ragazzino si portò una mano al petto. – Mi fucilate. E perché?

– Ti ricordi che allora sei stato condannato a morte. Te ne ricordi certamente. Ebbene, oggi è venuto l'ordine di eseguire la sentenza.

Riccio trangugiò. – Ma io credevo che a quella condanna non ci pensaste nemmeno piú. È stato quattro mesi fa.

– Purtroppo non son cose che si cancellano, – disse il tenente.

– Ma se non l'avete eseguita allora perché volete eseguirla adesso? Quella condanna ormai è come se non valesse piú. Dato che non l'avete eseguita allora è come se l'aveste annullata.

– Non annullata, – disse il tenente sempre piú dolce. – Era semplicemente sospesa –. E sopra la testa di Riccio adocchiò le fisionomie dei tre soldati, per scoprire se a loro andava o sgarbava che egli la facesse tanto lunga e ragionevole, e vide che uno dei tre stava sbirciando, tra il disagiato e l'ironico, verso le finestre del comando.

– Ma io, io credevo di essermi comportato bene. In questi quattro mesi mi sono comportato bene.

– Ti sei comportato bene. Effettivamente.

– E allora? Allora perché mi ammazzate? – Due lacrime gli erano spuntate agli angoli degli occhi e, senza scrollarsi, stavano crescendo smisuratamente. – Io ho solo quattordici anni. Voi lo sapete che io ho solamente quattordici anni, e ne dovete tener conto. O per caso avete scoperto qualcosa di me di prima? Non è vero niente, quel che potete aver scoperto. Io non ho mai fatto niente di male. E non ho nemmeno visto a far del male. Facevo la staffetta e basta.

– Ti debbo dire, – spiegò il tenente, – che è stato ucciso uno dei nostri. Il sergente Rozzoni, che tu conoscevi. Lo ha ucciso uno dei vostri sulla collina qui di fronte.

– Maledetto! – bisbigliò Riccio.

– Certo, – disse il tenente. – Potessimo aver lui nelle mani.

Riccio cercò disperatamente di farsi montar saliva, perché la lingua gli si era talmente seccata da non poter piú spiccicare una parola e sapeva che se non riparlava subito il tenente avrebbe fatto cenno di incamminarsi. Si riprese in tempo e disse: – Mi dispiace, mi dispiace per questo sergente. Ma già altre volte, da quando sono qui dentro, avete avuto dei morti e non ve la siete presa con me.

– Questa volta è cosí.

– Vi ricordate quando è morto il soldato Polacci, – incalzò Riccio. – Io ho persino aiutato a fargli il coso, il catafalco, e voi non mi avete nemmeno guardato di brutto.

– Questa volta è cosí.

Riccio con le due mani si strizzava la maglietta. – Ma io non c'entro. Io ho solo quattordici anni e facevo la staffetta. A dir la verità, era appena la seconda volta che la facevo quando sono stato preso, ve lo giuro. Io non c'entro. Ma l'ordine, l'ordine per me, da chi è venuto?

– Dall'unico che può darlo.

– Il comandante? – fece Riccio. – Io l'ho visto tante volte il vostro comandante, proprio qui in cortile, e non mi ha mai guardato di traverso. Una volta mi ha mostrato il frustino ma rideva.

– Questa volta è cosí, – sospirò il tenente, senza la forza di adocchiare i tre soldati.

– Io voglio parlare col comandante, – disse Riccio.

– Non si può. E non serve.

– Lui vuole proprio cosí?

– Certo. Qui si fa tutto quel che lui vuole e niente che lui non voglia.

Riccio si mise a piangere in silenzio, mentre si tastava in tasca, invano, per un fazzoletto.

– Ma io, – disse passandosi un dito sotto gli occhi, – io mi sono sempre comportato bene, ho sempre fatto tutto quello che mi avete ordinato. Ho ramazzato, ho pulito gli stivali, ho buttato l'immondizia, ho caricato e scaricato... E per quando sarebbe?

– Subito.

– Adesso? – fece Riccio riportandosi ambo le mani al petto. – No, no, questa è grossa. Un momento. Lo fate a me solo? A Bellini no?

– Anche a Bellini, – rispose il tenente. – L'ordine comprende anche Bellini. Sono andati a prelevarlo al mattatoio.

– Povero Bellini, – disse Riccio. – E non lo aspettiamo? Perché non aspettarlo? Cosí almeno stiamo insieme.

– Gli ordini, – disse il tenente. – Non possiamo aspettare. Non c'è piú altro da... Forza, Riccio, incamminati.

– No, – disse calmo Riccio.

– Avanti, Riccio, coraggio.

– No. Io ho solo quattordici anni. E voglio veder mia madre. O mamma. No, è troppo grossa.

L'ufficiale sguardò i tre soldati. Due, capí, la volevano presto finita, per pietà, l'altro, lo fissava tra il sarcastico e il furioso, pareva dirgli: – A noi non fanno tante cerimonie, a noi semmai fanno un prologo di sarcasmo e a questo tu stai facendo un prologo di compassione. Bell'ufficiale. Ma tu sei di quelli che già pensano che abbiamo torto e che siamo finiti. Ma, e noi? Noi soldati del Duce nasciamo forse dalle pietre o dalle piante?

– Avanti, forza, – ripeté il tenente, adocchiando il terzo soldato che si era aperto in grembo come a ricevere Riccio, al contrario ed identicamente ad una madre.

– No, – rispose Riccio sempre piú calmo. – Io ho solo quat...

Allora il tenente serrò gli occhi e lo urtò forte nella spalla e Riccio piombò in grembo al soldato e gli altri due gli si serrarono addosso come un coperchio. Cosí soffocavano anche le sue grida e da quel viluppo non uscivano che le gambe sospese e mulinanti del ragazzino.

Cosí andavano verso la porta carraja e il tenente li seguiva coi piedi di piombo. – Assassini! Mamma! Questi mi ammazzano! Mamma! – si sentiva distintamente urlare Riccio.

Non arrivavano mai a quella maledetta porta carraja, il sergente doveva già essere appostato perché la porta si socchiuse per una pressione dall'esterno.

All'improvviso quel viluppo si disfece come se una bomba dirompente vi fosse esplosa nel centro e nel vuoto apparve Riccio, quasi seminudo, e fissava l'ufficiale, col dito puntato.

– Non mi toccate! – urlò ai soldati che gli si ristringevano addosso. – Vado da solo. Ma non mettetemi piú le mani addosso. Vado da solo. Se fucilate anche Bellini, con chi starei io in questa vostra maledetta caserma? Non mi ci vedrei piú, non resisterei piú nemmeno un minuto, vi pregherei di fucilarmi. Che i soldati mi stiano lontani! Vado da solo.

Il tenente accennò ai soldati che non si avvicinassero. E infatti Riccio retrocesse di qualche passo verso la porta carraja, quasi a sfiorarla.

– Ancora una cosa, – disse Riccio. – In prigione ho una torta che mi ha mandato mia madre. L'ho appena assaggiata, l'ho appena scrostata. La lascerei a Bellini ma Bellini mi viene dietro. Datela al primo partigiano che entrerà nella vostra maledetta prigione. Guai se la mangia uno di voi!

Uscí al torrente e i soldati riaccostarono la porta. Il tenente restò fermo un attimo solo, poi si riportò in fretta verso il centro del cortile. Ma anche lí non si sentí di rimanere, quasi che la raffica potesse uccidere anche lui attraverso il muro. Si diresse a grandi passi al defilato, verso la mensa ufficiali. Come ne raggiunse lo spigolo, crepitò la raffica.

Tutti in caserma dovevano già essere avvertiti e preparati, perché non ci fu movimento: non curiosità, non chiamate, non apparizioni ai finestroni. Il brusio di Canelli si troncò netto.

Il tenente si calcò una mano sui capelli che gli si erano tutti rizzati e lentamente, spossatamente camminò verso il corpo di guardia, ad aspettare Bellini.

XIII

A quell'ora Milton era in marcia verso la villa di Fulvia sull'ultima collina prima di Alba. Aveva già fatto il piú della strada, si era già lasciato di molto alle spalle il cocuzzolo dal quale aveva avuto la prima vista della casa. Gli era apparsa fantomatica, velata com'era dalle cortine della pioggia. Pioveva come non mai, a piombo, selvaggiamente. La strada era una pozzanghera senza fine nella quale egli guadava come in un torrente per lungo, i campi e la vegetazione stavano sfatti e proni, come violentati dalla pioggia. La pioggia assordava. Dal cocuzzolo si era buttato giú nella valletta, senza frenarsi, anzi sollecitando le scivolate. Scivolò sul dorso un paio di volte, ognuna per dieci-dodici metri sul pendio gonfio e ondoso, tenendo con le due mani la pistola come un timone. Poi prese a risalire il poggetto in cima al quale gli si sarebbe riofferta la visione della casa di lei. Sgambando con tutta la forza, procedeva con un passetto da bambino. E intanto tossiva e gemeva. «Ma che ci vado a fare? Stanotte ero pazzo, certo deliravo per la febbre. Non c'è nulla da chiarire, da approfondire, da salvare. Non ci sono dubbi. Le parole della donna, una per una, e il loro senso, il loro unico senso...» Arrivò in cima e prima di allungare lo sguardo si scartò dalla fronte i capelli che la pioggia alternativamente incollava e scuoteva. Ecco la villa, alta sulla sua collina, a un duecento metri in linea d'aria.

Certo le fitte cortine di pioggia concorrevano a sfigurarla, ma egli la vide decisamente brutta, gravemente deteriorata e corrotta, quasi fosse decaduta di un secolo in quattro giorni. I muri erano grigiastri, i tetti ammuffiti, la vegetazione all'intorno marcia e sconquassata.

«Ci vado, ci vado ugualmente. Non saprei proprio che altro fare e non posso stare senza far niente. Manderò in città il ragazzo del contadino, per sapere di lui. Gli darò... gli darò le dieci lire che dovrebbero restarmi in tasca».

Si avventò giú per il pendio, perdendo immediatamente la vista della villa, e arrivò in scivolata sulla riva del torrente, a valle del ponte. L'acqua sommergeva di un palmo i massi collocati per il guado. Passò da un pietrone all'altro con l'acqua gelida e grassa alle caviglie. Poi imboccò la stradina percorsa al ritorno davanti a Ivan, quattro giorni prima. Al piano, camminò con furore, rispondendo al furore della pioggia. «In che stato sono. Sono fatto di fango, dentro e fuori. Mia madre non mi riconoscerebbe. Fulvia, non dovevi farmi questo. Specie pensando a ciò che mi stava davanti. Ma tu non potevi sapere che cosa stava davanti a me, ed anche a lui e a tutti i ragazzi. Tu non devi saper niente, solo che io ti amo. Io invece debbo sapere, solo se io ho la tua anima. Ti sto pensando, anche ora, anche in queste condizioni sto pensando a te. Lo sai che se cesso di pensarti, tu muori, istantaneamente? Ma non temere, io non cesserò mai di pensarti».

Saliva al penultimo ciglione, a occhi serrati e piegato in due. Quando si fosse saputo al culmine, sarebbe scattato dritto e avrebbe sgranato gli occhi per riempirseli subito della casa di lei. Le gocce gli picchiavano in testa come pallini di piombo, e aveva a volte voglia di urlare d'intolleranza. E cosí, fra tutto, non vide una figura umana che avanzava di contro a lui, a ridosso di una siepe, in un campo a un trenta passi a sinistra di lui. Era un giovane contadino, che camminava in punta di piedi in quel fango, rannicchiato e svelto come una scimmia, come se ad ogni momento dovesse buttarsi a correre e mai si fidasse di scattare. Presto la figura si dissolse nella pioggia.

Lui arrivò al culmine e subito lanciò gli occhi in alto alla villa, senza fermarsi, quasi inciampando nella prima discesa. Nel riequilibrarsi livellò gli occhi e si vide dinnanzi i soldati. Si arrestò netto in mezzo alla stradina, con le due mani premute sul ventre.

Erano una cinquantina, sparsi per i campi, in tutte le direzioni, uno solo sulla strada, non tutti con l'arma pronta, tutti in mimetico ammollato, la pioggia si polverizzava sui loro elmetti splendenti. Il meno lontano era quello sulla strada, a trenta metri da lui, teneva il moschetto fra spalla e braccio, come se lo ninnasse.

Nessuno si era ancora accorto di lui, parevano tutti, lui compreso, in trance.

Con una zecca del pollice sbottonò la fondina, ma non estrasse la pistola. Nell'istante in cui il soldato piú vicino dirigeva su di lui gli occhi frastornati dall'acqua, Milton ruotò seccamente all'indietro. Non gli arrivò l'urlo dell'allarme, solo un rantolo di stupore.

Camminava verso il culmine con passi lunghi e indifferenti, mentre il cuore gli batteva in tanti posti e tutti assurdi e sentiva la schiena allargarglisi, fino a debordare dalla strada. «Sono morto. Mi prendesse alla nuca. Ma quando arriva?»

«Arrenditi!»

Gli si ghiacciò il ventre e gli mancò netto il ginocchio sinistro, ma si raccolse e scattò verso il ciglio. Già sparavano, di moschetto e di mitra, a Milton pareva non di correre sulla terra, ma di pedalare sul vento delle pallottole. «Nella testa, nella testa!» urlava dentro di sé e in tuffo sorvolò il ciglione e atterrò sul pendio, mentre un'infinità di pallottole spazzavano il culmine e tranciavano la sua aria. Fece una lunghissima scivolata, fendendo il fango con la testa protesa, gli occhi sbarrati e ciechi, sfiorando massi emergenti e cespi di spine. Ma non aveva sensazione di ferite e di sangue spicciante, oppure il fango richiudeva, plastificava tutto. Si rialzò e corse, ma troppo lento e pesante, senza il coraggio di sbirciare all'indietro, per non vederli ormai sul ciglione, allineati come al banco di un tirasegno. Correva goffamente tra un argine e il torrente, e a un certo punto pensò di fermarsi, visto che tanto non gli riusciva di prender velocità. Sempre aspettando la scarica. «Non nelle gambe, non nella spina!» Continuò a correre verso il tratto piú alberato del torrente. Quando li intravvide sull'arginello, probabilmente un'altra pattuglia, seminascosti dietro le gaggíe sgrondanti, a un cinquanta passi da lui. Non l'avevano ancora individuato, lui era come uno spettro fangoso, ma ecco che ora urlavano e spianavano le armi.

«Arrenditi!»

Aveva già frenato e rinculato. Puntò dritto al ponte e dopo tre passi si avvitò su se stesso e rotolò via. Sparavano da due lati, dal ciglione e dall'arginello, urlando a lui e a se stessi, eccitandosi, indirizzandosi, rimproverandosi, incoraggiandosi. Milton era di nuovo in piedi, rotolando aveva urtato contro una gobba del terreno. Dietro, davanti e intorno a lui la terra si squarciava e ribolliva, lanci di fango svincolati dalle pallottole gli si avvinghiavano alle caviglie, di fronte a lui gli arbusti della riva saltavano con crepiti secchi.

Ripuntò al ponticello minato. Era una morte identica a quell'altra, ma agli ultimi passi il suo corpo pianse e si rifiutò di saltare in aria a brandelli. Senza l'intervento del cervello, frenò seccamente saltò nel torrente volando oltre i cespugli tranciati dalla fucileria.

Cadde in piedi e l'acqua gli grippò le ginocchia, mentre ramaglia potata dal fuoco gli crollava sulle spalle. Non indugiò piú di un secondo, ma seppe che era bastato, se solo osava girar gli occhi avrebbe certo visto i primi soldati già sulla sponda, che gli miravano il cranio con sette, otto, dieci armi. La mano gli volò alla fondina, ma la trovò vuota, sotto le dita non schizzò via che un po' di fango. Perduta, certo gli era sfuggita in quell'enorme scivolata a capofitto giú dal ciglione. Per la disperazione voltò intera la testa e guardò tra i cespugli. Un solo soldato gli era vicino, a un venti passi, col moschetto che gli ballava tra mano e gli occhi fissi all'arcata del ponte. Con uno sciacquio assordante si tuffò avanti di ventre e con un solo guizzo si aggrappò all'altra sponda. Riscoppiò dietro l'urlio e la sparatoria. Scavalcò la riva sul ventre e si buttò per lo sconfinato, nudo prato. Ma le ginocchia gli cedettero nell'intollerabile sforzo di acquistar subito velocità. Stramazzò. Urlarono a squarciagola. Una voce terribile malediceva i soldati. Due pallottole si conficcarono in terra vicino a lui, morbide, amichevoli. Si rialzò e corse, senza forzare, rassegnatamente, senza nemmeno zigzagare. Le pallottole arrivavano innumerevoli, a branchi, a sfilze. Arrivavano anche in diagonale, alcuni si erano precipitati a sinistra per coglierlo d'infilata, e gli sparavano anche d'anticipo, come a un uccello. Queste diagonali lo atterrivano infinitamente di piú, le dirette avevano tutte le probabilità di farlo secco. «Nella testa, nella testaaaa!» Non aveva piú la pistola

153

per spararsi, non vedeva un tronco contro cui fracassarsi la testa, correndo alla cieca si alzò le due mani al collo per strozzarsi.

Correva, sempre piú veloce, piú sciolto, col cuore che bussava, ma dall'esterno verso l'interno, come se smaniasse di riconquistare la sua sede. Correva come non aveva mai corso, come nessuno aveva mai corso, e le creste delle colline dirimpetto, annerite e sbavate dal diluvio, balenavano come vivo acciaio ai suoi occhi sgranati e semiciechi. Correva, e gli spari e gli urli scemavano, annegavano in un immenso, invalicabile stagno fra lui e i nemici.

Correva ancora, ma senza contatto con la terra, corpo, movimenti, respiro, fatica vanificati. Poi, mentre ancora correva, in posti nuovi o irriconoscibili dalla sua vista svanita, la mente riprese a funzionargli. Ma i pensieri venivano dal di fuori, lo colpivano in fronte come ciottoli scagliati da una fionda. «Sono vivo. Fulvia. Sono solo. Fulvia, a momenti mi ammazzi!»

Non finiva di correre. La terra saliva sensibilmente ma a lui sembrava di correre in piano, un piano asciutto, elastico, invitante. Poi d'improvviso gli si parò dinnanzi una borgata. Mugolando Milton la scartò, l'aggirò sempre correndo a piú non posso. Ma come l'ebbe sorpassata, improvvisamente tagliò a sinistra e l'aggirò di ritorno. Aveva bisogno di veder gente e d'esser visto, per convincersi che era vivo, non uno spirito che aliava nell'aria in attesa di incappare nelle reti degli angeli. Sempre a quel ritmo di corsa riguadagnò l'imbocco del borgo e l'attraversò nel bel mezzo. C'erano ragazzini che uscivano dalla scuola e al rimbombo di quel galoppo sul selciato si fermarono sugli scalini, fissi alla svolta. Irruppe Milton, come un cavallo, gli occhi tutti bianchi, la bocca spalancata e schiumosa, a ogni batter di piede saettava fango dai fianchi. Scoppiò un grido adulto, forse della maestra alla finestra, ma lui era già lontano, presso l'ultima casa, al margine della campagna che ondava.

Correva, con gli occhi sgranati, vedendo pochissimo della terra e nulla del cielo. Era perfettamente conscio della solitudine, del silenzio, della pace, ma ancora correva, facilmente, irresistibilmente. Poi gli si parò davanti un bosco e Milton vi puntò dritto. Come entrò sotto gli alberi, questi parvero serrare e far muro e a un metro da quel muro crollò.

I ventitre giorni della città di Alba

I ventitre giorni della città di Alba

Alba la presero in duemila il 10 ottobre e la persero in duecento il 2 novembre dell'anno 1944.

Ai primi d'ottobre, il presidio repubblicano, sentendosi mancare il fiato per la stretta che gli davano i partigiani dalle colline (non dormivano da settimane, tutte le notti quelli scendevano a far bordello con le armi, erano esauriti gli stessi borghesi che pure non lasciavano piú il letto), il presidio fece dire dai preti ai partigiani che sgomberava, solo che i partigiani gli garantissero l'incolumità dell'esodo. I partigiani garantirono e la mattina del 10 ottobre il presidio sgomberò.

I repubblicani passarono il fiume Tanaro con armi e bagagli, guardando indietro se i partigiani subentranti non li seguivano un po' troppo dappresso, e qualcuno senza parere faceva corsettine avanti ai camerati, per modo che, se da dietro si sparava un colpo a tradimento, non fosse subito la sua schiena ad incassarlo. Quando poi furono sull'altra sponda e su questa di loro non rimase che polvere ricadente, allora si fermarono e voltarono tutti, e in direzione della libera città di Alba urlarono: – Venduti, bastardi e traditori, ritorneremo e v'impiccheremo tutti! – Poi dalla città furon visti correre a cerchio verso un sol punto: era la truppa che si accalcava a consolare i suoi ufficiali che piangevano e mugolavano che si sentivano morire dalla vergogna. E quando gli parve che fossero consolati abbastanza tornarono a rivolgersi alla città e a gridare: – Venduti, bastardi...! – eccetera, ma stavolta un po' piú sostanziosamente, perché non erano tutti improperi quelli che mandavano, c'erano anche mortaiate che riuscirono a dare in seguito un bel profitto ai conciatetti della città. I partigiani si cacciarono in porte e portoni, i borghesi ruzzolarono in cantina, un paio di squadre corse agli argini da dove aprí un fuoco di mitraglia che ammazzò una vacca al pascolo sull'altra riva e fece aria ai repubblicani che però marciaron via di miglior passo.

Allora qualcuno s'attaccò alla fune del campanone della cattedrale, altri alle corde delle campane dell'altre otto chiese di Alba e sembrò che sulla città piovesse scheggioni di bronzo. La gente, ferma o che camminasse, teneva la testa rientrata nelle spalle e aveva la faccia degli ubriachi o quella di chi s'aspetta il solletico in qualche parte. Cosí la gente, pressata contro i muri di via Maestra, vide passare i partigiani delle Langhe. Non che non n'avesse visti mai, al tempo che in Alba era di guarnigione il II Reggimento Cacciatori degli Appennini e che questi tornavano dall'aver rastrellato una porzione di Langa, ce n'era sempre da vedere uno o due con le mani legate col fildiferro e il muso macellato, ma erano solo uno o due, mentre ora c'erano tutti (come credere che ce ne fossero altri ancora?) e nella loro miglior forma.

Fu la piú selvaggia parata della storia moderna: solamente di divise ce n'era per cento carnevali. Fece un'impressione senza pari quel partigiano semplice che passò rivestito dell'uniforme di gala di colonnello d'artiglieria cogli alamari neri e le bande gialle e intorno alla vita il cinturone rossonero dei pompieri col grosso gancio. Sfilarono i badogliani con sulle spalle il fazzoletto azzurro e i garibaldini col fazzoletto rosso e tutti, o quasi, portavano ricamato sul fazzoletto il nome di battaglia. La gente li leggeva come si leggono i numeri sulla schiena dei corridori ciclisti; lesse nomi romantici e formidabili, che andavano da Rolando a Dinamite. Cogli uomini sfilarono le partigiane, in abiti maschili, e qui qualcuno tra la gente cominciò a mormorare: – Ahi, povera Italia! – perché queste ragazze avevano delle facce e un'andatura che i cittadini presero tutti a strizzar l'occhio. I comandanti, che su questo punto non si facevano illusioni, alla vigilia della calata avevano dato ordine che le partigiane restassero assolutamente sulle colline, ma quelle li avevano mandati a farsi fottere e s'erano scaraventate in città.

A proposito dei capi, i capi erano subito entrati in municipio per trattare col commissario prefettizio e poi, dietro invito dello stesso, si presentarono al balcone, lentamente, per dare tutto il tempo ad un usciere di stendere per loro un ricco drappo sulla ringhiera. Ma videro abbasso la piazza vuota e deserti i balconi dirimpetto. Sicché la guardia del corpo corse in via Maestra a spedire in piazza quanti incontrava. A spintoni ne arrivò un centinaio, e stettero con gli occhi in alto ma con le braccia ciondoloni. Allora le guardie del corpo serpeggiarono in quel gruppo chiedendo tra i denti: – Ohei, perché non battete le mani? – Le batterono tutti e interminabilmente nonché di cuore. Era stato un attimo di sbalordimento: su quel balcone c'erano tanti capi che in proporzione la truppa doveva essere di ventimila e non di duemila uomini, e poi in prima fila si vedeva un capo che su dei calzoncini corti come quelli d'una ballerina portava un giubbone di pelliccia che da lontano sembrava ermellino, e un altro capo che aveva una divisa completa di gomma nera, con delle cerniere lampeggianti.

Intanto in via Maestra non c'era piú niente da vedere: giunti in cima, i partigiani scantonarono. Una torma, che ad ogni incrocio s'ingrossava, corse ai due postriboli della città, con dietro un codazzo di ragazzini che per fortuna si fermarono sulla porta ad attendere pazientemente che ne uscisse quel partigiano la cui divisa o la cui arma li aveva maggiormente impressionati. In quelle due case c'erano otto professioniste che quel giorno e nei giorni successivi fecero cose da medaglie al valore. Anche le maitresses furono bravissime, riuscirono a riscuotere la gran parte delle tariffe, il che è un miracolo con gente come i partigiani abituata a farsi regalar tutto.

Ma non erano tutti a puttane, naturalmente, anzi i piú erano in giro a requisir macchine, gomme e benzina. Non senza litigare tra loro con l'armi fuor di sicura, scovarono e si presero una quantità d'automobili con le quali iniziarono una emozionante scuola di guida nel viale di circonvallazione. Per le vie correvano partigiani rotolando pneumatici come i bimbi d'una volta i cerchi nei giardini pubblici. A conseguenza di ciò, la benzina dava la febbre a tutti. In quel primo giorno e poi ancora, scoperchiavano le vasche dei distributori e si coricavano colla pancia sull'asfalto e la testa dentro i tombini. – Le vasche sono secche, secche da un anno, – giuravano i padroni, ma i partigiani li guardavano in cagnesco e dicevano di vedere i riflessi e che quindi la benzina c'era. I padroni cercavano di spiegare che i riflessi venivano da quelle due dita di benzina che restano in ogni vasca vuota, ma che la pompa non pescava piú. Allora i partigiani riempivano di bestemmie le vasche e lasciavano i padroni a tapparle. Benzina ne scovarono dai privati, pochissima però, la portavano via in fiaschi. Quel che trovarono in abbondanza fu etere, solvente ed acquaragia coi quali combinarono miscele che avvelenarono i motori.

Altri giravano con in mano un elenco degli ufficiali effettivi e di complemento della città, bussavano alle loro porte vestiti da partigiani e ne uscivano poi bardati da tenenti, capitani e colonnelli. Invadevano subito gli studi dei fotografi e posavano in quelle divise, colla faccia da combattimento che spaccava l'obiettivo.

Intanto, nel Civico Collegio Convitto che era stato adibito a Comando Piazza, i comandanti sedevano davanti a gravi problemi di difesa, di vettovagliamento e di amministrazione civile in genere. Avevano tutta l'aria di non capircene niente, qualche capo anzi lo confessò in apertura di consiglio, segretamente si facevano l'un l'altro una certa pena perché non sapevano cosa e come deliberare. Comunque deliberarono fino a notte.

Quella prima notte d'occupazione passò bianca per civili e partigiani. Non si può chiuder occhio in una città conquistata ad un nemico che non è stato battuto. E se il presidio fuggiasco avesse cambiato idea, o avesse incontrato sulla sua strada chi gliel'avesse fatta cambiare, e cercasse di rientrare in Alba quella notte stessa? I borghesi nell'insonnia ricordavano che la sera, nel primo buio, quel pericolo era nell'aria e stranamente deformava le case e le vie, appesantiva i rumori, rendeva la città a momenti irriconoscibile a chi c'era nato e cresciuto. E i partigiani, che in collina riuscivano a dormire seduti al piede d'un castagno, sulle brande della caserma non chiusero occhio. Pensavano, e in quel pensare che a tratti dava nell'incubo, Alba gli pareva una grande trappola colle porte già abbassate. Era l'effetto del sentirsi chiusi per la prima volta; le ronde che viaggiavano per la città nel fresco della notte erano molto piú tranquille e spensierate.

Non successe niente, come niente successe negli otto giorni e nelle otto notti che seguirono. Accadde solo che i borghesi ebbero campo d'accorgersi che i partigiani erano per lo piú bravi ragazzi e che come tali avevano dei brutti difetti, e che in materia di governo civile i repubblicani erano piú competenti di loro. Accadde ancora che uno di quei giorni, all'ora di pranzo, da Radio Torino si sentirono i capi fascisti del Piemonte alternarsi a giurare che l'onta di Alba sarebbe stata lavata, rovesciata la barbara dominazione partigiana eccetera eccetera.

La mattina del 24 ottobre, le scolte sul fiume che di buonora pescavano colle bombe a mano facendo una strage di pesci che ancor oggi i pescatori se ne lamentano, videro sulla strada Alba-Bra avanzarsi un nuvolone di polvere e da questo usciva un tuono di motori. Spiando negli intervalli tra un pioppeto e l'altro, contarono una dozzina di grossi camion e un paio di piccoli carri armati.

Su Alba suonò la sirena municipale, i civili s'incantinarono e la guarnigione corse agli argini che già sul fiume s'incrociavano i primi colpi.

La repubblica stabilí un fronte di non piú di mezzo chilometro, disteso tra un pescheto e un arenile, e cercò di far forza nel punto migliore per il guado, immediatamente a valle del ponte bombardato dagli inglesi. Ma i partigiani concentrarono le mitraglie e quando quelli si presentarono al pulito, fecero una salva che li ricacciò tutti nei cespugli. Finché mandarono avanti uno di quei carri armati che si calò nel greto come un verme. Facendo fuoco da tutti i suoi buchi, entrò nella prima acqua alta due palmi, ma un mortaista partigiano azzeccò un colpo da 81 che rovinò giusto sul carro che fece poi molte smorfie per tornarsene via. E dopo un altro po' di bordello tanto per prorogare il pranzo ai partigiani, all'ora una pomeridiana la repubblica se ne andò, ma non cosí in fretta che una squadra partigiana non guadasse il fiume e arrivasse al sedere della retroguardia, e se non la catturarono tutta fu perché persero tempo a raccattare le armi che quelli gettavano.

La sirena suonò il finis, e fu un bel pomeriggio con in piazza Umberto I il sole e la popolazione tutta ad aspettare i partigiani che tornavano dagli argini cantando la famosa canzone che dice:

> O tu Germania che sei la piú forte,
> Fatti avanti se ci hai del coraggio,
> Se la repubblica ti lascia il passaggio,
> Noi partigiani fermarti saprem!

Si dichiarò il pomeriggio festivo, la gente riempí i caffè e offriva le bibite ai partigiani. Fecero accender le radio sulla stazione di Torino e siccome Radio Torino taceva, gridavano: – Parla adesso, parla adesso! – e la presenza di tante signore e signorine patriote non era un motivo per cui non si dovesse dar forte del fottuto a quelli di Radio Torino.

Ma la sera e la notte molti pensarono che era forse meglio che i partigiani non l'avessero date tanto secche ai fascisti, perché poteva darsi che si dovesse poi pagare il conto.

L'indomani, da Radio Torino parlò il federale di tutto il Piemonte e, sorvolando sul fatto d'armi del giorno precedente, disse che Alba sarebbe stata riconquistata alla vera Italia ad ogni costo e quanto prima. Tutti in Alba lo ascoltarono e, partigiani per primi, presero le sue parole interamente sul serio. Le pattuglie notturne sugli argini furono triplicate; era un servizio che portava l'esaurimento nervoso, col fiume che di notte fa migliaia di rumori tutti sospetti e sull'altra riva luci che s'accendono e si spengono. Una parte dei borghesi lasciò la città dicendo ai vicini che andavano a passare un po' di giorni in campagna, e nessuno si ricordò d'obiettare che non era piú la stagione.

Ma verso la fine d'ottobre piovve in montagna e piovve in pianura, il fiume Tanaro parve rizzarsi in piedi tanto crebbe. La gente ci vide il dito di Dio, veniva in massa sugli argini nelle tregue di quel diluvio e studiava il livello delle acque consentendo col capo. Pioveva notte e giorno, le pattuglie notturne rientravano in caserma tossendo. Il fiume esagerò al punto che si smise d'aver paura della repubblica per cominciare ad averne di lui. Poi spiovve decisamente, ma il fiume rimase di proporzioni piú che incoraggianti. Sugli argini, a tutte l'ore, conveniva parecchia gente, quasi tutti oziavano perché non c'era piú la costanza di lavorare in quello stato di cose, e tra quella gente c'erano vecchi soldati della guerra del '15 che esaminavano il Tanaro e facevano paragoni col Piave.

Lo stesso giorno che spiovve, il Comando Piazza, per certe vie note a lui solo, venne a sapere che i repubblicani avrebbero attaccato, attaccato agli ordini di generali e non piú tardi del 3 novembre. Il Comando provvide a far minare qualche tratto d'argine, ad allagare dei prati tra il fiume e la città deviando un canale d'irrigazione e a far preparare le liste dei civili da reclutare per la costruzione di barricate alle porte della città. Altro non gli riuscí di fare perché gli portò via un gran tempo il dare udienza ad una infinità di gente che aveva cose importantissime da riferire; erano per lo piú commercianti ambulanti che battevano i mercati dell'Oltretanaro presidiati dalla repubblica e sapevano adocchiar tutto guardando in terra. Cosí si seppe tra l'altro che sulla collina di Santa Vittoria avevano già postati i cannoni da 149 prolungati coi quali, in caso di difesa irragionevolmente protratta, avrebbero spianato la città di Alba, e che a monte di Pollenzo c'era ormeggiata una flottiglia di barconi per il passaggio del fiume.

Ma la notizia piú interessante e sicura la portò al Comando un prete della Curia: si trattava che i capi fascisti chiedevano un colloquio in zona partigiana e si auguravano che per il bene della città di Alba i capi ribelli lo concedessero. I capi partigiani non dissero di no e il giorno fissato si recarono con scorta al punto stabilito, alquanto distante dalla città che era il nocciolo della questione. I capi fascisti, i piú terribili nomi di quella repubblica, arrivarono tagliando il fiume con un barcone e siccome quella traversata poteva rappresentare una prova generale, i partigiani sull'altra sponda rimasero malissimo a vedere con che sicurezza quel barcone passò il fiume gonfio. Sbarcarono, e mentre i piú salirono a riva col fango alto agli stivali, alcuni vecchi e grassi s'impantanarono irrimediabilmente. Si videro allora i partigiani della scorta calarsi in quel fango, caricarsi i gerarchi sulle spalle e riarrampicarsi poi a depositarli sul solido. I gerarchi ringraziarono, offrirono sigarette tedesche, quindi s'appartarono coi parigrado partigiani.

Fu un lunghissimo parlamentare che fece crescer la

barba alla scorta, ma alla fine si restò come se niente fosse stato detto. I fascisti non vollero dire che non avevan voglia di riprendersi Alba con la forza, i partigiani non vollero dire che non si sentivano di difenderla a lungo, e da queste reticenze nacque la battaglia di Alba. I capi fascisti infangatissimi ripartirono col loro barcone dicendo: – Arrivederci sul campo, – i partigiani risposero: – Certamente, – e stettero a guardare se quelli per caso non facessero naufragio. Non lo fecero.

La mattina del primo di novembre, i comandanti di tutte le squadre della guarnigione furono convocati al Comando Piazza e poi congedati all'ora di mezzogiorno dopo aver sentito parlare di difesa a capisaldi, di massa di manovra, di collegamenti a vista e cosí via. Insomma ne uscirono con le idee confuse, ma poiché nessuno si decise a fare il primo, non tornarono sui loro passi a farsele, se possibile, chiarire. Lungo la strada di ritorno ai singoli accantonamenti, pagarono questa conservazione di prestigio con dei tremendi interrogativi di coscienza. Due sole cose erano ben chiare, e cioè che la repubblica avrebbe attaccato all'alba dell'indomani e che avrebbe cercato di passare sul ponte sospeso di Pollenzo, quel ponte che i partigiani non erano riusciti a rompere semplicemente perché era guardato dai tedeschi che alloggiavano fin dall'armistizio in quel castello reale, in numero sufficiente per infischiarsi di tutti i partigiani delle Langhe.

Il dopopranzo le squadre, tempestando di domande i loro capi, uscirono di città e infilarono la strada Alba-Gallo tirando a mano dei carretti sui quali avevano caricato le mitragliatrici e le casse delle munizioni. Si fermarono dove i capi dissero di fermarsi, presero visione del tratto di fronte loro assegnato e, lasciateci le sentinelle, andarono a trovarsi tutt'insieme sull'aia della cascina di San Casciano che era in metà giusta delle posizioni. Su quell'aia grande come una piazza si trovarono insieme i duecento uomini sui quali pesò quasi interamente la battaglia di Alba. Fecero un coro di *O tu Germania che sei la piú forte,*: celiarono in tutti i modi e senza pietà sul fatto che l'indomani era il due di novembre giorno dei morti ed ebbero anche lo spettacolo. Due polacchi, disertori della Wehrmacht e partigiani badogliani, ubriachi marci, fecero segno a tutti di stare a vedere, andarono a collocare due bottiglie vuote sul muretto in fondo all'aia, sbandando tornarono all'altro termine, puntarono i loro fucili tedeschi e le due bottiglie laggiú volarono in polvere. Tutti applaudirono e pensarono che domani in quei mirini ci sarebbe stata carne di fascisti. Cosí fecero sera e tornarono ciascuna squadra alla cascina piú prossima alla rispettiva posizione.

Là cenarono a pane e salame e poi si riposarono. Per le finestre videro farsi notte di colpo e sentirono che faceva un freddo crudo. Fuori rumoreggiava il fiume, dentro si udiva solo respirare, il massimo rumore era quello dei zolfini sfregati per le sigarette. Il fatto è che tra loro non c'era un adulto, quelli che avevano fatto il soldato nel Regio Esercito erano forse cinque ogni cento. Nel buio di quella vigilia di battaglia, molti di quei minorenni che, per non aver mai voluto tirare alle galline, non avevano mai sparato il fucile, si domandavano ora se sparare poteva esser complicato e se il colpo faceva male alle orecchie. Poi pensavano a quelli che aspettavano per l'indomani sul presto, ammettevano che quelli sparare sapevano, e allora si tastavano la pelle o anche solo la camicia.

Poco prima di mezzanotte arrivò un portaordini del

Comando Piazza ad avvisare che il posto di medicazione era dietro il cimitero e che il servizio sanitario lo prestavano volontariamente gli studenti albesi in medicina e farmacia. Si sentí un singhiozzo nel buio, ma mezz'ora dopo che il portaordini se n'era andato, per il fatto e la fortuna che erano tutti ragazzi, s'erano già tutti addormentati nelle stalle e sui fienili. E s'addormentò anche qualche sentinella.

La mattina del 2 novembre ci fu per sveglia un boato, verso le quattro e mezzo. I partigiani a dormire sui fienili trascurarono le scale a pioli e saltaron giú da due e piú metri. Solo per una formalità i comandanti mandarono a vedere se c'era rimasto qualcuno addormentato. Partí una pattuglia dei piú vecchi a vedere cos'era successo. Tornò che erano già tutti in trincea e riferí che un uomo, un borghese, era passato per il campo minato ed era subito saltato in aria ed era là morto. Tutti alla notizia sorrisero e qualcuno disse che era pronto a scommettere che la repubblica non veniva. C'era chi gli avrebbe scommesso contro, ma non ebbe il tempo perché, mentre ai campanili di Alba battevano le cinque, sul fiume scoppiò un rumore da non sapere se erano gli uomini a farlo o la terra o Dio, il rumore che comincia le battaglie, e dalla collina dei Biancardi la mitragliera partigiana prese a far pom pom, si vedevano le sue pallottole traccianti sprofondarsi nei pioppeti del fiume e niente piú.

I repubblicani avevano passato il fiume sul ponte sospeso di Pollenzo con tutta fanteria e vicino al punto dove presero terra, una pattuglia di quattro partigiani, stanca di far la guardia su e giú, s'era ritirata in un casotto di pesca e stavano col lume acceso a far dei giri a poker. Arrivarono loro, non corsero spiegazioni, li ammazzarono colle carte in mano.

Su Alba suonò la sirena municipale e i partigiani in trincea s'irritarono per quel fracasso superfluo e gridavano verso il Comando Piazza, quasi da laggiú potessero sentirli: — State tranquilli che abbiamo sentito, state tranquilli che siamo in allarme!

Si sentivano assai meglio che la notte, e tutti attenti e seri osservavano la traiettoria della loro mitragliera, le nuvolette delle mortaiate dei fascisti che mettevano un colpo sopra l'altro come tanti scalini per arrivare in cima alla collina dei Biancardi, e facevano congetture molto sensate. Uno spettacolo che assorbiva tutt'intera la loro attenzione, e fu un peccato che una staffetta venisse a disturbarli col trasferimento, spiegando che non era piú necessario vegliare sugli argini e che tutti dovevano adesso portarsi sulla linea di San Casciano, perpendicolare alla strada Gallo-Alba che era evidentemente la direttrice d'attacco del nemico. Nel momento che si mossero, prese a piovere, una pioggia pesante che marcí la terra al punto che quando arrivarono dopo non piú di dieci minuti di cammino e posarono le mitraglie, la terra cedeva sotto i treppiedi.

Quella era la linea principale e correva giusto a filo del muro di cinta della cascina di San Casciano. Dal finestrone della torretta della cascina si sporse un comandante con sul petto i binoccoli e gridò ai nuovi arrivati: — Ricordatevi che non si spara se non ve lo dico io. E non fumate, razza d'incoscienti! — urlò a certuni che pur ascoltandolo attentamente s'eran messi a fumare colle mani a cupola sulle sigarette perché la pioggia non le marcisse.

Tutti tenevano d'occhio la traiettoria della mitragliera di Villa Biancardi, convinti che stava facendo un bel lavoro e che a quest'ora i fascisti non erano già piú vergini di morti. Di quando in quando studiavano il terreno davanti a loro e smuovevano di continuo i piedi per non trovarseli al momento buono imprigionati nel fango che cresceva come se avesse il lievito dentro.

Di colpo la mitragliera obliquò paurosamente il tiro, cercava di battere i piedi della sua collina, e nella trincea di San Casciano un partigiano che sembrava competente disse: – Significa che le sono spuntati sotto senza farsi notare –. La mitragliera lasciò partire un rafficone lunghissimo, frenetico, poi tacque. Dopo due minuti erano tutti persuasi che a Villa Biancardi era veramente finita, nemmeno le mortaiate scoppiavano piú sul fianco della collina.

Mancava poco alle sette, e il partigiano competente disse: – Mah! Adesso entra in batteria la mitragliera di Castelgherlone –. Tutti guardarono a Castelgherlone, una grande villa rustica sul versante a sinistra: si vedeva la tozza canna della mitragliera sporgere d'un palmo dall'ogiva della torre. A San Casciano quel comandante coi binoccoli s'affacciò al finestrone e disse: – Tocca a noi, – e nient'altro.

Ma aspettarono un pezzo, i repubblicani nemmeno si sentivano, e i partigiani, siccome non li sentivano, speravano di vederli. Ma per quanto sforzassero gli occhi tra quella pioggia e il verde, non li vedevano. Tanto che dopo un po' qualcuno, a forza di non vederseli davanti, pensò di voltarsi a guardare se per caso non gli erano già dietro. Macché, pareva che avessero abbandonato la campagna per mettersi al riparo da quella grande acqua. Perché pioveva come in principio, e le armi si arrugginivano a vista d'occhio.

Per i partigiani che cominciavano a guardarsi in faccia fu un sollievo sentire a un certo punto la mitragliera di Castelgherlone aprire il fuoco. Rafficava piuttosto spesso e i suoi traccianti cadevano piuttosto obliqui nella pianura. Dall'angolo di caduta calcolarono che la repubblica non era piú distante di trecento metri. Allora si misero bene a posto loro e le armi, obbligando le palpebre a non battere guardavano fissi avanti a sé e con le orecchie tese fino al dolore aspettavano che dal finestrone quello dei binoccoli dicesse qualcosa. Seguitò a non dir niente, finché un minorenne perse la testa e sparò e cinque o sei altri l'imitarono, mirando nel verde all'altezza dei ginocchi di nessuno.

La risposta ci fu, repentina e diretta come il rivoltarsi d'un cane che pare che dorma e gli si pesta la coda: una gran salva complessa e ordinata che passò alta un metro sulla trincea di San Casciano e si schiacciò contro il muro del cimitero.

Stavolta c'erano, proprio di fronte, e si tirarono su dalla molle terra e spararono con tutte le armi, avendo i mirini accecati dal fango. Ora finalmente si vedevano, verdi e lustri come ramarri, ognuno col suo bravo elmetto, e il primo doveva essere un ufficiale, stava tutto diritto e si passava una mano sul viso per toglierne la pioggia. Un attimo dopo, era ancora diritto, ma le sue due mani non gli bastavano piú per tamponarsi il sangue che gli usciva da parecchi punti della divisa.

C'erano di qua mitragliatrici americane e di là tedesche, e insieme fecero il piú grande e lungo rumore che la città di Alba avesse sino allora sentito. Per circa quattro ore, per il tempo cioè che i partigiani tennero San Casciano, fischiò nei due sensi un vento di pallottole che scarnificò tutti gli alberi, stracciò tutte le siepi, spianò ogni canneto, e fece naturalmente dei morti, ma non tanti, una cifra che non rende neanche lontanamente l'idea della battaglia.

Cosí, dalle sette fino alle undici passate, quei dilettanti della trincea inchiodarono i primi fucilieri della repubblica, uomini che sbalzavano avanti e poi s'accucciavano e viceversa a trilli di fischietto, assaltatori ammaestrati.

Un po' dopo le undici, in un riposo che sembrava si fossero preso i fascisti, quelli giú a San Casciano videro affacciarsi tra gli alberi di Castelgherlone un partigiano, e verso di loro faceva con le braccia segnali disperati. Come vide che da basso non lo capivano, si scaraventò giú per il pendio mentre, forse per fermare proprio lui, i fascisti riprendevano a sparare. Quel partigiano arrivò scivoloni nel fango e disse che la repubblica, visto che al piano non passava, s'era trasportata in collina, in faccia a Castelgherlone, preso il quale, avrebbe aggirato dall'alto San Casciano. Portarsi tutti in collina e spicciarsi, adunata a Cascina Miroglio, perché Castelgherlone l'abbandonavano a momenti. Lui tornò su, i partigiani saltarono fuori dalla trincea, sgambavano già nel fango verso la collina senza aspettarsi l'un l'altro, a certuni scivolavano dalle spalle le cassette delle munizioni e non si fermavano a raccoglierle, quelli che seguivano facevano finta di non vederle.

Il pendio di Cascina Miroglio è ben erto, i piedi sulla terra scivolavano come sulla cera, unico appiglio l'erba fradicia. Qualcuno dei primi scivolò, perse in un attimo dieci metri che gli erano costati dieci minuti, finiva contro le gambe dei seguenti oppure questi per scansarlo si squilibravano, cosí ricadevano a grappoli improperandosi. Qualcuno, provatosi tre o quattro volte a salire e sempre riscivolato, scappò per il piano verso la città e fu perso per la difesa.

Arrivarono sull'aia della cascina vestiti e calzati di fango. A Cascina Miroglio c'era il Comandante la Piazza, un telefono da campo che funzionava e i mezzadri inebetiti dalla paura che porgevano macchinalmente secchi d'acqua da bere.

Marciando piegati in due arrivarono per la vigna gli uomini della mitragliera di Castelgherlone. Ma la grande arma non veniva con loro, l'avevano lasciata perché le si era rotto un pezzo essenziale. Gli altri, a quella vista, si sentirono stringere il cuore come se, girando gli occhi attorno, si fossero visti in cento in meno.

Era mezzogiorno, chi s'affacciò colle armi alle finestre, chi si postò dietro gli alberi, altri fra i filari spogli della vigna. E spararono alla repubblica quando sbucò dal verde di Castelgherlone. Piombò una mortaiata giusto sul tetto e il comignolo si polverizzò sull'aia. Un partigiano venne via dalla finestra per andare a raccogliere sul pavimento la mezzadra che c'era cascata svenuta.

Difesero Cascina Miroglio e, dietro di essa, la città di Alba per altre due ore, sotto quel fuoco e quella pioggia. Ogni quarto d'ora l'aiutante si staccava dal telefono e si sporgeva a gridare: – Tenete duro che vi arrivano i rinforzi! – Ma fino alla fine arrivarono solo per telefono.

In quel medesimo giorno, a Dogliani ch'è un grosso paese a venti chilometri da Alba, c'era la fiera autunnale e in piazza ci sarà stato un migliaio di partigiani che sparavano nei tirasegni, taroccavano le ragazze, bevevano le bibite e riuscivano con molta facilità a non sentire il fragore della battaglia di Alba.

Che cosí fu perduta alle ore due pomeridiane del giorno 2 novembre 1944.

Fu il Comandante la Piazza a dare il segno della ritirata, sparò un razzo rosso che descrisse un'allegra curva in quel cielo di ghisa. Parve che anche i fascisti fossero al corrente di quel segnale, perché smisero di colpo il fuoco concentrato e lasciavano partire solo piú schioppettate sperse.

Tutti avevano già spallato armi e cassette, ma non si decidevano, vagabondavano per l'aia, al bello scoperto. Pensavano che Alba era perduta, ma che faceva una gran differenza perderla alle tre o alle quattro o anche piú tardi invece che alle due. Sicché il Comandante fu costretto a urlare: – Ritirarsi, ritirarsi o ci circondano tutti! – e arrivava di corsa alle spalle dei piú lenti, come fanno le maestre coi bambini delle elementari.

Scesero la collina, molti piangendo e molti bestemmiando, scuotendo la testa guardavano la città che laggiú tremava come una creatura.

Qualcuno senza fermarsi raccattò una manata di fango e se la spalmò furtivamente sulla faccia, come se non fossero già abbastanza i segni che era stata dura. È che la via della ritirata passava per dove la città dà nella campagna: lí c'erano ancora molte case e si sperava che ci fosse gente, donne e ragazze, a vederli, a vederli cosí. Ma quando vi sbucarono, nel viale del Santuario quant'era lungo non c'era anima viva, e questo fu uno dei colpi piú duri di quella terribile giornata. Soltanto, da una portina uscí una signora di piú di cinquant'anni, al vederli scoppiò a piangere e diceva bravo a tutti man mano che la sorpassavano, finché da dietro un'imposta il marito la richiamò con una voce furiosa.

Tagliarono il viale del Santuario e andando contro l'acqua che ruscellava giú per la stradina, attaccarono a salire la collina di Belmondo che è il primo gradino alle Langhe. A mezza costa si fermarono e voltarono a guardar giú la città di Alba. Il campanile della cattedrale segnava le due e dieci. Gli arrivò fin lassú un rumore arrogante, guardando a un tratto scoperto di via Piave videro passarci due carri armati, e poi altri due, ciascuno con fuori dell'orlo una testa con casco. Oh guarda, cosí avevano i carri e non li hanno nemmeno adoperati.

I partigiani ripresero a salire, era spiovuto, i fascisti entrarono e andarono personalmente a suonarsi le campane.

L'andata

Quando il meccanismo del campanile di Mango cominciò a dirugginirsi per battere le cinque di mattina, Bimbo dal bricco dov'era stato un paio d'ore a far la guardia corse giú alla cascina dove gli altri dormivano. Il cielo principiava a smacchiarsi dal nero, ma laggiú la cascina appariva ancora come un fantasma rettangolare.

Entrò nella stalla facendo piano, lasciò la porta semiaperta perché n'entrasse un po' di chiaro ad aiutarlo a cercare e arrivò da Negus.

Negus aveva il posto migliore per dormire, dormiva nel cassone del foraggio e disponeva perfino d'una coperta, anche se era una vecchia gualdrappa da cavallo e puzzava d'orina e di grasso per ruote. Bimbo stese una mano per scuoterlo, ma Negus non dormiva già piú e lo prevenne dicendogli: – Stai fermo, son già sveglio, sveglia gli altri tre.

Bimbo andò, scavalcando corpi, a cercare Colonnello, Treno e Biagino e li svegliò uno dopo l'altro. Poi stette a guardarli mentre si mettevano faticosamente in piedi, si aggiustavano la camicia dentro i calzoni e guardavano di sbieco gli altri che restavano a dormire. Mentre poi si armavano, Bimbo tornò da Negus e come un domestico si mise a togliergli i fili di paglia di dosso.

Saltarono dalla lettiera sull'ammattonato, uscirono

sull'aia e infilarono un sentiero col passo di chi comincia ad andar lontano. Colonnello sbirciò il cielo e disse: – Sembra che farà una bella giornata e questo è già qualcosa.

Dal sentiero sboccarono nello stradone di Neive. Al largo, Bimbo s'affiancò a Negus e dopo un po' gli disse: – Voglio vedere la faccia che farà Morgan quando torniamo, se tutto ci va bene. Mi piacerebbe vederlo una volta tanto che non sa piú cosa dire. Questa è la volta buona che gli tappiamo la bocca.

Negus senza guardarlo gli disse: – Piantala, Bimbo, d'avercela con Morgan. Se gli sto sotto io, puoi stargli sotto anche tu. Farai bene a non far piú lo spiritoso con Morgan. Lui ha ventidue anni ed è un uomo, e tu sei un marmocchio di quindici, anche se come partigiano sei abbastanza anziano.

Bimbo scrollò le spalle e disse: – Io ci patisco a vedere uno come Morgan comandare a dei tipi come noi. Non è che Morgan sia fesso, siamo noi che siamo troppo in gamba per lui. Io gli sto sotto perché vedo te che gli stai sotto. Ma non so se ci resisto ancora. Ma una maniera c'è per sopportare Morgan. Ed è che tu Negus ti prenda ogni tanto noi quattro e ci porti in giro a fare delle azioni per nostro conto.

Negus non rispose, si voltò a vedere a che punto erano Treno, Colonnello e Biagino. Venivano staccati, tenendo tutta la strada come la gioventú di campagna quando gira nei giorni di festa.

Scesero un altro po' verso Neive. Bimbo sogguardava Negus e gli vedeva una faccia scura e come nauseata. Pensò a che discorso fargli per interessarlo, gli sembrò d'aver trovato e cosí gli disse: – Lo sai, Negus, che ieri ho visto Carmencita?

Negus calciò forte un ciottolo sulla strada e disse:
– Bella roba mi conti. E chi non l'ha vista?

– Ma io l'ho vista alla finestra che si pettinava. Addosso aveva solo una camiciola rosa e teneva le braccia alte. Ma come fa ad avere i peli neri sotto le ascelle se lei è bionda? Tu hai avuto del gusto a posar gli occhi su Carmencita, ma lei è venuta per trovar Morgan.

Negus lo fissò per un attimo come se non sapesse che fare o che dire, poi gli tirò uno schiaffo sul collo e gli gridò: – Crepa a farmi dei discorsi cosí!

Da dietro Colonnello aveva visto e urlò avanti a Negus: – Dàgli, Negus, a quel merdino che si crede chi sa cosa, dàgli giú! – Ma Bimbo era già scattato in avanti e continuava a correre e a prender vantaggio. Negus invece rallentò e si lasciò raggiungere da quegli altri tre.

A metà tra Mango e Neive, la strada fa una serie di tornanti molto lunghi e noiosi a percorrersi, ma l'un tornante e l'altro sono congiunti da scorciatoie diritte e ripide come scale. Bimbo le sfruttava tutte, al fondo si fermava a guardar su se gli altri quattro le sfruttavano anche loro. Invece tenevano la strada e lui batteva i piedi per l'impazienza. Si sedette su un paracarro al principio dell'ultima scorciatoia e aspettò che arrivassero fin lí. Quando finalmente arrivarono, si alzò e fece per calarsi nella scorciatoia, ma Colonnello lo prese per un braccio e riportandolo sulla strada larga gli disse: – Senti, tu zanzarino, noi andiamo forse a lasciarci la pelle, ed è da stupidi prendere delle scorciatoie per questo. Cammina con noi. Di', che tipo è tua sorella?

Bimbo si scrollò di dosso la mano di Colonnello e rispose: – Per lei garantisco io. State sicuri che farà la sua parte. Mia sorella è partigiana tanto quanto noi.

– Ce l'avrà poi il coraggio di farci il segnale?

– È lei che ci ha dato l'idea, no? E se ce l'ha data e si è presa una parte da fare, vuol dire che il coraggio ce l'ha. E poi ci ho pensato: non è mica difficile per lei, e neanche tanto pericoloso. Mettiamo che dopo il fatto la repubblica annusi qualcosa e vada a interrogare mia sorella. Lei risponde: cosa ne posso io se sono da serva in una villa che è vicina a quell'osteria? E se la repubblica dice che l'hanno vista alla finestra a fare dei movimenti, lei risponde che era alla finestra a battere i materassi o a stendere della biancheria. Cosa credete che possano ancora dirle?

Il paese di Neive dormiva ancora quando vi entrarono. Però l'albergo in faccia alla stazione aveva una luce accesa a pianterreno. Entrarono lí, si fecero dare pane e lardo e tornarono fuori a mangiare sotto il portico. Masticavano l'aria del mattino col cibo e guardavano un po' il cielo e un po' le finestre chiuse delle case.

Mangiando Bimbo disse: – Mia sorella ha anche notato che c'è un maresciallo della repubblica che è sempre in giro sulle prime colline di Alba. Questo maresciallo ha il pallino della caccia e gira sempre con un mitra e una doppietta. Non è piú tanto giovane, ma mia sorella dice che ha la faccia decisa. Non fa niente, noi gli facciamo un tranello, gli pigliamo il mitra e ce lo teniamo e il fucile da caccia lo vendiamo a qualcuno e ci spartiamo i soldi.

Treno ingollò un boccone e disse: – Si può fare, ma tua sorella ci deve tenere bene informati su questo maresciallo.

Negus capiva che adesso quei quattro cominciavano a far progetti sul maresciallo e finivano col perdere la nozione di quello che dovevano fare in quel mattino.

Cosí disse: – Il maresciallo sarà per un'altra volta, salvo che non ci venga tra i piedi proprio stamattina. Adesso si riparte.

Colonnello gli mostrò quel che gli restava di pane e lardo, ma Negus gli disse: – Mangi per strada. Puoi, no?

– Volevo prendermi ancora due dita di grappa.

Ma Negus non permise e s'incamminò.

All'uscita del paese, s'imbatterono nella sentinella del presidio di Neive. Era della loro stessa divisione badogliana e domandò: – Dove andate, voi cinque di Mango?

Rispose Colonnello: – Andiamo a farci fottere dalla repubblica di Alba. Dov'è che bisogna cominciare ad aprir bene gli occhi?

– Da Treiso in avanti. Fino a Treiso è ancora casa nostra.

Quando si furono lontanati d'un venti passi, Bimbo si voltò e rinculando gridò alla sentinella: – Ehi, partigiano delle balle! Guarda noi e impara come si fa il vero partigiano! A far la guardia a Neive ti credi d'essere un partigiano? Fai un po' come noi, brutto vigliacco, che la repubblica andiamo a trovarla a casa sua! Da questa parte, da questa parte si va a casa della repubblica! – e indicava con gesti pazzi la strada verso Treiso ed Alba.

Colonnello aspettò che la sentinella rispondesse, ma quello taceva pur avendo la bocca aperta, come se non si capacitasse di tutti gli improperi che gli aveva mandato il piú piccolo di quei cinque. Allora Colonnello sorrise e disse agli altri additando Bimbo: – Questo qui è davvero un merdoncino.

Intorno a Treiso e dentro non trovarono nemmeno un borghese. Partigiani non se n'aspettavano, perché dalla caduta di Alba il paese mancava di guarnigione. Si fermarono nel mezzo della piazzetta della chiesa e stettero a gambe piantate larghe a guardare ciascuno il suo punto cardinale. Colonnello, che man mano che s'avvicinava ad Alba si sentiva crescer dentro un certo mal di pancia, corrugò la fronte e lentamente si mandò giú dalla spalla il moschetto.

Da quella piazzetta si domina un po' di Langa a sinistra e a destra le colline dell'Oltretanaro dopo le quali c'è la pianura in fondo a cui sta la grande città di Torino. I vapori del mattino si alzavano adagio e le colline apparivano come se si togliesse loro un vestito da sotto in su.

Disse Negus, come tra sé: – Questo mondo è fatto per viverci in pace.

Colonnello fece in fretta: – Senti, Negus, se c'è qualcosa in mezzo, non è detto che quest'azione sia obbligatorio farla proprio stamattina.

Negus si riscosse. – Io non ho detto questo. Ci siamo fermati solo per prendere un po' di fiato. E adesso che l'abbiamo preso tiriamo avanti.

Il resto del paese e la campagna appena fuori erano deserti e muti come il loro camposanto, non c'erano neanche bestie, neanche galline in giro. Finalmente videro un vecchio sull'aia d'una cascina che sovrastava la strada. Anche il vecchio li vide e parlò per primo: – Andate verso Alba, o patrioti? – e quando Negus gli ebbe fatto segno di sí, aggiunse: – Allora, quando siete al piano, lasciate la strada e mettetevi per la campagna. Si cammina meno comodi ma siete anche meno al pericolo.

– Che pericolo volete dire? – gli domandò Negus da giú.

– Il pericolo della cavalleria. A quest'ora la repubblica di Alba manda sempre fuori la sua cavalleria, un giorno da una parte e un giorno dall'altra. Stamattina potrebbe mandarla nei nostri posti.

Mentre si rincamminavano, erano tutt'e cinque concentrati. Bimbo disse: – Ma come fa la repubblica ad avere la cavalleria? – E Treno: – La cavalleria non si costuma piú.

Negus disse niente ma allungò il passo. Ed entrati nella valletta di San Rocco, lasciarono la strada e si misero per le vigne a salire la collina che è la penultima per arrivare ad Alba. Tenevano gli occhi bassi sul sentiero ma le loro orecchie fremevano. Dopo un po' che ascoltavano e a nessun patto sentivano rumor di cavalli, Treno rialzò la testa e disse: – Quel vecchio ci ha contato una balla. Se al ritorno lo ritroviamo, gli dico che non è salute contar balle ai partigiani.

Alba è una città molto antica, ma a chi la guarda dalla collina i suoi tetti sono rossi come nuovi.

Erano finalmente arrivati a vederla ed ora la contemplavano stando per ordine di Negus al riparo dei tronchi degli alberi. Tutt'e cinque erano stati con Morgan alla occupazione e alla difesa della città e ora si ricordavano di quel tempo ognuno per proprio conto. Poi Biagino disse: – Pensare che solo due settimane fa c'eravamo noi dentro e loro erano di là, – e mostrava la stretta pianura a sinistra del fiume, – e io avrei giurato che non passavano.

Disse Colonnello: – A me non m'importa proprio niente che abbiamo perso Alba. Io ci stavo male in Alba. Avevo sempre paura di far la fine del topo.

Ma Bimbo: – Era un altro vivere, non fosse altro che camminare sui marciapiedi, era tutt'un'altra comodità.

Colonnello rispose a Bimbo: – Per me l'unica comodità che valeva era quella del casino. Tolta quella comodità lí, io mi sento meglio sulla punta d'un bricco che dentro qualunque cittadella.

Scesero metà collina, a sbalzi e facendosi segni invece che parlare. Di novembre la campagna nasconde poco o niente e quella collina sta dirimpetto alla città. Ripararono in un canneto. La schiena curva e le mani posate sui ginocchi, Negus disse a Bimbo: — Su, Bimbo, guarda un po' se sei buono ad orientarti. Dov'è la villa che c'è tua sorella da serva?

— La vedete quella villa coi muri color celeste e il tetto puntuto? È quella villa lí, e l'osteria è subito sotto.

Lasciarono il canneto e mentre si muovevano Colonnello diceva: — Va bene, va bene, non facciamo solo confusione, studiamo bene il terreno —. Aveva voglia d'andar di corpo, ma non pensava a fermarsi per paura di rimanere indietro tutto solo. Fecero a sbalzi un tratto allo scoperto, poi trovarono una stradina sepolta tra due siepi di gaggia. L'infilarono e la seguirono fin che si videro dinanzi un gran canneto. Bimbo disse senza esitare: — È proprio in quelle canne che dobbiamo andarci a mettere. Di là dentro si vede sia la villa che l'osteria —. Prima lui e poi gli altri andarono al canneto, correndo piegati in due e l'arma in posizione. Su un poggio sopra la stradina c'era una casa e sul ballatoio una donna che rovesciava nell'aia l'acqua d'un catino. Li vide per caso, ma subito li riconobbe per quelli che erano e fece una faccia di disgrazia. Biagino si fermò a scrutarla, poi si portò un dito sulla bocca e cosí stette finché lei non fece segno con la testa che aveva capito e che avrebbe ubbidito. Poi Biagino entrò anche lui nel canneto in tempo per sentire le spiegazioni di Bimbo.

185

A trenta passi di fronte c'era un cortile con in fondo l'uscio che dava nel retro dell'osteria e subito a destra la facciata della villa con una finestra aperta.

Stavano quanto mai scomodi, inginocchiati sulla terra umida, le canne erano fitte e dure, ad ogni loro mossa davano un suono come il gracchiare dei corvi in volo.

Colonnello disse: – Stiamo bene attenti a quello che succede, perché in mezzo a queste canne siamo come pesci in un tramaglio –. Quel bisogno gli premeva dentro, lui muoveva di continuo il sedere in tondo e ogni tanto faceva languide smorfie.

Negus disse: – Tu Bimbo tieni d'occhio la finestra, tu Biagino guarda sempre dalla parte di Alba e noialtri guardiamo l'osteria.

Cosí facevano, e dopo un po' Biagino disse piano che guardassero tutti dalla sua parte. Puntò un dito verso tre uomini in arme che incedevano giú nel viale di circonvallazione. Il viale era lontano e basso e c'era in aria quel brusio che di giorno sale dalle città, ma loro cinque sentivano distintamente la cadenza di quei tre sull'asfalto.

Biagino inghiottí saliva e disse: – È una ronda. Io che ho il moschetto di qua potrei sparargli –. Spianava il moschetto tra le canne. – Non sparo mica, – disse, – guardo solo se si mirano bene.

Spostava impercettibilmente il moschetto per accompagnare con la mira quei tre che procedevano laggiú e da cosí distante sembravano marionette. Gli altri quattro sapevano bene che era soltanto una prova e che alla fine Biagino non sparava, eppure col fiato sospeso guardavano come affascinati un po' l'occhio di Biagino sgranato dietro la tacca di mira, un po' la punta vibrante del suo moschetto e un po' quella ronda laggiú. Poi Negus calò una mano sul moschetto di Biagino e disse: – Basta. Tanto non li coglieresti. Non hai mai avuto il polso fermo.

Al campanile del duomo batterono le nove e mezzo.

A quell'ora, un sergente della repubblica uscí dal Seminario Minore che era stato trasformato in caserma e in cinque minuti arrivò al posto di blocco di Porta Cherasca. C'era una garitta appoggiata al tronco del primo platano del viale, una mitragliatrice posata sull'asfalto e puntata alla prima curva dello stradone della collina e di servizio quattro o cinque soldati poco piú che ragazzi che quando arrivò il sergente si diedero un contegno tal quale fosse arrivato il capitano.

Il sergente accese una sigaretta e dirigendo il fumo della prima boccata verso la collina dirimpetto, domandò: – Che movimento c'è sulle colline?

Rispose un soldato: – Non c'è nessun movimento, sergente, ma noi stiamo sempre all'erta lo stesso.

Un altro cominciò: – State tranquillo, sergente... – ma il sergente si tolse la sigaretta di bocca e lo fissò a lungo finché poté credere che quella recluta avesse capito che se c'era uno che stava sempre tranquillo quello era proprio lui.

Poi andò lentamente alla mitragliatrice, ci si curvò sopra ed esaminò lungamente dove e come era puntata. Si rialzò, fumava e soffiava il fumo verso le colline. Tutt'a un tratto buttò la sigaretta e disse: – Ragazzi, vado a far quattro passi in collina –. Con la coda dell'occhio vide che i soldati lo ammiravano. – Se ogni tanto mi date un'occhiata e per un po' non mi vedete piú, non pensate male. Sarò solo entrato a bere un bicchiere di moscato in quell'osteria alla terza curva.

Il soldato che poco prima s'era preso quella guardata disse con premura: – Volete il mio moschetto, sergente? – ma il sergente tirò a metà fuori dalla tasca una sua grossa pistola e partí per lo stradone.

Alla prima svolta guardò rapido indietro al posto di blocco e notò che i soldati lo seguivano fedelmente cogli occhi. Soddisfatto, sciolse il passo e si disse che per fare un'impressione ancora piú profonda doveva smetterla di scattare ad ogni momento la testa a destra e a sinistra. Fermò la testa, ma roteava gli occhi come certi bamboloni. Incontrava rara gente, donne per lo piú, e un uomo che se lo vide spuntar davanti all'uscita della seconda curva scartò come un cavallo, ma poi si dominò e camminava compunto come un chierico.

Intanto, nel canneto dietro l'osteria alla terza curva, i cinque partigiani avevano le ginocchia rigide per l'umidità della terra e non s'aspettavano piú di sentir passi di militare sull'asfalto vicino. Colonnello s'era finalmente sgravato, ma non s'era azzardato ad andar troppo lontano a fare quel deposito, ed era mezz'ora che gli altri quattro lo maledivano. La sorella di Bimbo s'era fatta alla finestra già un paio di volte, ma senza mai sciorinare niente di bianco. Li aveva semplicemente guardati stando con mezza faccia nascosta da uno spigolo, da giú non le vedevano che una pupilla straordinariamente nera e sgranata.

Colonnello disse: – Mi rincresce, Bimbo, ma tua sorella si dev'essere sbagliata. Quest'osteria, a vederla da qui dietro, ha tutta l'aria d'una vera bettola. E i repubblicani non sono mica pitocchi come noi. Se vogliono, possono pagarsi le bibite nei piú bei caffè di Alba.

Bimbo disse: – Forse ci vengono perché qui hanno

il vino buono. O forse perché c'è una bella ragazza da cameriera.

Biagino schiaffeggiò la canna del suo moschetto e disse: — Io spero solo che quelli che vengono abbiano addosso almeno un'arma automatica. Io sono stufo di questo moschetto, ne sono vergognoso. Voglio un'arma che faccia le raffiche.

Il sergente arrivò alla terza svolta e traversò per andare all'osteria. Traversando, alzò gli occhi alla villa accanto. C'era alla finestra una ragazzina che lo fissava con un paio d'occhi da serpente. Lui s'incuriosí, guardò meglio e poi si disse che la ragazza, per quel che se ne vedeva, non era ancora matura perché lui le ricambiasse un'occhiata di quella forza.

Entrò. La porta dell'osteria aveva un campanello come le botteghe di paese. Mentre lo squillo durava, il padrone sporse la testa da dietro una tenda e poi si fece tutto avanti. Non era la prima volta che quel sergente gli veniva nel locale, non aveva quindi da temere che fosse lí per perquisizioni, interrogatori o altro di peggio. Infatti il sergente salutò, comandò un bicchiere di moscato e si sedette accavallando le gambe. Posò la pistola sul tavolo accanto e sulla pistola posò la gamba destra.

La figlia dell'oste fece capolino dalla tenda. Il sergente scavallò le gambe e le disse: — Ciao, Paola, non vieni fin qui? — e mentre lei veniva, lui pensava che a soli sedici anni e con le fattezze campagnole, la ragazza come carne prometteva. Le disse ancora: — Come va l'amore, Paola?

— Non va perché non è ancora arrivato, signor sergente.

— Ma arriverà, no? — e sorridendo levò la mano da sopra la pistola.

La ragazza disse: – Speriamo, – e si voltò a ricevere da suo padre il bicchiere di moscato. Non era cameriera, glielo portò adagio adagio e senza mai staccar gli occhi dall'orlo e dalla sua sedia il sergente si protendeva per accorciarle la strada.

L'oste tornò verso la tenda, ma non usciva. Cercava nella mente cos'era che doveva fingere di fare per rimanere, voleva sentire che discorso veniva fatto a sua figlia e soprattutto vedere se il sergente teneva le mani a posto.

Il sergente comprese la diffidenza e se ne risentí: tolse il bicchiere dalla bocca, domandò: – Allora, padrone, cosa dice la radio inglese, voi che la sentite sempre?

L'oste si rigirò per far dei giuramenti, ma uno spintone alle spalle lo rovesciò su un tavolo. E ci fu una voce che riempí la stanza. – Mani in alto! – diceva, e l'oste alzò le mani.

Prima di lui le aveva alzate il sergente, ora fissava l'orifizio nero dell'arma di Negus a un palmo dal suo petto. Bimbo tirò da una parte la ragazza dicendole: – Via di mezzo, o bagascetta! – e andò a ritirare la pistola sul tavolo.

L'oste s'era trascinato vicino alla tenda. Quando ci passarono, disse con un filo di voce sia al sergente che ai partigiani: – Noi non c'entriamo niente! – e poi corse da sua figlia ch'era rimasta come se avesse un ciottolo in gola.

Nel retro la moglie dell'oste scappò a Treno che le faceva la guardia e arrivò ad aggrapparsi al braccio di Negus gridando: – E adesso cosa ci fa la repubblica? Cosa le diciamo alla repubblica?

Negus se la scrollò, ma la donna s'attaccò a Colonnello. – Cosa le diciamo alla repubblica? Si metteranno in testa che vi abbiamo aiutati noi! Ammazzano il mio uomo e ci bruciano il tetto!

Colonnello le disse: – Aggiustatevi. Contatele delle balle alla repubblica! – e in quel momento giunse Treno che abbrancò la donna per la vita e la tenne fino a che non furono usciti.

Biagino fece segno di via libera e subito dopo chiese: – Che arma aveva questo bastardo? – e come Bimbo gli mostrò la pistola, corse alle spalle del sergente e gli tirò un calcio in culo. Lo pigliò nell'osso sacro e il prigioniero s'afflosciò rantolando. Ma Biagino lo rimise diritto e gli disse: – Non far finta, carogna, t'ho preso nel molle.

Dal canneto saltarono sulla stradina tra le gaggie. Fecero senza tregua due colline, marciando tutti curvi, come se alle spalle avessero un gran vento. Poi arrivarono nella valletta di San Rocco, e si ritrovarono al limitare di casa loro, e allentarono il passo e la guardia al sergente.

Colonnello chiese a Negus di passare per il villaggio di San Rocco. – È un'ora buona e ci saranno donne in giro che tornano dal forno, – disse, – e noi facciamo bella figura a farci vedere con quello là prigioniero.

Ma Negus disse di no. Guardava la schiena del sergente tra l'ira e la pietà, voleva ammazzarlo per toglierlo via dal fargli la pena che gli faceva, provava una gran stanchezza, una nausea. Ad un bivio il sergente si fermò, si voltò e con degli occhi da pecora morta chiedeva per dove prendere. Negus si riscosse. – Eh? Ah, a sinistra, sempre a sinistra, – e gli segnò la strada con la canna della sua arma.

Al loro passaggio, i cani alla catena latravano e la gente delle cascine si faceva cauta sull'aie a spiare in istrada. I piú vecchi, vedendo il repubblicano e riconoscendolo cercavano di ritirarsi e non facendo in tempo s'irrigidivano a guardare impassibili. Ma poi, passato il sergente, si voltavano ai cinque e battevano le mani, ma solo la mossa facevano e non il rumore. I ragazzi invece si mettevano bene in vista e avevano gli occhi lustri. Uno si calò per una ripa incontro a Treno che faceva la retroguardia e tenendosi a una radice si sporse a domandargli: – Di', partigiano, lo ammazzate?

– Sicuro che lo ammazziamo.

L'altro guardò la schiena del sergente, poi disse: – Mi piacerebbe andare a sputargli in un occhio.

Treno gli disse che loro glielo lasciavano fare, ma il ragazzo ci pensò su e poi risalí.

La strada ora montava. Colonnello guardò il ciglio di una collina e disse: – Oh guarda il camposanto di Treiso. C'è il sole che ci batte in pieno. Là c'è Tom. Che tipo era Tom quando avevano ancora da ammazzarlo. Però bisogna dire che si è fatto ammazzare da fesso.

– Cristo, non dire che è morto da fesso! – gridò Negus, – è morto e ha pagato la fesseria e quindi piú nessuno ha il diritto di dire che è morto da fesso!

– Dio buono, Negus, devi avere il nervoso per venirmi fuori con dei ragionamenti cosí... – cominciò Colonnello, ma non finí, afferrò con una mano il braccio di Negus e l'altra mano se la portò all'orecchio dove gli era entrato rumor di zoccoli di cavalli.

Tutti lo sentivano e si serrarono intorno a Negus. Biagino disse: – È la cavalleria. La cavalleria che ci ha detto quel vecchio, – in un soffio.

Negus ruppe il cerchio che i suoi gli facevano intorno, alzò l'arma e gridò al sergente: – Torna subito indietro!

Il sergente rinculava adagio nel prato verso il torrente e teneva le braccia larghe come chi fa dell'equilibrismo. Ma non staccava gli occhi dall'arma di Negus e gli gridò: – Non sparare! È la nostra cavalleria. Non sparare, possiamo intenderci! – e rinculava.

Negus lo puntò e gli gridò con voce raddoppiata: – Vieni qui! – perché il rumore dei cavalli cresceva.

Il sergente fece un grande scarto e voltandosi partí verso il torrente. Negus fece la raffica, il sergente cadde rigido in avanti come se una trappola nascosta nell'erba gli avesse abbrancato i piedi.

Colonnello scoppiò a piangere e diceva a Negus: – Perché gli hai sparato? Ci poteva venir buono, facevamo dei patti!

Là dove la strada culmina sulla collina arrivavano bassi soffi di polvere bianca e il rumore del galoppo era ormai come il tam-tam vicino nella foresta. Allora Negus urlò: – Lasciate la strada, portatevi in alto! – e dalla strada saltò sulla ripa e dalla ripa sul pendio. Ma appena ci posò i piedi, capí che quello era il piú traditore dei pendii. L'erba nascondeva il fango.

I cavalleggeri apparvero sul ciglio della collina e subito galopparono giú. In aria, tra i nitriti, c'erano già raffiche e moschettate.

Negus scivolava, ficcava nel fango le punte delle scarpe, ma ci faceva una tale disperata fatica che voleva scampare non foss'altro che per riprovare il piacere d'applicare sulla terra tutt'intera la pianta del piede. Si buttò panciaterra e saliva coi gomiti. Voltò mezza testa e vide giú nella strada Bimbo lungo e disteso sulla faccia. Doveva esser caduto un attimo prima perché sopra il suo corpo era ancora sospesa una

nuvoletta di polvere. Dieci passi piú avanti, un caval-
leggero spronava contro Colonnello che cadeva in ginocchio alzando le lunghe braccia.

La gran parte dei cavalleggeri era già smontata e i
cavalli liberi correvano pazzamente all'intorno.

Negus si rimise a strisciar su, ma cogli occhi chiusi.
Non voleva vedere quanto restava lontana la cima della collina, e poi le gobbe del pendio gli parevano enormi ondate di mare che si rovesciavano tutte su lui.

Ci fu un silenzio e Negus per lo stupore si voltò.
Vide che quattro o cinque cavalleggeri smontati prendevano posizione sulla strada rivolti a lui. Guardò oltre e vide Treno e Biagino addossati al tronco d'un
albero nel prato dov'era caduto il sergente. Una fila
di cavalleggeri li stava puntando, da pochi passi. Urlò,
si mise seduto e scaricò l'arma contro quell'albero.
Poi si rivoltò.

Echeggiarono colpi, ma non vennero dalla sua parte
e Negus pensò che erano stati per Treno e per Biagino.

Subito dopo lo rasentò una moschettata e lui si disse che era tempo. Aveva l'arma vuota, ma non pensava a ricaricarla, la voglia di sparare era la prima voglia che lo abbandonava. Strisciava su.

Dalla strada sparavano fitto, ma non lo coglievano,
e sí che lui era un lucertolone impaniato nel fango
d'un pendio a tramontana.

Si girò a vedere se qualcuno l'inseguiva su per il
pendio, e se a salire faceva la sua stessa pena. Ma erano rimasti tutti sulla strada e stavano allineati a sparare come al banco d'un tirasegno. Il primo a sinistra
era distintamente un ufficiale. Sulla punta dell'arma
dell'ufficiale, infallibilmente spianata su di lui, vide
scoppiare dei colori cosí ripugnanti che di colpo il vo-

mito gli invase la bocca. Scivolava giú per i piedi, e le sue mani aperte trascorrevano sull'erba come in una lunghissima carezza. A una gobba del terreno non si fermò, ma si girò di traverso. Prese l'avvio e rotolò al fondo e l'ufficiale dovette correre da un lato per trovarsi a riceverlo sulla punta degli stivali.

Il trucco

Gli irrequieti uomini di René presero un soldato in aperta campagna e lo rinchiusero nella stalla di una cascina appena fuori Neviglie. E René spedí subito una staffetta a prender la sentenza per quel prigioniero dal Capitano, che per quel giorno era fermo nell'osteria di T..., ed era il piú grande capo delle basse Langhe e aveva diritto di vita e di morte.

Ma a T... la staffetta non vide la faccia del Capitano né sentí la sua voce; dopo una lunga attesa venne fatto montare su una macchina coi partigiani Moro, Giulio e Napoleone.

Sulla macchina che correva al piano verso Neviglie, Giulio sedeva davanti a fianco di Moro che guidava, Napoleone dietro con la staffetta di René.

A metà strada, Giulio si voltò indietro, appoggiò il mento sullo schienale, guardò Napoleone in modo molto amichevole e infine gli disse: – Allora, Napo, come l'aggiustiamo?

Napoleone, per non fissare Giulio, si voltò a guardare il torrente a lato della strada e disse: – Io dico solo che stavolta tocca a me e non c'è niente da aggiustare.

– Questo lo dici tu, – rispose Giulio. – Io non ne posso niente se l'ultima volta tu eri malato con la febbre. Causa tua o no, hai perso il turno e stavolta tocca di nuovo a me. Ma stai tranquillo che la volta che viene non ti taglio la strada.

A Napoleone tremava la bocca per la rabbia. Parlò solo quando fu sicuro di non balbettare e disse: – La volta che viene non mi interessa. È oggi che m'interessa e staremo a vedere.

Giulio sbuffò e si voltò, e Napoleone si mise a fissargli intensamente la nuca.

La staffetta capiva che i due discutevano su chi doveva fucilare il prigioniero. Napoleone gli premeva la coscia contro la coscia, ne sentiva il forte calore attraverso la stoffa. Scostò con disgusto ma con riguardo la gamba e guardò avanti. Vide nello specchietto del parabrezza la faccia di Moro: sorrideva a labbra strette.

Arrivarono presso Neviglie che la guarnigione era già tutta all'erta per quel rumore d'automobile che avviluppava la collina.

La macchina di Moro scendeva in folle verso l'aia della cascina. Gli uomini di René allungarono il collo, videro chi portava, li riconobbero e la sentenza per loro non era piú un mistero.

René mosse incontro alla macchina. Svoltava in quel momento nell'aia e prima che si fermasse, cinque o sei partigiani di Neviglie saltarono sulle predelle per godersi quell'ultimo moto. Moro li ricacciò giú tutti come bambini, si tolse un biglietto di tasca, senza dire una parola lo diede a René e con uno sguardo all'intorno chiese: – Dov'è?

Nessuno gli rispose, fissavano tutti René che leggeva il biglietto del Capitano. Dovevano essere appena due righe, perché René alzò presto gli occhi e disse: – È chiuso nella stalla. Aprite pure a Moro.

Spalancarono la porta della stalla. Due buoi si voltarono a vedere chi entrava. Non si voltò un uomo in divisa che stava lungo° tirato sulla paglia. Moro gli comandò di voltarsi e l'uomo si voltò, non per guardare ma solo per mostrare la faccia. Ce l'aveva rovinata dai pugni e strizzava gli occhi come se avesse contro un fortissimo sole.

Quando Moro si volse per uscire, urtò nel petto di Giulio e Napoleone che s'erano piantati alle sue spalle.

Per il sentiero che dall'aia saliva alla cima della collina già s'incamminava in processione il grosso del presidio di Neviglie. Il primo portava una zappa sulle spalle.

Moro cercò René e lo vide sul margine dell'aia, appartato con due che parevano i piú importanti dopo di lui. S'avvicinò: i tre dovevano aver discusso fino a quel momento sul posto della fucilazione.

Uno finiva di dire: – ...ma io avrei preferito a Sant'Adriano.

René rispondeva: – Ce n'è già quattro e questo farebbe cinque. Invece è meglio che siano sparpagliati. Va bene il rittano sotto il Caffa. Cerchiamo lí un pezzo di terra selvaggio che sia senza padrone.

Moro entrò nel gruppo e disse: – C'è bisogno di far degli studi cosí per un posto? Tanto è tutta terra, e buttarci un morto è come buttare una pietra nell'acqua.

René disse: – Non parli bene, Moro. Tu sei col Capitano e si può dire che non sei mai fermo in nessun posto e cosí non hai obblighi con la gente. Ma noi qui ci abbiamo le radici e dobbiamo tener conto della gente. Credi che faccia piacere a uno sapere che c'è un repubblicano sotterrato nella sua campagna e che questo scherzo gliel'han fatto i partigiani del suo paese?

– Adesso però avete trovato?

René alzò gli occhi alla collina dirimpetto e disse

gravemente: — In fondo a un rittano dietro quella collina lí.

Moro cercò con gli occhi i partigiani sulla cima della collina. Fece appena in tempo a vederli sparire in una curva a sinistra. Poi guardò verso la stalla e vide Giulio e Napoleone appoggiati agli stipiti della porta. Gridò verso di loro: — Giulio! Nap! Cosa state lí a fare?

I due partirono insieme e insieme arrivarono davanti a lui. Moro disse: — Perché non vi siete incamminati con gli altri? Partite subito e quando arriva René col prigioniero siate già pronti.

Giulio disse: — Dov'è con precisione questo posto?

— È a Sant'Adriano, — e siccome Giulio guardava vagamente le colline, aggiunse: — Avete notato il punto dove sono spariti i partigiani di Neviglie?

Giulio e Napoleone accennarono di no con la testa.

— No? Be', sono spariti in quella curva a destra. Voi arrivate fin lassú e poi scendete dall'altra parte fino a che vi trovate al piano. Sant'Adriano è là.

Napoleone fece un passo avanti e disse: — Adesso, Moro, stabilisci una cosa: chi è che spara? L'ultima volta ha sparato lui.

Moro gridò: — Avete ancora sempre quella questione lí? Sparate tutt'e due insieme!

— Questo no, — disse Napoleone e anche Giulio scrollò la testa.

— Allora spari chi vuole, giocatevela a pari e dispari, non sparatevi solo tra voi due!

Per un momento Giulio fissò Moro negli occhi e poi gli disse: — Tu non vieni a Sant'Adriano? Perché?

Moro sostenne lo sguardo di Giulio e rispose: — Io resto qui vicino alla macchina perché quelli di René non ci rubino la benzina dal serbatoio.

Giulio e Napoleone partirono di conserva. Giulio teneva un gran passo, Napoleone sentí presto male alla milza e camminava con una mano premuta sul ventre, ma in cima alla collina arrivarono perfettamente insieme.

Si calarono giú per il pendio e dopo un po' Napoleone disse: – A me non pare che son passati da questa parte.

– Come fai a dirlo?

– Io sento, io annuso. Quando passa un gruppo come quello, non si lascia dietro una morte come questa.

Non c'era un'eco, non c'era un movimento d'aria. Continuarono a scendere, ma Napoleone scosse sovente la testa.

Quando posarono i piedi sul piano, Giulio si fermò e fermò Napoleone stendendogli un braccio davanti al petto. Un rumore di zappa, ben distinto, arrivava da dietro un noccioleto a fianco della cappella di Sant'Adriano. – Senti, Nap? Questa è una zappa. Son loro che fanno la fossa.

Napoleone gli tenne dietro verso quei noccioli e diceva: – Ma com'è che non si sente parlare? Possibile che quelli che non zappano stanno zitti?

– Mah. Certe volte, a veder far la fossa, ti va via la voglia di parlare. Stai a vedere e basta.

Mentre giravano attorno al noccioleto, quel rumore cessò e, passate quelle piante, scorsero un contadino tutto solo con la zappa al piede e l'aria d'aspettar proprio che spuntassero loro. Li guardò sottomesso e disse: – Buondí, patrioti.

Una lunga raffica crepitò dietro la collina.

Giulio si orientò subito e si voltò a guardare dalla parte giusta, Napoleone invece guardava vagamente in cielo dove galoppava l'eco della raffica.

Partirono. Invano quel contadino tese verso loro un braccio e disse: – Per piacere, cos'è stato? C'è la repubblica qui vicino? Se lo sapete, ditemelo e io vado a nascondermi –. Non gli risposero.

Risalirono la collina, Giulio velocemente e Napoleone adagio, perché non aveva piú nessun motivo di farsi crepare la milza. Ma quando arrivò su, Giulio era lí ad aspettarlo.

Guardarono giú. Videro i partigiani di Neviglie salire dal rittano sotto il Caffa, ma come se battessero in ritirata. Salivano anche dei borghesi che si erano mischiati a vedere e adesso ritornavano con le spalle raggricciate come se rincasassero in una sera già d'inverno. Passarono vicino a loro e uno diceva: – Però l'hanno fucilato un po' troppo vicino al paese.

Giulio e Napoleone scesero per il pendio ormai deserto fino al ciglio del rittano. Videro giú due partigiani che stavano rifinendo la fossa. Uno calava la zappa di piatto e l'altro schiacciava le zolle sotto le scarpe.

Quello della zappa diceva a quell'altro: – Vedrai questa primavera che l'erba che cresce qui sopra è piú alta d'una spanna di tutta l'altra.

L'ombra dei due sopraggiunti cadde su di loro ed essi alzarono gli occhi al ciglio del rittano.

– Chi è stato? – domandò subito Giulio.

Rispose quello della zappa: – Chi vuoi che sia stato? È stato il vostro Moro.

Napoleone lo sapeva già da un pezzo, ma gridò ugualmente: – Cristo, quel bastardo di Moro ci toglie sempre il pane di bocca!

Dopo un momento Giulio indicò la fossa col piede e domandò: – Di', com'è morto questo qui?

– Prima si è pisciato addosso. Ho visto proprio io farsi una macchia scura sulla brachetta e allargarsi.

Giulio si aggiustò l'arma sulla spalla e si ritirò d'un passo dal ciglio del rittano. – Be', se si è pisciato addosso son contento, – disse: – Moro non deve aver goduto granché a fucilare uno che prima si piscia addosso. Ti ricordi invece, Napo, quel tedesco che abbiamo preso a Scaletta e che poi hai fucilato tu? Dio che roba! Vieni, Napo, che Moro è anche capace di lasciarci a piedi.

Gli inizi del partigiano Raoul

Sergio P. partí una mattina da Castagnole delle Lan-ze per andare a Castino ad arruolarsi in quell'impor-tante presidio badogliano.

Aveva diciotto anni scarsi, un impermeabile chiaro, un cinturone da ufficiale e scarpe da montagna nuove con bei legacci colorati, ma rimaneva quello che era sempre stato sino a un minuto dalla partenza: un ra-gazzo di paese che i suoi sono possidenti e l'hanno mandato in città a studiare. E lo stesso rimase anche quando, perso di vista Castagnole, da una tasca sotto l'impermeabile tirò fuori una pistola nuovissima e ne riempí la fondina dando cosí un significato al cin-turone da ufficiale.

Aveva in mente di mettersi nome di battaglia Raoul.

Per una strada tutta deserta camminava a cuor leg-gero; a dispetto del fatto che al paese aveva lasciata sola sua madre vedova, si sentiva figlio di nessuno, e questa è la condizione ideale per fare le due cose ve-ramente gravi e dure per un individuo: andare in guerra ed emigrare.

Verso le dieci arrivò alla porta di Castino e precisa-mente davanti al casotto del peso pubblico. C'era un partigiano in servizio di posto di blocco. Sergio si fer-mò a trenta passi da lui e se lo studiò bene per farsi un'idea dell'aspetto che avrebbe avuto pure lui, tra poco. Era un tipo basso, ma lo prolungava il moschetto a bracciarm e una volta che si presentò di profilo Sergio gli vide l'enorme bubbone che sulla chiappa gli formava la bomba a mano nella tasca posteriore dei calzoni. E poi aveva i capelli fin sulle spalle come uno del Seicento.

Nella valle scoppiò una salva di fucilate, un'altra. Erano pochi fucili insieme, ma l'eco ne traeva un gran rumore. Lui era rimasto inchiodato in mezzo alla strada, convulse ma deboli le sue mani cincischiavano il bottone della fondina. Ma poi notò che il partigiano non s'era minimamente allarmato e dall'uscio della prima casa una vecchia chiamava dolcemente una coppia di galline dalla strada. Staccò la mano dalla fondina e si affrettò verso il partigiano che s'era girato dalla sua parte e lo stava ad aspettare. Vista la faccia nuova, fece per scendersi il moschetto dalla spalla. Allora Sergio tese una mano avanti e domandò forte: – C'è il comandante Marco?

L'altro aveva il moschetto a mezzo braccio, non lo rimise su né lo sfilò del tutto e quando Sergio gli fu davanti, fece: – Per cosa?

– Vorrei parlargli per arruolarmi, se non è troppo tardi.

– Tu come fai a conoscere Marco?

– Per fama. Io vengo appena da Castagnole e di Marco se ne parla fin sull'altra riva di Tanaro.

Il partigiano si rimandò il moschetto sulla spalla. – Hai tabacco?

S'aspettava del trinciato e non le nazionali che Sergio tirò fuori per lui. Disse: – Questo è un altro fumare, – prese due sigarette e ne accese subito una.

Adesso fumava, guardava avanti e pareva essersi dimenticato di lui. Sergio dopo un momento si voltò a vedere cosa poteva guardare quell'altro. Per la strada veniva una ragazza, camminava sul bordo e con occhi desiderosi guardava giú per il pendio per scoprire quelli che sparavano.

Sergio si rigirò, gli disse: — Allora mi dici dov'è che posso trovar Marco?

— In Comune. A quest'ora dà udienza alla popolazione —. Scansò Sergio e andò a incontrare quella ragazza.

Sergio s'inoltrò in paese e trovò facilmente il Comune, che era una casa qualunque con scritto sulla facciata: « Municipio ». Entrò, salí e si trovò davanti a tre porte. Bussò alla prima e poi l'aprí educatamente. Era una stanza vuota e polverosa, con un certo odore di granaglie. Lo stesso gli capitò alla seconda porta. E cosí aperse la terza senza cerimonie.

C'era un tavolo e sopra una ragazza che fece appena in tempo a serrare le gambe e mandar giú le sottane. C'era pure un uomo, ma voltava la schiena, dai suoi movimenti Sergio capí che si stava abbottonando la brachetta.

Poi si voltò, e aveva la piú bella faccia d'uomo che Sergio avesse mai vista. Portava una divisa complicata e impressionante, fatta mista di panno inglese, di maglia e di cuoio.

Sergio si schiarí la gola e l'uomo increspò la fronte. La ragazza esaminava Sergio e nel mentre si passava una mano sui capelli, che erano biondi, secchi e fruscianti come saggina.

Sergio disse: — M'hanno mandato qui per trovare Marco.

— Marco sono io.

Sergio istintivamente uní i tacchi, ma con un minimo di rumore, eppure un sorriso si disegnò piccolissimo all'angolo della bocca della ragazza.

– Sono venuto per arruolarmi, se non è troppo tardi.

– Sei bell'e arruolato, – disse Marco. – In quanto a esser tardi, non è mai troppo tardi, perché anche se finisse domani sei ancora in tempo per restarci ammazzato. Se ci si pensa, il discorso dell'anzianità è il discorso piú scemo che si possa sentire da un partigiano. Eppure da una parola in su tutti i partigiani ti sbattono in faccia la loro anzianità –. Questo sembrò a Sergio fosse rivolto piú particolarmente alla ragazza che a lui. Infatti la ragazza sbatté le palpebre come per dargli ragione e cominciò a dondolare una gamba.

– Tu mi sembri studente, – disse Marco.

– Sí.

– Di che?

– Magistrale. Seconda superiore.

– Ne terrò conto. Non c'è granché di studenti tra i partigiani.

Poi Marco gli venne vicino, gli sbottonò la fondina e uscí la pistola a metà. Fece con le labbra un segno d'apprezzamento, poi rimandò giú l'arma. Lasciando a Sergio di riabbottonar la fondina, disse: – Hai fatto bene a venir già armato, perché io non potevo darti nemmeno uno scacciacani. Da Alba siamo tornati con meno armi di quante n'avevamo quando ci siamo entrati, questo è il fatto –. Anche questo doveva averlo detto per la ragazza.

– A proposito, come ti dobbiamo chiamare?

Lui s'era scelto il nome di Raoul fin dalla notte che aveva deciso di andare coi partigiani. Sapeva perciò come rispondere, ma sentiva che niente gli poteva costar piú vergogna che pronunciare quel nome Raoul. Cosí esitava e Marco dovette ripetere la domanda.

Si fece forza e disse: – Avevo pensato di farmi chiamare Raoul, – ma con un tono come se non ne fosse ben sicuro. Poi aspettò che Marco e la ragazza scoppiassero a ridere, niente gli pareva piú giusto che scoppiassero a ridere.

Invece Marco disse: – Raoul. È un gran bel nome di battaglia. Credo che sia l'unico Raoul in giro per le Langhe.

La ragazza aveva fermato la gamba destra e messa in movimento la sinistra. Sospirò anche con una certa intensità. Allora Marco disse: – Va bene, sei dei nostri. Seconda Divisione Langhe, Brigata Belbo. Gli altri sono giú in un prato a fare i tiri. Vacci anche tu e fai conoscenza. E mescolati, dài retta a me, mescolati subito agli altri.

Quando Raoul uscí, fuori sparavano sempre. Si orientò e giunse sul ciglio della collina. Si sporse a guardar giú, cautissimo, come se si piegasse su uno strapiombo, ma tutto era perché voleva vedere e non esser visto. Ma di lassú non vedeva niente per via d'una gobba del pendio. Allora infilò un sentiero e lo scese fino a che poté scorgere i partigiani.

Erano una trentina sdraiati su un sentiero trasversale a quello di Raoul, e sparavano giú nella valle a quei cosi di cemento dove i contadini tengono a suo tempo il verderame.

Raoul scese ancora e passò sul sentiero dei partigiani. Si avvicinava adagio, che piú adagio non poteva, si sentiva molto peggio di quando era entrato per la prima volta in collegio. Adesso quelli s'accorgevano di lui, si drizzavano sui gomiti e gli gridavano tutti insieme: – Sei un nuovo, eh? È adesso che arrivi? Hai fatto con comodo, eh? Sei in ritardo di dieci mesi in confronto a noi! Dove sei stato fino ad oggi? Nascosto in un seminario?

Invece nessuno disse niente, qualcuno lo guardò subito, altri lo guardarono poi. E quando l'ebbero guardato, tornarono a mirare quei cosi bianchi in fondo alla valle.

Raoul si sedette sull'orlo del sentiero e stette per un po' a fissare l'una o l'altra bocca di fucile per cogliere il momento che ne usciva la fiammata. Piú tardi s'azzardò a guardare le facce dei tiratori, per trovarne una un po' umana. Non la trovò, ma pensò che forse era perché nessuna faccia è umana quando appare concentrata dietro il congegno di mira d'una qualsiasi arma. Si rialzò e con passo indifferente andò da una parte verso un albero. Ci si piantò di fronte, estrasse la pistola, l'armò e mirò lungamente il tronco. Il colpo partí, ma Raoul non avrebbe saputo dire se aveva o no premuto il grilletto e tanto meno dov'era potuto finire il colpo, non ce n'era traccia sulla corteccia scura. Profondamente preoccupato, rinfoderò in fretta la pistola.

Uno di quei partigiani veniva dalla sua parte. Questo aveva una faccia umana, ma quando incominciò a sorridere, il suo sorriso era cosí pieno che appariva persino feroce. Fu il primo che gli parlò, si faceva chiamare Sgancia, era con Marco da quattro mesi ma altrettanti ne aveva fatti prima in Val di Lanzo. Con tutto ciò, era appena della leva di Raoul.

Si sedettero insieme sul bordo del sentiero, ma Sgancia scelse un posto non troppo vicino alla compagnia. E dopo un accenno all'insensatezza di quella sparatoria che non serviva ad altro che a richiamar repubblica se ce n'era in giro, dopo disse a Raoul:
– Fammi un po' vedere la tua pistola.

Raoul gliela passò, col presentimento che cominciava una faccenda che per lui finiva in perdita.

Sgancia esaminò la pistola da ogni parte, la fece ballare sul palmo della mano e poi disse: – È una buona pistola, ma è soltanto italiana –. Se la posò sui ginocchi e dicendo: – La mia invece è tedesca, – tirò fuori la sua e la mise in mano a Raoul.

Era di forma poco moderna e presentava parecchie macchie di ruggine e perciò Sgancia s'affrettò a dire: – Ho tre caricatori di riserva. Tu quanti ne hai?

– Ho solo piú cinque colpi, perché uno l'ho sparato in quella pianta.

– Sono pochi, cinque. Però, se vuoi, ti faccio il cambio ugualmente. Solo perché la tua è piú pesante e io me la sento meglio nel pugno. Altrimenti non la baratterei a nessun patto, nemmeno con la pistola cromata di Marco.

Raoul fece il cambio, la faccia tirata per lo sforzo di dissimulare la rabbia e l'amarezza, per un attimo cercò gli occhi di Sgancia, ma poi gli sembrò che con quel cambio pagava qualcosa di cui era in debito.

Dopo, nemmeno Sgancia sapeva piú che discorso fare. Finalmente disse: – Sai che io sono un buon tiratore? – e Raoul s'aspettava una storia di SS e fascisti ammazzati da Sgancia. Invece Sgancia tirò fuori il portafoglio e da questo una serie di foto fatte da borghese ai tirasegni fotolampo. Raoul mostrò d'interessarsi a quelle foto e fece a Sgancia qualche domanda sulla ragazza che gli compariva sempre accanto.

– Questa è roba che abbiamo lasciato in pianura, – disse Sgancia.

– Di', Sgancia, che tipo è questo Marco che ci comanda tutti?

– È uno con dei coglioni cosí, – e Sgancia fece con le dita la misura di due bocce. Poi disse: – Hanno un bel dire che per fare l'ufficiale dei partigiani l'istruzione non vale. Io per me sto sotto volentieri a uno che ha l'istruzione. Come Marco. Marco era già ufficiale nel regio e da borghese studiava all'Università di Torino per diventare professore di qualcosa. Invece in Val di Lanzo avevo per capo un meccanico della Fiat. Aveva fegato, ma non aveva l'istruzione. Ci faceva ammazzare per sport.

– Quando mi sono presentato, – disse Raoul, – c'era una ragazza con Marco.

– Parli di Jole. Abbastanza un bel gnocco, eh? Non è una cattiva ragazza.

– E che ci fa qui con noi?

– Dovrebbe far la staffetta, e non dico mica che al bisogno non la faccia.

– Ha del coraggio a stare coi partigiani. Chissà come s'è decisa a venirci?

– Io una volta gliel'ho chiesto e sai cosa m'ha risposto lei? Che essere una ragazza è la cosa piú cretina di questo mondo.

Si voltarono perché qualcosa succedeva tra gli altri partigiani. Guardavano su alla cresta della collina dove s'era affacciato un borghese. Aveva tutto l'aspetto d'un proprietario e domandava forte: – Perché sparate a quei cosi bianchi laggiú? Lo sapete che noi là dentro ci mettiamo il verderame? Me li bucate e quando ci verserò il verderame si perderà tutto. Smettetela subito o vado a dirlo a Marco.

Un partigiano salí due passi verso il borghese e gli rispose: – Sí, ma quei cosi bianchi sono l'unico bersaglio che c'è nella valle. Noi dobbiamo allenarci a sparare dall'alto in basso, perché di solito noi stiamo in alto e la repubblica in basso.

– Ben detto, Kin! – gridò un altro partigiano.

Ma il borghese disse: — Allenatevi fin che volete, ma da una parte dove non facciate danno, o vado a dirlo a Marco —. Non aggiunse altro, ma restò a guardare se sgomberavano. Sgomberarono e, Sgancia e Raoul con loro, andarono alla cappella di San Bovo. Si misero a tirare alla campanella, ad ogni schioppettata giusta la campanella faceva den! e loro ridevano come bambini.

A mezzogiorno risalirono la collina e andarono a una grossa cascina dov'era la mensa. Entrarono cozzandosi in uno stanzone: c'erano quattro lunghe tavole con intorno tante panche, una damigiana di vino in un cantone e in aria l'odore di carne arrostita nell'olio di nocciole. C'erano già molti altri partigiani che Raoul non sapeva dove potevano esser stati tutta la mattina; dovevano aver fatto strada perché erano piú impolverati del resto. Ce n'era uno giovanissimo che fissò Raoul tra l'arrogante e il perplesso e poi domandò forte in giro: — E questo chi è?

Seduti c'erano già Marco e Jole. Jole adesso portava calzoni da uomo e tamburellava con due dita una coscia di Marco.

Vedendosi addosso gli occhi di Marco, Raoul di nuovo batté istintivamente i tacchi e dietro di lui quel partigiano giovanissimo chiese a Sgancia: — Ma chi è questo leccaculo mai visto che saluta come nell'esercito?

Raoul sedette in punta ad una panca, accanto a Sgancia. Non c'era ancora niente di pronto e cosí i partigiani cominciarono a rubarsi l'uno all'altro il pane fresco. Poi arrivò il cuciniere con un piatto di bistecche e per primi serví Marco e Jole e fin lí nessuno disse niente. Ma quando distribuí le rimanenti ad altri che loro, gridarono al cuciniere: — Ferdinando, venduto! Chi t'ha detto di farlo di lí il giro? Noi siamo i figli della serva?

Raoul fissò Marco: tagliava la carne con una specie di pugnale e pareva sordo a tutto. Allora dovette guardare altrove e per non guardar le facce dei suoi nuovi compagni finí col guardarsi le unghie. Rialzando gli occhi, vide che Marco lo fissava come a studiarlo.

Finalmente ebbero tutti la carne, ma a Raoul per quanto la masticasse non andava giú.

Rientrò Ferdinando e posò sulla tavola un cestone di pere. Ma erano acerbe e dure come pietre, le morsicarono appena, poi protestando le fecero volare nell'aia per la porta e la finestra.

Jole si alzò e uscí dicendo che andava a pisciare. Il partigiano che Raoul aveva inteso chiamare Miguel si alzò pure lui e muovendo verso la porta in punta di piedi e con la testa incassata nelle spalle disse piano: – Le vado dietro e mi nascondo a vederglielo fare.

Raoul sogguardò Marco: rideva come tutti gli altri.

Quattro o cinque si addormentarono sulla tavola col naso tra le briciole del pane e il grasso della carne. Gli altri torchiavano sigarette con cartine e un tabacco cosí scuro che a Raoul, solo a vederlo, metteva voglia di tossire.

Quando Raoul cominciò a star attento ai discorsi che si facevano intorno alla tavola dopo accese le sigarette, Kin diceva: – ... però in politica io sono rosso e a cose finite è facile che m'iscrivo al partito comunista –. Lo diceva a Delio, quello molto giovane, ma fu Sgancia che raccolse le sue parole e gli domandò un po' secco: – E allora perché stai nei badogliani?

– Cosa vuol dire? Io sono nei badogliani perché quando son venuto in collina son cascato in mezzo a dei badogliani. Se cascavo in mezzo agli anarchici o ai partigiani del Cristo che so io, facevo il partigiano con loro. Cosa vuol dire?

– Ma bravo, sei proprio un uomo con un'idea!

Kin si scaldava: – Sicuro che ho un'idea! Tu piuttosto ho paura che non ce l'hai. Perché se uno viene a dirmi che lui è comunista, io pressapoco capisco che idea ha. Ma se uno mi dice che lui è badogliano, io cosa devo capire? Dài, Sgancia, rispondi lí. Cosa significa essere badogliano?

– Io te lo spiego subito, – disse Sgancia spegnendo la sigaretta. – Significa esser d'accordo con Badoglio, approvare quel che Badoglio ha fatto il 25 luglio e dopo. Significa accettare il suo programma che, se non lo sai, è questo: far la guerra ai tedeschi e ai fascisti, salvare l'onore del nostro esercito che l'8 settembre è sprofondato molto giú, mantenere il giuramento al re...

– Cosa il re? – Kin s'era inarcato sulla panca come per prendere lo slancio. Difatti, quando Sgancia affermò che i partigiani badogliani erano monarchici, Kin scattò in piedi. – Monarchici le balle! – urlò. I quattro o cinque addormentati alzarono la testa e guardarono in giro con occhi torbidi.

– Monarchici le balle! – ripeté Kin. – Il tuo re è uno schifoso vigliacco, è il primo traditore...!

Sgancia si alzò e pallido come un morto disse: – Non parlare cosí del re! Cristo, Kin, non parlare cosí del re davanti a me!

– Non parlare cosí del re? Cristo, ci ha messi tutti su una strada! Era già un mezzo uomo che a vederlo faceva ridere tutti gli stranieri, va ancora a farci fare la guerra! Ci ha rovinati e poi ci ha lasciati a sbrogliarcela da soli. Ma guarda che strage per sbrogliarcela da soli! Se aveva un po' d'onta, veniva a fare il partigiano con noi o almeno ci mandava quel puttaniere di suo figlio che è ancora giovane. Ma finito questo, li fuciliamo tutt'e due, com'è vero Dio li fuciliamo! E se riescono a scappare, visto che a scappare sono in gamba, ci sarà sempre un italiano che li andrà a cercare e li troverà e li ammazzerà come due cani!

Uno che si chiamava Gilera alzò una mano e disse: – Basta, Sgancia, basta Kin, non abbiamo mai fatto della politica e ci mettiamo a farla adesso? Se volete saperlo, io ero nella Garibaldi e sono passato nei badogliani perché nella Garibaldi avevamo i commissari di guerra che ci imbalordivano con la politica.

Raoul era monarchico, ma a modo suo, amava la monarchia come si ama una donna. Ora odiava Kin, ma non s'accostava a Sgancia, per gelosia. E stava zitto, perché aveva paura, tutta la gente nello stanzone gli faceva una grande, precisa paura. Guardò a Marco: fumava e soffiava il fumo dentro un raggio di sole che entrava dalla finestra. Pareva concentrato a studiare come il fumo evoluiva e s'assestava in quella guida di luce, ma di colpo fece un gesto come ad accusar malditesta, gettò la sigaretta e uscí.

Raoul s'alzò dalla panca per seguirlo, non voleva restare senza Marco nello stanzone, si preparò ad uscire alla meno peggio. Mentre cosí esitava, rientrò Jole e Raoul ricadde sulla panca, incapace di fare un movimento qualunque sotto gli occhi della ragazza.

Gilera disse a Jole: – Ce n'hai messo del tempo. Dunque non hai pisciato soltanto.

– Fattelo dire da Miguel cos'ho fatto.

Dietro di lei era tornato Miguel e faceva apposta la faccia di chi ha visto cose grandi e rare. Disse: – Lo fa cosí bene che non ti fa perdere la poesia. Se avevo la macchina, le prendevo la foto.

Risero tutti, anche Sgancia e Kin che erano ancora sfisonomiati. Rise anche Jole e ridendo saltò a sedere sulla tavola e di là disse: – Su, ragazzi, parliamo sporco.

Raoul si portò una mano alla bocca, si alzò e urtando un paio di panche uscí a testa bassa. Traversò l'aia e senza stare a cercar sentieri arrivò sulla strada della collina tagliando per un prato in salita. Appena sulla strada si voltò di scatto, perché gli era balenato il pensiero che i partigiani nello stanzone credessero che lui disertasse e lo inseguissero con le armi puntate. Ma nessuno l'inseguiva. Allora traversò la strada camminando a passi storti e masticando continuamente a vuoto per tener giú qualcosa che voleva venirgli su dallo stomaco. Sul bordo della strada disse: – Oh mamma, mamma! – e poi si slanciò giú per il pendio. Era tanto ripido che in breve la sua corsa divenne una irresistibile volata, gli alberi piantati ai piedi della collina sembravano salirgli incontro, aveva una paura matta di stramazzare con le caviglie rotte. Vide da una parte una depressione del terreno, deviò con un gran salto e vi cadde dentro. Era un buco abbastanza profondo, nessuno ve lo poteva scorgere dentro che non fosse sospeso per aria. Si allungò tutto sulla terra umida e gridò: – A cosa mi serve aver studiato? Qui per resistere bisogna diventare una bestia! E io non me la sento, io sono buono! Oh mamma, mamma!

Ripensò all'alba di quello stesso giorno, possibile che si trattasse di sole otto ore fa?

Otto ore fa sua madre girava per la cucina in sottoveste e aveva la voce rauca, come se fosse stata svegliata da una disgrazia nella notte. Lui non poté finire il latte con l'uovo sbattuto dentro e pieno di rimorso allontanò la tazza. Disse: – È una cosa giusta, mamma. La parte buona è quella dove vado io. Anzi io ci vado un po' tardi. Ci son già andati tanti come me e meglio di me.

– Lo so che vai dalla parte buona e che ce ne sono già tanti, ma... – insomma si capiva che per sua madre lui era d'altra carne e d'altre ossa. Lei disse ancora: – Io dico solo che ci potresti andare al momento buono.

– Ma è sempre il momento buono, lo è stato fin dal principio. E poi capisci che se per andare tutti aspettano il momento buono, il momento buono non verrà mai.

Sua madre scosse la testa. – Non è ancora il momento buono. Guarda che batosta i partigiani si sono ancora presi dalla repubblica ad Alba. No, non è ancora il momento buono. Lo dice anche Radio Londra.

Sergio s'era alzato da tavola ed era andato alla porta a passi indiretti. Di là guardò sua madre: mai l'aveva vista tanto svestita e spettinata, mai le aveva sentita quella voce dura, da uomo. Disse: – Ti piacerebbe che poi mi dessero del vigliacco?

Lei gli rispose forte: – Nessuno può darti del vigliacco se tu dici che non hai voluto dare il crepacuore a tua madre. E poi c'è la legge che parla per te. Nemmeno l'esercito del re prendeva i figli unici alle madri vedove.

Uscí sull'aia e sua madre dietro. Si voltò a dirle che rientrasse, che non era abbastanza vestita per stare all'aria alle cinque di mattina. Lei non gli badò, gli disse: – Tu non sei buono a fare quel mestiere, non ne sai niente, non hai mai fatto il soldato.

– Sono buono, stai tranquilla, mi difenderò.

Lei si mise a guardare in alto. – C'è un brutto cielo, mi mette dei presentimenti. Se devi partire, parti una

mattina che il cielo si presenti un po' piú bello. Può
già essere domani mattina –. Poi, come lo vide incamminarsi al cancello, gli domandò con un grido: – Da
che parte vai?

– Vado a Castino, voglio arruolarmi sotto il famoso
Marco. Vedi, sarò appena a quindici chilometri da
casa. Fa' conto che sia in vacanza dalla nonna.

Quando passò il cancello lei gli gridò: – Sergio!
Sergio, per carità, non voler sempre fare il primo!
Non fare il valoroso!

Lui si voltò e le disse: – Ciao, mamma. Ho un debito di sessanta lire al caffè della stazione. Fa' il piacere, pagamelo.

Se con gli altri sapesse esser duro, quasi crudele
come lo era con quelli che gli volevano bene, non si
sentirebbe tanto indifeso agli sguardi e alle parole
dei partigiani. Se fosse stato inflessibile con Sgancia
come con sua madre, a Sgancia non riusciva sicuramente la porcheria del cambio della pistola.

Quando si levò da quel buco, poté leggere l'ora nel
colore dell'aria. Dovevano esser le sei, il tempo gli era
passato come a uno che dorme. Ma lui non aveva dormito, aveva fatto centinaia di pensieri, tutti disperati, nei quali dava la colpa ai partigiani che non erano come lui li aveva immaginati e poi, siccome coi
partigiani non poteva sfogarsi e con se stesso invece sí, dava la colpa a sé che aveva sbagliato a imma-
ginarli.

Ritto sul pendio, aveva dinanzi ondate di colline
che già si fondevano nella precoce sera di novembre.
Guardava verso Castagnole e mentalmente calcolava
che per tornarci c'erano quattro colline da valicare e
un tratto di piana. Un lume, il primo che s'accese sulla
collina dirimpetto, lo fece decidere: se partiva subito,

si ritrovava a casa prima di mezzanotte. Era ancora fermo sul bricco di Castino e già si vedeva spingere la porta di casa sua, entrare e sedersi stanchissimo sulla prima seggiola della cucina. Avrebbe smesso il vestito che aveva indossato la mattina per andare in guerra, avrebbe smesso anche tante idee, ma gli sarebbe rimasto il rispetto di sé, perché da solo s'era tirato fuori dall'orribile avventura nella quale s'era cacciato da solo.

Se risaliva il pendio e pigliava la strada di Castino poteva incocciare qualche uomo di Marco. Pensò di calare al piano e di laggiú attaccare a salire la prima delle quattro colline. Ma guardando in basso vide la valle cieca e profonda come un lago d'inchiostro. E poi, tutto d'un tratto, dal versante dirimpetto venne il rumore d'una motocicletta. Raoul non scorgeva il fanale della macchina, non la strada sulla quale essa correva, il rumore era intermittente come se si liberasse solo in certi punti e non aveva piú niente di meccanico, era selvaggio, lamentoso e spaventevole come il verso del lupo errante sulle colline. Raoul rabbrividí. I partigiani erano in giro! Non partigiani di Marco, ma partigiani con la faccia ed il cuore di Kin e di Sgancia, di Miguel e di Delio, ancora piú terribili perché sconosciuti, che lui aveva il terrore d'incontrare di notte sulla cresta delle colline, nel fondo delle valli, alle svolte delle strade.

Al campanile di Castino batterono le ore, e quei sei tocchi, pur tristi, lo confortarono, gli suonarono come un saggio, amichevole consiglio di togliersi da quella solitudine. Risalí rapidamente il pendio e una volta sulla collina, fu lieto di vedere illuminata la finestra a pianterreno della casa dov'era la mensa.

Cosí Raoul rimase coi partigiani e a cena nessuno,

nemmeno Marco, gli domandò dov'era stato l'intero pomeriggio.

Dopo cena, Kin venne a dirgli che gli toccava fare due ore di guardia e gli prestò il suo moschetto per fare il servizio.

Salí al bricco che Kin gli aveva mostrato da sulla porta e cominciò a vigilare.

L'essere solo e armato nella notte fu la prima grande sensazione che provò, l'unica delle tante belle che aveva immaginato doversi provare da partigiano. Stava all'erta ma senza timori, non c'erano insidie nella notte, anche se ai suoi occhi troppo fissi il buio pareva brulicare e in fondo alla valle gli alberi crosciavano con un rumore di grandi cascate d'acqua. Non una luce nel seno nero delle colline, luci c'erano laggiú in fondo a tutto, là dove si poteva credere ci fosse la pianura. Si voltò a guardar giú alla cascina e la vide tutta spenta. Kin e Sgancia, Miguel e Delio e tutti quegli altri dormivano già, prima d'addormentarsi dovevano essersi detto che potevano fidarsi di lui.

Essendo stato attento anche ai tocchi delle ore al campanile, sapeva che il suo turno era già passato, ma non gli rincresceva fare quel soprappiú di guardia perché sentiva che quando fosse rientrato per mettersi a dormire, dove e come ancora non sapeva, sarebbero ricominciate le sue miserie, le brutte sensazioni.

Quando un altro tocco batté al campanile, venne su Delio, si fece passare il moschetto e gli disse di scendere a dormire.

– Dove si dorme?

– Nella stalla.

– E dov'è la stalla?

– Prima del portico. Oh, non coricarti nella greppia perché quello è il mio posto. Se ti corichi, quando poi torno io, devi sgomberare.

Raoul scendendo smarrí il sentiero e senza piú cercarlo finí di calarsi per un prato marcio di guazza.

Aveva aperto cautamente la porta della stalla e s'era fermato un istante sulla soglia. La stalla era un blocco di tenebra e ne veniva un puzzo tale quale. Due grosse macchie biancastre oscillarono in quel buio e Raoul capí che erano due buoi che si voltavano a vederlo entrare. Ma gli uomini coricati non erano assolutamente visibili, i respiri e il russare sembravano venir da sottoterra.

Entrò, deviò a destra, miserabilmente incerto su ciò che avrebbe fatto. Urtò col piede un corpo, ma da questo non venne nessuna reazione, come morto. Raoul era rimasto col fiato ed il piede sospesi. Dopo non aveva cercato oltre, s'era chinato e coi piedi e con le mani aveva tastato se c'era spazio per il suo corpo e s'era allungato lí.

Ora giaceva sull'ammattonato come se ci stesse per tortura, tra le sconnessure dell'uscio filtravano mute correnti d'aria che infallibilmente lo ferivano nelle parti piú sensibili. Il collo degli scarponi gli pesava ferocemente sulle caviglie, pareva gliele stesse lentamente incidendo e che tra poco gli scarponi dovessero cadere con dentro i suoi piedi. Soffriva un gran male ma pensava che non doveva toglierseli. Non trovava la posizione buona, soprattutto non sapeva dove sistemare la testa e pensava a come son ben provveduti gli uccelli che possono ficcarla sotto un'ala.

Di quando in quando i buoi puntavano gli zoccoli e la paglia gemeva sotto i corpi che si rivoltavano.

Poi il freddo crebbe, s'erano interrotti quei fiati di caldo che venivano dalle due bestie. Si trascinò sulle ginocchia fino alla lettiera e prese due manate di paglia. In quel momento uno di quei due bestioni fece il suo bisogno, si sentí forte un plaff! Raoul si parò la faccia con la paglia perché aveva sentito gli schizzi prendere il volo. Si ritirò, sedette, si fece piovere un po' di paglia sui piedi, si ridistese e si aggiustò il resto della paglia sulla pancia e sul petto.

Ma stava male lo stesso, insopportabilmente male e se la sentinella fosse stato un altro che Delio, sarebbe stato un sollievo tornarsene fuori e aiutarlo a far la guardia, e poi aiutare quello che avrebbe rilevato Delio e cosí avanti fino a chiaro. Eppure era stanco, quella era stata la piú lunga giornata della sua vita. Si disse: «Come mi sento male! E non ci farò mai il callo, mai!»

Cominciò ad avvertire in tutto il corpo quella pesantezza che a casa nel suo letto lo faceva languidamente sorridere perché era il segnale che il sonno arrivava quatto quatto, un sonno pulito, regolare, sicuro. Ma qui c'era miseria e pericolo.

Infatti, se pensava alla notte fuori di quella lurida stalla, non riusciva piú ad immaginarla tranquilla e innocente come l'aveva vista e sentita in quelle ore che era stato di sentinella. Le cose dovevano esser cambiate da quando non piú lui ma Delio faceva la guardia per tutti. Sentiva che un pericolo veniva velocemente alla loro volta, dritto su quella stalla, e doveva esser partito proprio da quelle luci laggiú in pianura. Come facevano gli altri a dormire con quell'abbandono? Erano sicuri d'arrivare a vedere il mattino?

Sentí l'ammattonato sciogliersi sotto la schiena e divaricando le gambe s'addormentò profondamente.

La porta della stalla si spalancava con un colpo rimbombante e il vano si riempiva d'uomini tutti neri come mascherati dalla testa ai piedi. Mossero un passo avanti e puntarono potenti lampade elettriche per tutta la stalla. La prima cosa che quella luce feroce scopriva erano le canne delle loro armi spianate verso la lettiera. A Raoul quella luce passava un palmo sopra la testa e si poteva credere che non l'avessero ancora visto. I fasci di luce finivano in circoletti bianchi simili a tante piccolissime lune e centravano una per una le facce di tutti i partigiani. Fosse quella luce artificiale o altro, eran già tutte facce di cadaveri, con le palpebre immote e gli occhi sbarrati. Poi uno di quegli uomini neri urlò un comando e tutti i partigiani si alzarono dalla paglia aiutandosi con le mani o strusciando la schiena contro la parete. Adesso li facevano uscire come vitelli dalla stalla. Senza che nessuno gli dicesse niente o gli posasse una mano sulla spalla, Raoul si drizzò e passò ultimo tra due file di uomini neri schierati contro i battenti della porta. Passando, vide luccicare sugli elmi e sui baveri gli emblemi della repubblica.

Sull'aia c'era già Delio, ma tutto rattrappito per terra. Li lasciarono fermarsi a guardarlo, poi cinque o sei di quegli uomini presero la rincorsa, scavalcarono il cadavere di Delio, si buttarono in mezzo a loro maneggiando i fucili per la canna e li mandavano in mucchio contro il muro dell'aia. Ma non ce ne sarebbe stato bisogno, ci andavano da soli, anche se un po' adagio, ma era perché non dovevano essere perfettamente svegli. Erano tanti, tutta la guarnigione di Castino, mancava solamente Marco e Jole, e quel lungo muro non aveva un posto per ognuno e cosí in certi punti la fila era doppia e tripla. Raoul venne a trovarsi con la schiena al muro e sul petto, che lo soffocava, l'ampio dorso di Miguel. Sentí Kin dir piano a Mi-

guel: – Marco è a dormire con Jole in un altro posto.
Ma spero che poi trovino anche lui. Se no, non è giusto –. Una parte dei soldati venne marciando a schie-
rarsi davanti a loro. Raoul volle urlare, ma non gli
uscí che un fischio tra i denti. Poi trovò la voce e cacciò un urlo: – No! – e nel medesimo tempo scostava
il corpaccio di Miguel come fosse una piuma e correva
in mezzo all'aia gridando: – Non voglio, non voglio!
– Lottò con un soldato che gli aveva subito sbarrato
la strada e gli premeva la punta del fucile nella bocca
dello stomaco, ma lui urlava lo stesso: – No! Non è
che non voglio morire! Ma voglio morire a parte, morire da solo! Mi fa schifo dividere il muro con quelli
là! Non li conosco, non li...!
Era già chiaro, i due buoi erano ben svegli e fre-
schi come se avessero già fatto la loro ginnastica mattu-
tina. Raoul sollevò la testa adagio e faticosamente
come se si sentisse appesa una palla di piombo. Girando gli occhi, vide per primo Delio. Stava seduto
a cavalcioni della greppia, si grattava la nuca e la sua
fronte era piena di rughe.
Delio gli domandò: – Dormito bene per la prima
volta?
C'era un po' di malignità nella sua voce, ma forse
Delio non aveva un'altra voce.
Raoul gli disse: – Ho sognato che t'hanno ammazzato. La repubblica, lí fuori sull'aia. Parola d'onore
che l'ho sognato.
Delio disse: – Stessi secco a sognare delle cose cosí!
– ma rideva.
Rise anche Raoul e svegliarono tutta la stallata.

Vecchio Blister

Quando Blister accennò a parlare, i partigiani di Cossano gridarono: – Stai zitto tu che ci hai smerdati tutti! Fai star zitto questo ladro, Morris!

Blister, il ladro, stava seduto su uno sgabello a ridosso della parete, e aveva di contro la fila dei partigiani innocenti e offesi, ma tra lui e loro correva vuoto lo spazio di quasi tutto lo stanzone.

Il capo Morris disse: – Parli se vuol parlare. A lui non servirà a niente e noi invece ci passiamo il tempo mentre aspettiamo che torni Riccio con la sentenza.

Set scosse la testa. – Ci farà solo mangiare dell'altra rabbia, – disse, ma tutti s'erano già voltati a sentir Blister.

Blister ruotò adagio la testa per mostrare come gliela avevano conciata, poi disse accoratamente: – Guardate come avete conciato il vostro vecchio Blister.

Uno gridò: – Cosa t'aspettavi? Che ti facessimo le carezze? Sei un delinquente!

Blister dimenò la testa e disse col medesimo tono: – Avete fatto molto male. Dovevate ricordarvi che io sono di almeno quindici anni piú vecchio del piú vecchio fra voi. Ho i capelli grigi e ho dovuto sentire uno come Riccio che ha sí e no sedici anni che bestemmiava perché non arrivava a darmi un pugno sul naso.

Disse Morris: – Qui l'età non c'entra. Qui c'entra solo essere partigiani onesti o ladri. Noi siamo onesti e tu sei un ladro e cosí noi t'abbiamo picchiato. E ringrazia, Blister, che abbiamo fatto le cose tra di noi. La prima idea era di legarti alla pompa del paese e tutti i partigiani di passaggio avevano il diritto di darti un pugno per uno. E sarebbe stata una cosa giusta, perché tu hai sporcato la bandiera di tutti.

Blister disse: – Allora vi ringrazio e dei pugni non parliamone piú –. Parlava con voce piana, come uno di età che vuole ragionare dei ragazzi impulsivi ed è convinto che alla fine riuscirà a ragionarli. – Parliamo del resto. Però vorrei che vi faceste un po' piú avanti perché mi fa male vedervi cosí distanti. Non ci sono abituato.

Non se ne mosse uno, Blister aspettò un poco e poi disse: – Ho capito. Vi faccio schifo –. Giunse le mani e chiese: – Ma come posso farvi schifo? Cos'è capitato? Fino all'altro giorno io ero il vostro vecchio Blister e, senza offendere Morris, ero il numero uno dei partigiani di Cossano. Ognuno di voi stava piú volentieri con me che con chiunque altro, potete forse negarlo? Quando ci incontravamo con l'altre squadre, voi mi mostravate a tutti perché non c'era in nessuna squadra un uomo vecchio come me. Allora mi presentavate come il vostro vecchio Blister e vi facevate vedere a tenermi una mano sulla spalla. Io sono quello che vi ha tenuti sempre tutti di buonumore. Da chi andavano quelli di voi che avevano il morale basso? Venivano da Blister, come se Blister fosse un settimino. È che io sapevo il segreto, perché voi siete ancora tutti ragazzi, mentre io ho quarant'anni e ho imparato che la vita è una cosa talmente seria che va presa qualche volta sottogamba altrimenti la tensione ci fa crepare tutti. Vi ricordate quel giorno che arrivò Morris e ci disse che l'indomani ci sarebbe stato un rastrellamento mai visto? Poi non ci fu, ma Morris non ci aveva nessuna colpa perché ci aveva solo detto quello che il Capitano aveva detto a lui. Ma nella notte avevate tutti il morale basso, eravate pieni di presentimenti. Vi ricordate cos'ho fatto io? Verso mezzanotte ho cominciato a tirare fuori una barzelletta e poi un'altra e un'altra. Voi non finivate piú di ridere e arrivò la mattina e si poté vedere che il rastrellamento non c'era. Adesso mi sanguina il cuore a pensare a quella notte e darei non so cosa perché niente fosse cambiato da allora –. Giunse di nuovo le mani e domandò: – Ma perché siete cambiati con me? Per la balla che ho fatto?

– Chiamala balla! – disse Morris, – sai come si chiama nella legge la tua balla? Rapina a mano armata. E per di piú fatta in divisa da partigiano.

– Sarà come dici tu, Morris. Sarà che ho rubato, ma io non ne sono persuaso. Per me, io mi sono solo sbagliato perché ero ubriaco.

Disse Set: – Questa non è mica una scusa. Questo significa che sei un porco ancora di piú.

– Lascia perdere, Set, – disse Blister. – Fatto sta che ero ubriaco. E m'ero ubriacato in questo modo. Andavo a spasso per la collina, ma avevo il mio moschetto a tracolla, perché nessuno può dire che Blister non faceva il partigiano sul serio. A un certo punto mi sento sete e vado alla prima cascina e dico al padrone di darmi un bicchiere di vino. Vedete come vanno le cose? Alzi una mano chi non è mai andato a una cascina per farsi dare un bicchiere di vino. Ah, nessuno può alzarla. Il padrone per prendere un bicchiere apre la credenza e io vedo che nella credenza c'era una mezza bottiglia di marsala. Allora gli ho detto di darmi un bicchiere di marsala invece che di vino. Lui me l'ha dato e io ho finito per bergli tutta quella mezza bottiglia. Il padrone non protestava, io ho un'età che la roba un po' forte è una necessità del corpo e l'ho bevuta tutta. Però in quella cascina non ho fatto niente di male perché la marsala ha cominciato a farmi effetto quando ero già lontano un chilometro. Ma guardate le cose, mi è tornata la sete. E cosí sono entrato in un'altra cascina dove c'era un padrone e una padrona. Giuro che non ho visto che la padrona aveva la pancia rotonda. Ho chiesto un bicchiere di grappa e l'ho chiesto un po' da prepotente, questo è vero. Ho finito per berne tre. Allora dentro di me c'è stata la rivoluzione. Mi son trovato in mano il moschetto che avevo a tracolla e ho sparato al lume sopra la tavola e un altro colpo nel vetro della credenza. La padrona aveva alzato le mani e strideva come un'aquila e il padrone mi grida: « La mia donna è incinta, per amor di Dio non spaventarla o le succede qualche pasticcio dentro! » Io non sentivo piú nessuna ragione e cercavo solo qualche altra cosa di vetro da spararci dentro. Allora il padrone m'è girato dietro e con uno spintone a tradimento m'ha buttato fuori e ha subito sprangato la porta. Fuori c'era legato il cane e voleva saltarmi addosso. Io gli ho fatto un colpo dentro e quel cane è stato secco. Ero ubriaco marcio, ero matto, e capisco che sono stato un gran vigliacco, specialmente con quella donna incinta e anche con quel povero cagnetto, ma neh che se mi fermavo lí voi non mi facevate la parte che m'avete fatto per il resto?

Nessuno gli rispose. Blister si portò le due mani alla testa, ma per sfiorarla appena, e si lamentò cosí:
– Che male mi fa la testa. Sento bisogno di toccarmela ma se me la tocco mi brucia come il ferro rosso. E non

posso neanche piú parlare –. Guardò i partigiani uno ad uno e poi disse: – Gym, tu che mi sembra m'hai sempre voluto bene, vammi a prendere un mestolo d'acqua. Non posso quasi piú muovere la lingua dentro la bocca.

– Vai pure a prendergli l'acqua, – disse Morris a Gym, e a Blister: – Puoi anche smettere di parlare, tanto è come se parlassi ai muri. E poi non dipende piú da noi. Ho mandato Riccio dal Capitano a prendere la tua sentenza. E il Capitano è uno che ci tiene alla bandiera pulita ed è piú facile faccia la grazia ad uno della repubblica che a uno dei suoi che ha rubato.

Blister aveva trasalito. – Hai mandato Riccio dal Capitano? Ah, Morris, non mi hai mica trattato bene. Dovevi dirmelo che mandavi Riccio dal Capitano, cosí io prima parlavo a Riccio. Non gli dicevo mica niente di segreto, gli dicevo solo di spiegare bene al Capitano chi sono io. Il Capitano ne comanda tanti che non può ricordarsi di tutti. Al Capitano io ho parlato una volta sola, ma quella volta il Capitano m'ha detto bravo Blister. Questa è una cosa di cui vorrei che il Capitano si ricordasse. Io l'avrei detto a Riccio.

Morris scosse la testa. – Stai sicuro che anche stavolta il Capitano ti dice bravo Blister, ma in una maniera che te ne accorgerai.

Rientrò Gym col mestolo d'acqua, Blister lo prese con due mani e bevve, ma si sbrodolava tutto.

Set stette a guardarlo per un po' e poi fece: – Pfuah! Non fare il teatro, Blister.

Blister alzò gli occhi a Set e abbassò il mestolo. Disse: – Non faccio il teatro, Set. Lo vedi anche tu che ho un labbro spaccato. E adesso che ci penso, devi avermelo fatto proprio tu perché ci sei solo tu qua dentro ad avere un pugno di quella forza. Tu non sei mai stato mio amico.

– Puoi dirlo. E adesso sono il solo che può dire di non essersi sbagliato sul tuo conto. Io ho sempre diffidato di te. Non capivo cosa veniva a fare uno della tua età in mezzo a dei giovani come noi. Io avevo il sospetto.

E Blister: – Tu hai il sospetto come tutti quelli che non capiscono o capiscono troppo tardi. Qui dentro sono tutti buoni, in fondo, meno te. Tu, Set, incominci a farmi paura.

Set allargò la bocca come per ridere e disse: – Io me ne vanto di far paura ai delinquenti!

Blister disse calmo: – Ma io non sono persuaso d'essere un delinquente e se me lo dici tu ne sono ancora meno persuaso –. Scrollò le spalle, si voltò agli altri e disse: – Adesso che ho bevuto voglio dirvi la fine. Solo per farvi vedere come vanno le cose. Io ero ubriaco e dalla cascina della grappa sono andato a un'altra cascina. Mi pare che volevo dormire e dormire in un letto. Forse era l'effetto del bere, ma per me quella cascina aveva un'aria misteriosa. C'era un silenzio, tutte le imposte chiuse in pieno pomeriggio, non c'era nemmeno il cane di guardia. Viene ad aprire un vecchio dopo che io avevo bussato tre o quattro volte. Ma non m'ha mica aperto, ha slargato appena la fessura della porta e mi ha guardato in faccia. Si capisce che io avevo una faccia un po' sfisonomiata, ma non credo che fosse una faccia cattiva. Invece quel vecchio deve aver preso paura della mia faccia e pian piano cercava di richiudere l'uscio e nel mentre mi diceva tutto di seguito: «Io ai partigiani ho già dato un vitello, i salami di mezzo maiale, ho dato un quintale di nocciole per far l'olio, e due damigiane di vino. Io non ho mai chiuso la porta in faccia ai partigiani e non gliela chiuderò mai. Ma non mi piacciono i partigiani che girano da soli ». Credeva di avermi ragionato e teneva la porta ancora socchiusa forse per vedermi andar via. Io invece mi sono incarognito, ero ubriaco, ho fatto forza con le spalle e sono entrato. Una stanza scura e c'era una donna giovane che mi sembrava saltata fuori per magia. Il vecchio aveva paura e mi dice: « Questa è la sposa di mio figlio prigioniero in Russia ». La donna invece non aveva paura, e ha incominciato a farmi un mucchio di domande, chi ero, chi era il mio comandante, cosa cercavo, troppe domande per il carattere di uno nello stato in cui ero io. A tutte quelle domande io mi metto a pensare: « Costoro hanno il sospetto. E chi ha il sospetto ha il difetto ». Mi guardo intorno e la prima cosa che vedo è un gagliardetto del fascio. Un gagliardetto nell'angolo piú scuro della stanza.

Morris disse: – Non era un gagliardetto! Era una bandiera che aveva guadagnato suo marito a ballare. Tant'è vero che c'era sopra ricamato « Gara Danzante. Primo Premio ».

Disse Blister: – Lo so che lo sai, Morris, l'ha detto la donna al processo che m'avete fatto ieri. Ma io l'ho preso per un gagliardetto e lo prendeva per un gagliardetto chiunque fosse stato partigiano e ubriaco. Allora gli ho dato dei fascisti e degli spioni, li ho puntati col moschetto e li ho messi tutt'e due al muro. Il vecchio si è messo a piangere, ma la donna strideva come un'aquila, non voleva stare al muro e ho dovuto rimettercela tre volte. Poi gli ho detto: « Il gagliardetto ce l'avete. Adesso guardo se avete anche il ritratto di Mussolini ».

– E invece hai trovato l'oro e te lo sei preso tutto.

– Io ero convinto che erano fascisti. E chi è che lascia la roba ai fascisti?

Morris continuò: – E poi sei andato a venderlo a quell'uomo di Castiglione.

– Cosa ne facevo dell'oro?

Parlò Set: – Già, non ne facevi niente –. La rabbia gli scuoteva tutto il corpo, un momento prima si era allentata la cinghia per aggiustarsi i calzoni alla vita ed ora non riusciva piú a ristringerla per via della fibbia che gli ballava tra le dita tremanti. Disse: – Ma non farai mai piú niente di niente se il Capitano è d'accordo.

Blister drizzò la testa e chiese: – Ma per quello che c'è stato e che vi ho raccontato volete proprio prendermi la pelle? Ma allora non è meglio che me la facciate prendere dalla repubblica? Non è una condanna piú da partigiani? Se proprio volete che io ci lasci la pelle, stanotte mandatemi ad Alba a disarmare da me solo un posto di blocco. Io ci vado, naturalmente da me solo non ci riesco, la repubblica mi fa la pelle e voi siete soddisfatti.

Tutti scoppiarono a ridere di scherno e Morris disse: – Stai fresco che ti mandiamo ad Alba. Tu ci vai fino ad Alba, nessuno ne dubita. Ma poi a cinquanta metri dal posto di blocco lasci cascare il fucile, alzi le mani e gridi che sei scappato dai partigiani, che vuoi arruolarti nella repubblica e che se loro ti dànno fiducia tu gli fai prendere in un colpo solo tutti i partigiani di Cossano. Stai fresco, Blister, che ti mandiamo ad Alba.

Prima ancora che Morris finisse, Blister aveva steso avanti le mani e le agitava in aria come se volesse cancellare le parole di Morris. Disse: – Ah, Morris, non sei giusto, non parli bene. Sopporto che mi date del ladro ma non del traditore. Non c'è nessuno che può trovar da dire a Blister come partigiano. Io ho sempre fatto il mio dovere di partigiano. Non ho mai fatto niente di speciale, ma chi è che ha fatto qualcosa di speciale? Però io l'ho fatto qualcosa di speciale, adesso che ci penso, ed è stato quando è finita la battaglia di Alba e il vescovo di Alba ci ha fatto sapere che la repubblica era disposta a darci indietro i nostri morti. C'era o non c'era Blister in quei sei che sono entrati in Alba nel bel mezzo della repubblica a prendere i morti partigiani? I morti erano sul selciato, già nelle loro casse, e intorno c'erano degli ufficiali della repubblica con l'elmetto in testa e i guanti nelle mani. Aspettavano che arrivassimo noi e noi siamo arrivati su un camion tedesco di quelli gialli, preda bellica lampante. Abbiamo preso quel camion là per non far la figura di essere completamente al passivo. Gli ufficiali della repubblica hanno arricciato il naso a vedere quel camion tedesco, ma poi non hanno detto niente. E quando abbiamo finito di caricare le casse sul camion, uno di quegli ufficiali viene da me forse perché ero il piú vecchio e mi dà la mano da stringere, ma vigliacco se io gliel'ho stretta. È stata una scena, chiedete alla gente di Alba che stava a vedere dalle finestre e non respirava nemmeno piú per la paura che succedesse qualcosa da un momento all'altro. E questo è capitato il 3 di novembre ed è stata una cosa speciale perché se non è speciale che un vivo giochi la sua pelle per portare a casa dei morti, allora di speciale non c'è piú niente. Quindi come partigiano Blister lasciatelo stare e fate l'esame di coscienza prima di fargli la pelle.

Adesso lo lasciavano, uscivano tutti in fila, doveva

esserci stato un gesto di Morris che Blister non aveva notato.

« Vanno a mangiare, dev'essere mezzogiorno, – pensò lui, – da ieri ho perso il concetto del tempo ». Si sentí come se il cuore gli precipitasse in un burrone aperto nel suo stesso corpo, fin che parlava ed era ascoltato si sentiva difeso, nel silenzio e nella solitudine si perdeva. Guardò in faccia quelli che uscivano per ultimi per cercare di leggervi l'effetto del suo discorso. Vide che Set aveva un'ombra su tutta la faccia e pareva avercela con Morris.

Morris uscí l'ultimo e dal fondo dello stanzone Blister lo richiamò. – Morris. Lo so che non posso venire a mangiare con voi. Però fammi dire l'ora di tanto in tanto, Morris.

Morris annuí e, uscito lui, la chiave girò due volte nella toppa.

Mangiavano nell'altro stanzone e ne veniva rumore di piatti, di vetri e di posate, ma non di voci. « A tavola parlano sempre, alle volte gridano. Oggi no, oggi mangiano e pensano. È l'effetto del mio discorso. Si ricordano di nuovo bene del vecchio Blister ». Si lasciò andare a sorridere.

Poi la sentinella aveva aperto ed era entrato il cuciniere con un piatto con dentro carne e pane. Aveva fatto appena un passo dentro e posato il piatto per terra vicino all'uscio, come ai cani. Blister l'aveva ringraziato lo stesso, ma il cuciniere gli disse: – Ringrazia il cuore debole di Morris. Io questa carne me la mettevo sotto i piedi piuttosto che portarla a te. E poi è roba sprecata, non ha piú tempo di farti pro.

Il cuciniere uscí, ma subito rientrò con due cose che doveva aver lasciato dietro l'uscio: un secchio d'acqua e uno straccio d'asciugamani che posò dicendo:

– Per lavarti la faccia. Devi averla pulita quando ti portiamo fuori, – e uscí definitivamente.

Blister non toccò il mangiare, prese il secchio e se lo portò fino allo sgabello. Ci si sedette, col secchio tra le gambe. Cominciò a lavarsi, ma passarsi le mani sulla faccia gli bruciava. Allora intingeva le dita nell'acqua e poi se la spruzzava in faccia e aveva l'aria di godere come uno che si spruzza un profumo.

Parlavano dietro la porta. Scostò il secchio, in punta di piedi e colla faccia gocciolante andò all'uscio e ci stette ad origliare. Riconobbe le voci di Morris e di Set. Parlavano con molte pause, come chi sta fumando, ma senza riservatezza, e sembrava a Blister che dovessero farlo apposta a parlar tanto chiaro.

Diceva Morris: – Cosa fa Riccio che non torna? Riccio è di quelli che ce l'hanno di piú con Blister per quello che ha fatto.

Set diceva: – Fammelo fucilare da me, che io gli sparerò come se fosse un repubblicano.

E Morris: – Bisogna stare a vedere. Se Riccio torna con le guardie del corpo, sei tu che vai a toglierlo di mano alle guardie del corpo?

– Ma se deve essere uno di noi, quello voglio essere io. E dov'è che lo facciamo?

– Ho pensato a Madonna del Rovere. È un po' lontano come posto ma è sicuro.

Set non pareva interessato al posto e disse solamente: – Davvero, Morris, io mi sento di spargli senza nessuno scrupolo, colla sigaretta in bocca.

Blister non aveva perso una parola e alla fine pensò: «L'hanno fatto apposta a farsi sentire da me. È tutto teatro. Vogliono solo farmi prendere uno spavento e poi lasciano correre. Vogliono farmi provare l'agonia, ma adesso io so come regolarmi».

Cominciò a sorridere e sorrideva ancora quando nel cortile s'alzò un vocio e da questo apprese che era tornato Riccio.

Si portò di fronte alla porta e aspettò i due giri di chiave. Adesso tutto dipendeva da che Riccio fosse tornato solo e non colle guardie del corpo. Il presidio di Cossano faceva tutto teatro, ma le guardie del corpo difficilmente si adattavano a fare solo teatro, non si scomodavano per cosí poco, sotto questo aspetto era gente tremendamente seria.

Ma quando la porta si aprí, erano tutti suoi compagni quelli che si accalcarono dietro Morris e Riccio e stavano a fissarlo come affascinati.

Morris spiegò un foglietto da taccuino e nel silenzio fece lettura d'una condanna a morte mediante fucilazione. E aggiunse: – Te lo dicevamo che il Capitano non perdona queste cose. Ha detto che si vergogna lui per te.

Blister allargò le braccia e poi le lasciò ricadere sui fianchi. Morris si sporse a scrutarlo: fosse che i pugni gli avessero fatto una maschera o fosse altro, Blister sorrideva, un sorriso da furbo.

Uscirono di paese e andavano col passo legato di chi segue un funerale. A un ballatoio s'affacciò una ragazza. Era in confidenza coi partigiani e doveva saper tutto su Blister, perché dal ballatoio lo guardò precisamente come l'avevano guardato i partigiani da sulla porta. Blister guardò su, le strizzò l'occhio e passò via.

Camminava in testa tra Morris e Set, ogni tanto si voltava per un'occhiata a quella processione e quando si rigirava rifaceva il sorriso da furbo.

Passarono il ponte sul Belbo e cominciarono la piana che cessa all'imbocco della valle della Madonna del Rovere.

Morris guardando indietro vide che una mezza dozzina di suoi uomini s'erano staccati dalla fila e indugiavano sul ponte colle mani in tasca e la testa sul petto. Disse a Set di proseguire e lui tornò al ponte.

Quando vide che Morris tornava, Gym si chinò e si diede da fare col legaccio d'una scarpa.

Morris gli arrivò davanti e disse: – È inutile che fai finta di legarti una scarpa. Tirati su, che ho capito benissimo –. Li guardò in faccia uno ad uno e disse: – Parole chiare, cosa vi prende? Non siete ancora convinti che Blister è un delinquente e non volete immischiarvene?

Gym disse: – Per essere convinti siamo convinti, ma non ce la sentiamo lo stesso. È che noi eravamo abituati a Blister. Non t'arrabbiare, Morris, ma noi torniamo indietro.

Morris invece s'arrabbiò e disse duramente: – Avete la coscienza molle, però fate come vi pare. Ma è chiaro che quelli che vanno fino a Madonna del Rovere ci vanno per fare giustizia. Questo sia chiaro.

Gym disse: – Questo è chiaro, Morris, e nessuno dirà mai il contrario, – e Morris tornò su.

Blister stava dicendo a quello che gli veniva dietro: – Non pizzicarmi i talloni, Pietro.

Pietro rispose: – E tu cammina.

E Blister: – Io cammino, ma devi capire che non posso avere il tuo passo perché io ho un'altra età che la tua –. Poi si rivide Morris accanto e gli domandò dov'era stato, e Morris gli disse che s'era dovuto fermare per legarsi una scarpa. Blister gli sorrideva, un sorriso proprio naturale, e finí con lo strizzargli l'occhio. E poi gli disse: – Non farmi quella faccia da mortorio, Morris. Va' là che sei un bel burlone. Bei burloni che siete tutti. Set poi è il campione dei burloni, è quello che fa meglio la sua parte, ma è la faccia che lo aiuta di piú, che è tetra per natura. Voi non vi sognate nemmeno di fucilarmi, mi avete già quasi perdonato e se non fosse per la figura mi trattereste già di nuovo come prima, quando il presidio di Cossano non si poteva nemmeno concepire senza il vecchio Blister. Però pensate che a non farmi niente io la passo troppo liscia e cercate di farmela pagare un pochino. Ma io ho già fiutato che farete tutto in regola, meno la raffica e meno la fossa. Volete solo farmi venire un accidente, farmi prendere uno spavento che mi serva di lezione e poi per voi io sono già bell'e castigato. Volete che io mi metta in ginocchio, che preghi a mani giunte, che mi pisci nei calzoni e nient'altro. Ma se è solo per questo, perché far sgambare me e voi fino al Rovere? Potevate ben farmelo nel cortile giú a Cossano. Invece no, tutto per il teatro, fino al Rovere. È lontano, Cristo!

Blister s'era fermato per fare questo discorso e con lui s'erano dovuti fermare Morris e Set e i primi della fila. Set con uno scossone ripartí e spingendo avanti Blister disse rauco: — Io se fossi in te non lo direi piú Cristo a questa mira.

Blister stirò la faccia come se avesse un sospetto, ma poi ripigliò a sorridere e guardando Set con la coda dell'occhio: — È tutto teatro quel che fate, — disse, — e fin qui l'avete fatto bene, ma dovreste esserne già un po' stufi.

Come entrarono nella valle, da tutti i pagliai i cani di guardia cominciarono a latrare e a sbatacchiar le catene.

Morris sopportò un poco quel chiasso e poi gridò:

– Possibile che non si strozzino questi cani bastardi?

Blister disse calmo: – Sono i nostri peggiori nemici. Vengono subito dopo la repubblica.

Pietro passò avanti e fece colla testa un segno a Morris. Scese a una cascina e gli ultimi della fila si fermarono ad aspettarlo sul bordo della strada. Blister, Morris e Set e gli altri erano andati avanti ed entrati in un castagneto. Da valle venne qualche grido incomprensibile e poi una voce che chiamava chiaramente Morris.

Quando fu tornato sulla strada, Morris vide giú nell'aia della cascina Pietro che alzava le mani vuote e additava un vecchio contadino che gli stava accanto. Pietro mise le mani a tromba intorno alla bocca e gridò: – O Morris, non me la vuol dare!

Morris gridò: – Perché non te la vuol dare?

Laggiú il vecchio contadino stava come una statua.

Pietro gridò: – Dice che ce n'ha già imprestata una e non gliel'abbiamo riportata!

Morris gridò al contadino: – Dategliela. Io sono Morris. Garantisco io che vi torna a casa!

Pietro e il contadino sparirono sotto un portico e poi si vide Pietro risalire il pendio con una zappa sulle spalle. Tutti fissavano l'arnese, mentre Pietro risaliva e poi ancora quando si ritrovò sulla strada.

Morris disse a Pietro: – Adesso noi portiamo Blister in un posto pulito, ma tu la fossa vai a farla nel selvaggio dove non passa gente. E falla profonda come si deve, che poi non spunti fuori niente.

Disse Pietro: – Va bene, ma poi stasera a cena non voglio veder nessuno che non mi vuol mangiare vicino e nessuno che mi dica d'andarmi a lavare le mani due volte. Siamo intesi –. Ciò detto, se ne andò colla zappa per un sentiero traverso.

Era un posto pulito, una radura, dove i partigiani di Cossano si fermarono. Si misero su due file lasciando in mezzo un largo corridoio come la gente che aspetta di vedere una partita a bocce. E quando Blister venne a mettersi in cima a quel corridoio, si tolsero le mani di tasca e si tirarono un poco indietro.

Blister appariva fortemente arrabbiato e disse: – Voi fate come volete, però la regola è che un bel gioco dura poco, – e guardò Morris perché stava in Morris di finirla con quel teatro.

Morris tendeva l'orecchio al castagneto, sentiva venirne il picchio della zappa di Pietro, faceva un rumore dolce. Guardò Blister per capire se anche lui sentiva quel rumore, ma dalla faccia sembrava di no e allora Morris si disse che Blister era veramente vecchio.

Invece Blister afferrò quel rumore e capí ed emise un mugolio di quelli che fanno gli idioti che han sempre la bocca spalancata. Poi urlò: – Raoul...! – con una voce che fece drizzar le orecchie a tutti i cani nella lunga valle, e corse incontro a Set che era apparso in fondo al corridoio. Corse avanti colle mani protese come a tappar la bocca dell'arma di Set e cosí i primi colpi gli bucarono le mani.

Un altro muro

Le due guardie marciavano come se ogni volta calassero i tacchi su capsule di potassa, Max camminava avanti tastandosi il petto.

Lo sterno risaltava subito sotto le dita, era diventato magro da far senso a se stesso, per la fame patita in quei due mesi di neve sulle colline. Non c'era piú polpa tra la pelle e lo sterno, le pallottole gliel'avrebbero schiantato immediatamente. Si strizzò la pelle e si arrestò netto. Uno dei soldati lo gomitò nella schiena e lui si rincamminò.

« Ecco com'è finita! – gridava dentro di sé, – mi fucilano! Maledetti i miei amici! È per loro che io sono entrato nei partigiani, perché già c'erano loro. E maledetti tutti quelli che parlano della libertà! Mia madre farà bene ad andargli davanti e gridargli in faccia che sono degli assassini! »

Da qualcuna delle tante porte di quel lunghissimo androne uscivano voci come « Tocca a Caprara uscire di ronda », e « Chi ha visto il tenente Guerrini? », frasi qualunque di caserma, e dette nella sua lingua, ma all'orecchio di Max suonavano misteriose e terribili come voci d'una moltitudine di selvaggi africani che hanno catturato uno sperduto uomo bianco e si apprestano a sacrificarlo. Lui era l'uomo bianco.

Deviarono verso una porta sfumata nell'oscurità e scesero un paio di scale da sotterraneo. A metà delle scale gli occhi già gli lacrimavano per il freddo, poi intravide un barlume di luce e si asciugò gli occhi col dorso della mano.

Si trovavano al piano, in un corridoio lungo basso e stretto, con in fondo una lampada insufficiente. Nel cerchio di luce stava una sentinella che come li vide comparire si staccò dal muro e gli mosse incontro con una mano tesa e dicendo forte: – Un momento, fatemelo vedere nel muso questo traditore, – ma le due guardie non l'aspettarono e quando l'altro arrivò Max già stava dietro un usciolo con spioncino.

Quando la chiave fu levata dalla toppa, allora si voltò a guardare il posto. Era buio come un pozzo, salvo che per una ragnatela di luce grigiastra che pendeva da una botola in un angolo del soffitto. Ed era una ghiacciaia, il freddo l'attanagliò tutto e prontamente come se ad esso fosse affidata la prima tortura.

Sentí un respiro, cricchiare della paglia e vide alzarsi una forma umana.

– Sei partigiano anche tu? T'è andata male come a me?

Una voce giovane, ma rauca.

Lui non rispose, senza togliergli gli occhi di dosso si portò sotto la botola, al chiaro. L'altro l'aveva seguito fin là, e Max si sentí male quando vide una faccia pesta e due occhi famelicamente curiosi ancorché semisommersi dal ridondare della carne tumefatta. L'altro disse: – Adesso mi va già meglio, dovevi vedermi subito dopo il trattamento –. Si sporse a guardarlo bene in faccia, la nebbietta del suo fiato investiva la bocca di Max. – Te però non t'hanno picchiato.

– Vallo a domandare a loro perché non me l'hanno fatto.

– Forse all'interrogatorio gli hai risposto come volevano loro.

– Non è vero, mi sono tenuto su nelle risposte. Capito?

– E va bene. Me invece m'hanno picchiato perché non dicevo quello che volevano loro. C'è un partigiano dei nostri che ha preso uno dei loro e prima di finirlo gli ha cavato gli occhi. Io so che il fatto è capitato, ma non c'entro. Loro volevano che confessassi che ero stato io a cavargli gli occhi. Tu non sei mica garibaldino?

– Io ero badogliano.

L'altro gli andò via da davanti. – Allora puoi ancora sperare, – disse cominciando a fare il giro della cella, – i preti si fanno in quattro per salvarvi la vita a voi badogliani. Ma per noi rossi non alzano un dito.

Max s'offese della stoltezza di questo garibaldino che trovava che lui poteva sperare per il solo fatto che era badogliano. – Tu non sai quel che ti dici. Per la repubblica siamo tutti nemici uguali.

L'altro sorrise. – Io so bene quel che mi dico. Da quando son qua sotto, ho già visto un garibaldino andare al muro e due badogliani uscire grazie a un cambio che gli hanno combinato i preti della curia.

– Di' quel che ti pare. Ma se ci troveremo tutt'e due al muro, allora ti dirò io due parole –. Era molto irritato, ma poi tremò ripensando al modo naturale con cui aveva potuto parlare del muro. L'altro taceva, guardava in terra, ma non pareva proprio mortificato.

Max guardò la botola e chiese dove dava.

– Dà nel cortile.

– Dove ci troviamo?

– Nelle cantine del Seminario Minore. Ma adesso

non farmi piú domande, – e andò in un angolo dove si accucciò sulla paglia.

– Perché? – disse Max facendo un passo verso lui. – Hai paura che io sia una spia, che m'abbiano chiuso qui dentro per farti cantare?

Scosse la testa. – Lo vedo bene che sei un disgraziato come me. Ma non ho piú voglia di parlare. Prima speravo che mi dessero una compagnia in questa cella, e adesso che me l'han data... Per me è un male che t'abbiano messo con me. Mi accorgo adesso che mi toccherà cambiare quasi tutte le abitudini che mi son fatte.

Max andò a sedersi sulla paglia nell'angolo opposto e tra loro due passò un lungo silenzio. Per via del buio non era sicuro che l'altro lo guardasse, ma lui fissava l'altro e questo gli impediva di pensare soltanto a se stesso. Lo fissava e si diceva: «Sento che ci fucileranno insieme, lo sento. Chissà se sente anche lui la stessa cosa». Ma gli mancò il coraggio di domandarglielo.

Fu l'altro a riattaccar discorso. Prima si dimenò un poco come a vincere una resistenza e poi disse: – È il maggiore che ti ha interrogato? E te l'ha poi detto per quando?

– Non me l'ha detto di preciso. Ascolta che discorso m'ha fatto. M'ha detto che stasera lui gioca a poker coi suoi ufficiali e se perde non mi lascia vivere fino a domani a mezzogiorno.

– Quel discorso lí l'ha fatto anche a me, sembra che lo faccia a tutti.

– Ma allora lo dice per scherzo.

– No, non lo dice per scherzo. È una specie di libidine che ha il maggiore. Ma non lo dice per scherzo. Lo disse anche a Fulmine, quel garibaldino che te n'ho parlato prima, venne giú personalmente una sera a dirglielo in cella e l'indomani Fulmine lo portarono fuori al cimitero.

A Max cadde la testa sul petto. Poi pensò che l'altro lo osservava, rialzò la testa e domandò: – Ne dànno da mangiare?

– Come mangiano loro.

– E uscire?

– Niente uscire, nemmeno un minuto al giorno.

– Cosí è dura!

– Mica vero. A me non uscire non mi fa già piú nessun effetto. Pensaci un po', cosa vuoi che me ne faccia di vedere un pezzo di mondo se tanto non posso vederlo come vorrei io?

Si drizzò e andò in un angolo. Dopo un momento Max sentí rumore d'acqua che cade dall'alto in una latta. Il getto gli parve estremamente fragoroso. Poi l'altro si scrollò, tornò al suo posto senza nemmeno riabbottonarsi la brachetta. Si rimise giú sulla paglia e disse: – Eh, in questo stato la vita dovrebbe scaderti dal cuore, dovrebbe farti venir voglia di darle un calcio in culo e... Ma la voglia di vivere invece non ti va mica via.

A Max si misero a tremare i ginocchi, presto sbatterono l'un contro l'altro, con un suono secco, legnoso. Dapprima ficcò le mani tra i ginocchi per tenerli discosti, poi saltò via dalla paglia. Camminava su e giú.

Dal suo angolo l'altro lo studiava. – Cos'hai? Freddo? Paura?

– Freddo. Tutt'e due. Ma per adesso piú freddo che paura –. Mentí, perché gli sembrava che l'altro non ne avesse di paura.

– Se cominci ad aver freddo adesso, chissà stanotte. Voglio sperare che stanotte mi lasci dormire.

Max fece dietrofront. – Tu la notte dormi, qui dentro?

– Sicuro che dormo. Capirai che se anche devo essere fucilato ma la fucilazione si fa aspettare otto giorni, capirai che non posso sempre star sveglio. Sono otto giorni che sono qua dentro. Soltanto la prima notte sono stato sveglio un bel po'. Ma adesso mi addormento facilmente. Torna a sederti, va'!

Max tornò a sedersi e dopo un po' gli domandò come si chiamava.

– Mi chiamo Lancia. Nome di battaglia, si capisce.

– Io Max. E quanti anni hai?

Lancia gli rispose che andava per i venti e Max non se ne capacitava perché la faccia che Lancia gli aveva presentata sotto la botola era quella d'un uomo d'almeno trent'anni. Ma poi pensò che Lancia era stato picchiato, che era da otto giorni in quel sotterraneo, senza lavarsi né radersi, e che soprattutto era uno che nel migliore dei casi gli restava qualche decina d'ore da vivere, e credette ai vent'anni di Lancia.

Sentí lontana la voce di Lancia, gli domandava i suoi anni.

– Tanti come te.

Lancia disse solamente: – Facciamo una bella coppia, – e sembrò a Max che la voce gli avesse fatto cilecca per la prima volta.

Per il corridoio venivano uomini. Max puntò le mani sulla paglia, ma Lancia gli disse: – Non t'impressionare. Sono solo quelli che portano la sbobba.

Andarono insieme alla porta. Da fuori aprirono e un uomo accompagnato da una guardia sporse dentro due gavette e due pagnotte. A Lancia diedero subito la sua parte, ma Max lo fecero aspettare tenendo indietro la sua roba, per aver modo di guardarlo bene in faccia, perché Max era una novità.

Lancia l'aveva aspettato e tornarono insieme ai loro angoli con le gavette calde strette forte tra le mani.

Lancia sorrise. – Ti rincresce persino vuotare la gavetta, perché fin che c'è la roba dentro ti scalda le mani tanto bene. Ma il calore è meglio averlo nello stomaco. Il guaio è che dura poco.

Fin dai primi bocconi Max si sentí fortificato. Ma il cibo gli si incagliò in gola quando alzando a caso gli occhi vide l'ultimo chiarore ritirarsi su per la botola come se una qualche forza l'aspirasse da sopra. Era naturale che a quell'ora la luce venisse meno, stava cadendo la sera d'inverno. «Non è naturale! – gridò Max dentro di sé, – non è naturale! »

Stentò a finire la buona minestra della repubblica. Posò la gavetta a terra tra i piedi e stette a fissarla con la testa tra le mani. Pensava che aveva finito di mangiare, finito di fare una cosa che forse non avrebbe piú potuto rifare. Rialzò furiosamente la testa e guardò Lancia. Aveva finito anche lui di mangiare e stava posando la gavetta con un gesto lentissimo.

– Senti, Lancia. Senti, io ho tanti buoni amici e compagni su in collina. Mi fido soprattutto di uno che si chiama Luis. A quest'ora sanno di sicuro che sono stato preso e portato prigioniero ad Alba, e si saranno mossi per fare qualcosa per me. È impossibile che non facciano niente.

Lancia tardava a rispondergli e Max non discerneva piú la sua faccia. Poi Lancia disse: – Pensala come ti pare.

Max annaspò per lo stupore e poi disse violento: – Ma in che maniera mi rispondi?

– Se io ti dico come la penso io, tu mi salteresti addosso lo stesso. Be', te lo dico. Non aspettarti niente da fuori, non farti nessuna illusione su fuori. Anch'io avevo su in collina degli amici e dei compagni, ma in otto giorni non hanno fatto niente. Può darsi che pensino a noi, ma sai, come la gente sana pensa ai tisici. D'altronde io mi ricordo che ero anch'io cosí, quand'ero libero e sentivo che la repubblica aveva preso il tale partigiano, ci pensavo su un momento e poi tiravo avanti e non ne facevo niente. È cosí, va bene fin che capita agli altri. Ma stavolta è capitato a noi. E sai cosa voglio ancora dirti? Ci gioco che i nostri parlando di noi dicono che siamo stati dei fessi a farci prendere.

– Sono tanti vigliacchi! Io sono stato preso a tradimento! Non mi son fatto prendere come un fesso! La nebbia come ha tradito me poteva tradire chiunque! – Odiava i suoi amici e compagni, li vedeva in quella notte girare per le alte colline liberi e padroni della loro vita, armati tranquilli e superbi, vedeva le colline illuminate come a giorno per via del lume della luna sulla neve gelata, sentiva il vento arrivare dal mare passando per il grande varco tra gli Appennini e le Alpi. Si percosse la fronte coi pugni e gridava:
– La libertà, la libertà, la libertà!

Lancia si era rizzato sui ginocchi e trascinato fin da lui. Gli aveva attanagliato un braccio ed ora lo scrollava. – Non fare il matto, non alzar la voce! – Il suo tono era bassissimo e spaventato, l'orecchio teso alla porta. – Ti fai sentire dalla guardia. Viene alla porta e si mette a prenderci in giro con la tua libertà. Sono tremendi per prendere in giro.

Poi tornò ginocchioni alla sua paglia. – Stai calmo, e fai come faccio io adesso. Allungati e dormi.

– Tu sei pazzo!

– Sei tu pazzo.

– Io voglio restar sveglio. Dovessi tenermi gli occhi aperti con le dita.

Sentí la paglia gemere sotto il corpo di Lancia. – Aspetta un momento, Lancia, dimmi una cosa. Non c'è pericolo che entrino qua dentro al buio e che ci facciano fuori con la pistola?

– Qui no, se è per quello. Qui fanno le cose in regola. Ti portano fuori col plotone –. Lancia doveva aver proprio sonno, già la sua voce s'era ispessita.

– Te l'ho chiesto perché a un mio amico in prigione han fatto fare quella fine lí.

– Qui no, – e Lancia calò la testa sul braccio.

Lui si rannicchiò nel suo angolo. Ora che Lancia dormiva, lui rimaneva solo con se stesso, avrebbe pensato soltanto a se stesso. Era necessario, forse era già persino un po' tardi, ma pensare a se stesso l'atterriva, non raccoglieva la forza di cominciare. Cosí stette attento al respiro di Lancia ed ai moti del suo corpo.

Il buio non aveva ancora scancellato quella forma rattrappita. Lancia per terra l'affascinava. Immaginò di avvicinarglisi, giaceva sulla faccia, lui l'aveva preso per le spalle e adesso lo rivoltava, Lancia si lasciava fare con la greve docilità dei cadaveri. Ma rigirato che l'ebbe, vide innestata sul corpo di Lancia la sua testa, la sua faccia, in tutto e per tutto la sua. Era la faccia del suo cadavere, cogli occhi sigillati, la bocca schiusa e la gola ferma.

« Questa è soltanto la fine, non è ad essa che debbo pensare. Il difficile è arrivare alla fine, è su questo punto che mi debbo preparare ».

Venivano, gli comandavano d'alzarsi e camminare,

sulla porta lui si voltava a vedere se Lancia lo seguiva. Sí, veniva anche Lancia.

« Ci porteranno a un muro qualunque e a un certo punto toccheremo questo muro con la schiena. No, ci faranno mettere con la faccia al muro, vorranno fucilarci nella schiena, noi per loro siamo traditori. Non deve fare nessuna differenza, tanto anche se ci mettessero di fronte non ce la faremmo a tenere gli occhi aperti fino alla fine... » e in quel momento pensò la scarica, e atrocemente indurí il petto per non lasciarle il passo dentro il suo corpo. Ma si sentí come gli prendessero il cuore ed i polmoni a sforbiciate.

Saltò via dalla paglia, d'impeto arrivò da Lancia, frenò la gamba in tempo per non dargli un calcio in un fianco. Ne colse il respiro, corto e frequente. Lo guardò, cosí in basso come se già posasse in fondo a una fossa. Come lui ora guardava Lancia, i suoi esecutori avrebbero guardato lui, dopo.

Pensò di svegliarlo, premendogli una mano sulla spalla e con pronte in bocca le parole per rassicurarlo non appena aprisse gli occhi. Ma Lancia si sarebbe spaventato e poi si sarebbe infuriato. Il pensiero della collera di Lancia lo fermò. Aggirando il corpo di Lancia andò nell'angolo della latta. Ci orinò dentro con violenza, cercando di fare piú rumore possibile. Cosí forse Lancia si sarebbe svegliato e non avrebbe potuto dirgli tanto. Ma quello respirò un po' piú forte e si girò semplicemente sull'altro fianco.

Non si riabbottonò la brachetta e scavalcò Lancia. Tornando affondò le mani nelle tasche dei calzoni e si sentí sotto i polpastrelli, tra il pelo della stoffa, grani di pane e fili di tabacco. Il pane che aveva mangiato e il tabacco fumato in un tempo imprecisato, qualunque, del quale poteva soltanto dire che allora era libero. Gli partí un singhiozzo, tale che poteva aver varcato la porta ed esser giunto all'orecchio della guardia. Difatti sentí muovere nel corridoio, passi di chi viene a sorprendere in flagrante, fatti accuratamente sulla punta del piede. Ma poi la guardia dovette cambiare idea, si riallontanava con passi non piú segreti, fatti su tutto il piede.

Tornato al suo angolo, guardò su alla botola. «È buio, ma non dev'essere molto tardi. Saranno le otto. A quest'ora già abbiamo mangiato, già dovrei dormire come fa Lancia. Piú niente dipende da noi. Per noi il giorno e la notte ce li fa il maggiore, ci fa lui la vita e la morte. È spaventoso che degli uomini abbiano una simile potenza, una simile potenza dovrebbe essere soltanto di Dio. Ma Dio non c'è, bisogna proprio dire che non c'è. Chissà se il maggiore s'è già messo a giocare».

Fece con gli occhi il giro dei quattro muri. «Non riesco a spiegarmi come son finito qua dentro. So perfettamente come mi è andata, dal principio alla fine, ma non riesco a spiegarmelo. Mi sembra tutto un vigliacco gioco di prestigio. Il terribile è che non ci sarà nessun gioco di prestigio per tirarmi fuori».

Rivide sua madre, ferma nel mezzo della cucina in una tregua del suo lavoro, con negli occhi uno sguardo lontano che lui non le conosceva, e cantava come gemendo la sua solita, unica canzone:

La vita è breve, la morte viene,
Beati quelli che si fan del bene.

Sua madre ne avrebbe sofferto, tanto, e nel suo dolore ci sarebbe stata sempre una vena d'orrore per la fine che gli avevano fatto fare. Lui lo capiva, ma non poteva sentir pietà di lei, aveva bisogno di tutta la sua pietà per se stesso.

Rivide il fidanzato di Mabí, che era stata anche la sua fidanzata, al tempo in cui lei non prendeva niente sul serio. Lui Mabí ce l'aveva sempre avuta nel sangue, aveva sempre creduto con vera fede che il corpo di Mabí era il suo tra i milioni di corpi di ragazze che ballano sulla faccia della terra. Ora rivedeva il fidanzato di Mabí e provava per lui un'invidia travolgente, ma solo perché lui non doveva esser fucilato, lui sarebbe vissuto e per l'enorme numero di anni che compongono la vita normale d'un uomo avrebbe potuto fare un'infinità di cose delle quali il possedere Mabí era assolutamente la piú trascurabile.

« Luis lui è libero, deve ricordarsi di me, deve far qualcosa per me. Sono stato io che l'ho tirato via dalla strada di Valdivilla dov'era caduto per quella palla nel ginocchio. Se non era per me, lui non si sarebbe piú mosso e la repubblica gli arrivava sopra e lo finiva. A buon rendere. Ricordatene, Luis, per carità! »

Senza sapere come e in quanto tempo gli fosse venuto fatto, si trovò lungo disteso sulla paglia, il suo corpo premeva sul pavimento tanto pesantemente che questo gli sembrava cedesse e si avvallasse. Ci stava abbastanza comodo, almeno per quei primi momenti, ma stentava sempre piú a risollevare le palpebre. « Ti ricordi tuo cugino? Come piangeva quella sera, per la paura d'addormentarsi, dopo che gli avevano dato l'olio santo? Tu adesso sei come lui. E non sei tisico com'era lui, ma ti sei fatto prendere dalla repubblica e la repubblica t'ha condannato a morte. Ti fucileranno domani. Sei nato vent'anni fa apposta per questo ».

Fuori nel corridoio c'erano passi e confabulare, cambiavano la guardia. Lui avvertiva i rumori, ma talmente lontani che non bastavano piú a scuoterlo.

La nuova guardia si affacciò allo spioncino e si disse che quei due, se non fingevano, dormivano.

La mattina Max fu svegliato di strappo da un pesante passo di truppa. Tutto gli fu subito presente come se tra la sera avanti e stamane non fosse passato che un battito di palpebre, come aprí gli occhi saltò in piedi e corse sotto la botola da dove scendeva il trac-trac dei soldati insieme con la luce acquosa del primo mattino.

Guardò Lancia. Aveva anche lui gli occhi aperti e fissi alla botola. Lancia gli disse: – Non t'impressionare. Escono a rastrellare la campagna.

Era infatti la cadenza legata e pestante della colonna che si è appena mossa e non s'è ancora intervallata a dovere.

Lancia gli era venuto accanto. – Speriamo che i nostri non gli facciano un'imboscata o li impegnino in combattimento. Perché se gli fanno dei morti, quelli che tornano si vendicano su di noi.

Quando il rumore della marcia passò via, Lancia si spostò in metà della cella e fece là un po' di ginnastica. Alzava nella luce del giorno la sua faccia pesta, gialla dove non era violacea, particolarmente sformata attorno agli occhi. Ma ora la faccia di Lancia non faceva a Max piú nessun effetto.

Poi Lancia prese ad andare su e giú, e finí col mettercisi anche Max. Ma Lancia si fermò presto, per soffiarsi il naso. Siccome non aveva fazzoletto, si strinse il naso tra pollice e indice e soffiò forte torcendosi da una parte. Poi era tornato a rincantucciarsi al suo solito posto, come se quel poco moto fosse stato abbastanza per il suo corpo.

Max seguitò su e giú un altro po', finché si fermò per domandare: – Che si fa la mattina qua dentro? – Si sentí la voce grossa, catarrosa, e tutta la pelle come a contatto d'un vestito fradicio.

– Niente, – rispose Lancia, – lo stesso che di notte.

Dopo un lungo silenzio Max andò da Lancia e si chinò sui ginocchi davanti a lui. Si schiarí la gola e gli disse: – Senti, Lancia. Se ci mettono al muro insieme, facciamoci forza tra di noi. Facciamo un piano fin d'adesso.

Ma Lancia scuoteva già la testa quando Max doveva ancora finire di parlare. Sempre scuotendo la testa disse: – Non prendo nessun impegno, perché non posso prenderne. Neanche tu puoi prenderne con me, se ci pensi. Se mi mettono al muro, per me non ha nessuna importanza che mi ci mettano solo o con te. E poi non ho nessuna idea di come mi comporterò. Avrò una paura nera, questo è certo, ma non so proprio che razza di cose mi farà fare questa paura.

Max non disse piú niente, si rialzò e andò alla porta. Là serrò le dita attorno a una sbarra dello spioncino e cosí stette finché si sentí le dita abbruciacchiate dalla ruggine.

Tornò e si sedette nel suo angolo in faccia a Lancia. Parlò. – Se me la cavo, se il maggiore ritira l'ordine della mia fucilazione e mi libera... – Lancia fece con le labbra un verso d'irrisione, ma questo non lo fermò, – ... esco e non m'intrigherò mai piú di niente. Di niente. Nei partigiani non ci torno, tiro una croce sulla guerra e sulla politica. E se qualcuno verrà a dirmi che sono un vigliacco, io non gli risponderò a parole, ma gli riderò soltanto sul muso. Nei partigiani non ci torno. Tanto non avrò piú ragione di fare il partigiano perché, se mi lascia andare, io la repubblica non la odierò piú. Me ne dimenticherò. Penserò soltanto che a un certo punto della guerra m'è capitata una cosa tanto tremenda che non è possibile che siano stati degli uomini a farmela. Mi ricorderò fin che campo della cosa, ma mi dimenticherò subito degli uomini. Purché me la cavi, faccio voto di solo guardare e non toccare nella vita, sono pronto a fare il pitocco tutta la vita, lavorerò a raccogliere lo sterco delle bestie nelle strade. E se cosí la vita mi sembrerà dura, farò presto a rinfrescarmi la memoria, e dopo mi metterò a sorridere.

Guardava in terra ma si sentiva puntati addosso gli occhi di Lancia.

— Non contiamoci balle, Lancia, che è peccato mortale contarcene al punto che siamo. Sei convinto che noi siamo stati fatti fessi e che non possiamo piú farci furbi perché ci pigliano la pelle? Tu te la senti di morire per l'idea? Io no. E poi che idea? Se ti cerchi dentro, tu te la trovi l'idea? Io no. E nemmeno tu.

Lancia lo fissava, ma i suoi occhi semiaffogati non gli lasciavano capir niente. Max si sentí una vampa sulla faccia e un furore dentro. Era tutto teso, se Lancia faceva tanto di accennare a negare, lui gli si sarebbe buttato addosso e l'avrebbe preso per la gola urlando: — Porco bugiardo e vigliacco che non vuoi dire che io dico la verità!

Ma Lancia disse con voce controllata: — Sfogati fin che vuoi, ma parla piano che la guardia non ti senta. Non mi piace che si affaccino allo spioncino.

Max sgonfiò il petto e poi riprese a parlare calmo.

— Io non ho mai ucciso. Ho visto uccidere, questo sí. La prima volta che ho visto i miei compagni fucilare un fascista, quando è caduto, io mi son messe le mani sulla testa perché mi sembrava che il cielo dovesse crollarci addosso. Soltanto la prima volta m'ha fatto quell'effetto, ma anche in seguito veder fucilare è una cosa che m'ha sempre indisposto, che mi ha sempre fatto venire delle crisi. Una volta ho preso un repubblicano, io da solo. Gli sono arrivato dietro e gli ho puntato la pistola nella schiena. A momenti sveniva per lo spavento, ho dovuto prenderlo per la collottola per tenerlo dritto. Ti giuro che ho sentito pietà, e sono stato a un pelo dal buttar via la pistola e mettermi a confortarlo. Lui piangeva e avevo voglia di piangere anch'io. Poi l'ho portato su al comando, l'ho consegnato e mi son fatto promettere che quello non l'uccidevano. Mi hanno promesso tutto quello che volevo, m'hanno lasciato voltar le spalle e l'hanno fucilato. Ti dico queste cose perché voglio farti capire come mi sento io. Quando ho vinto non ho intascato la posta, e adesso che ho perduto devo pagarla per intero. Ma mi sembra di pagare per degli altri.

– E le hai dette queste cose al maggiore quando t'ha interrogato?

– No.

– Tanto non ti avrebbe creduto.

Sentirono su in cortile un vociare e correre d'uomini e Lancia disse subito: – Sono quelli a riposo che giocano al foot-ball per scaldarsi.

Max si alzò e andò come incantato sotto la botola. Sentiva gridare: – Passa, tira, dài una volta anche a me! – da voci calde e liete, di ragazzi, le fughe e gli arresti sul terreno invetriato, schioccar di dita, i botti del pallone ed il suo corto fruscio per l'aria. Di quando in quando il pallone veniva a stamparsi sul muro sopra la cantina ed ogni volta Max torceva istintivamente la testa come ad evitare uno schiaffo.

255

Per tutto il tempo che in cortile giocarono, i due nella cella non fecero parola. Smisero dopo un'ora buona, il mattino era alto ma la luce rimaneva acerba.

La porta si aprí e comparve un sergente. Fece due passi dentro mentre dietro di lui una guardia riempiva il vano della porta. Il sergente nascondeva una mano dietro la schiena e fissava Lancia. Lo stesso la guardia, e Max pensò che era strano, che Lancia già dovevano conoscerlo bene e che era piú logico prendessero interesse a lui che era nuovo.

Il sergente portò avanti quella mano, stringeva un paio di pantofole. Le buttò sulla paglia accanto a Lancia dicendogli: – Cambiati le scarpe.

Lancia guardò il sergente da sotto in su, senza toccar le pantofole.

– Cambiatele, ho detto.

Lancia abbassò gli occhi e le mani sulle scarpe e incominciò a slacciarsele. Max gli vedeva le dita tremare attorno ai legacci mentre ciocche di capelli gli si rovesciavano sulla fronte. Lancia sospendeva d'allentar le stringhe e con tutt'e due le mani si rimandava indietro i capelli.

– Piú presto, – diceva il sergente.

Max tremava e pensava che non capiva, che le sue scarpe erano molto piú buone di quelle di Lancia.

Finalmente il sergente ricevette le scarpe da Lancia e uscí con esse. Nel vano della porta rimase la sentinella. Max guardò Lancia, ma questi teneva la testa china, fisso a guardar le punte delle pantofole che s'era dovuto infilare. Allora Max guardò la sentinella, stava rivolto a un'estremità del corridoio. Poi da laggiú dovette arrivargli un segnale perché lui rispose con un gesto d'intesa. Guardò dentro e fece segno d'uscire, a tutt'e due.

Percorso il corridoio tra due nuove guardie, risalirono le scale che Max aveva discese la sera avanti. Pensò che non si poteva, non si doveva salire piú oltre in quel silenzio, con quella rassegnazione, che bisognava fare o dire qualcosa, per rompere. A metà dell'ultima scala, si voltò alla sua guardia e disse rauco: – Si può avere un po' d'acqua? Là sotto mi sono raffreddato e ho la gola che chiama acqua.

Ma la guardia inarcò le sopracciglia come per furore e gli gridò sulla bocca: – Non comunicare!

Riuscirono nell'androne e vi allungarono lo sguardo. Davanti alla porta del maggiore, con l'elmo in testa e il fucile a bracciarm, stavano otto soldati su una fila.

Le due guardie li fecero marciare e arrivarono davanti a quegli otto soldati. Il primo di questi li prese in consegna e le due guardie ripartirono.

Max e Lancia fissavano i soldati e Max si diceva: «Scommetto che sono di quelli che un'ora fa giocavano a foot-ball».

I soldati fissavano i due prigionieri, le facce impenetrabili, solo sbattevano troppo sovente le palpebre, forse per il fastidio dell'elmetto calcato sulla fronte.

Lancia prese a pestare i piedi, la suola di quelle pantofole era troppo sottile e il pavimento gelato. E Max si sentiva crescere dentro una specie di disturbo intestinale, si sarebbe premute le due mani sul ventre, ma non sapeva farlo sotto quei sedici occhi puntati.

La porta del comando era semiaperta, Max guardando di sbieco vide uno spigolo della scrivania del maggiore. Ciò che poteva vedere interamente era un uomo inclinato verso quella scrivania, un uomo alto e ossuto, vestito in borghese con un impermeabile chiaro e un cappello verde. Ma era lampante che quello non era il suo vestire solito, Max si spaventò e s'indignò come davanti a una sporca frode vittoriosa.

Poi l'uomo si drizzò, unì i tacchi senza batterli e si dispose a uscire. Mentre si chiudeva l'impermeabile, Max vide pendergli da una spalla sopra la giacca un mitra col calcio mozzato.

– Ce lo farà lui, con quello.

L'uomo uscí, sorpassando i due li guardò con occhi grigi e andò a fermarsi nel mezzo dell'androne con le spalle rivolte a loro. Il busto eretto e i tacchi accostati, la sua figura era inequivocabilmente militare. Guardò indietro se il drappello s'era formato e partí avanti.

Non ripercorsero tutto l'androne, tagliarono verso la porta d'un'arcata vetrata che dava nel cortile. La porta era bloccata dal gelo, ci vollero due soldati e tirare forte per disincastrarla.

Scesero nel cortile bianco e deserto, il terreno cricchiava acutamente sotto i loro piedi.

– Non facciamo molta strada, – disse Max e subito dopo trasalí, perché credeva d'averlo solo pensato. Ma i soldati non gli dissero né fecero niente, quel borghese nemmeno si voltò. Lancia ciondolava la testa, pareva desse ragione alle parole di Max, ma forse quel movimento della testa era semplicemente effetto della cadenza.

Erano nel bel mezzo del cortile. Lancia da una parte e Max dall'altra guardavano trascorrere i muri e spesso i loro sguardi s'incrociavano. Ma non li fecero deviare verso nessun muro, si lasciarono dietro tutti i muri, e arrivarono alla porta carraia. Un soldato corse avanti ad aprirla.

– Ci portano fuori. Sono furbi. Dev'essere mezzogiorno e la gente è ritirata a mangiare e cosí non può essere testimone dei loro assassinamenti. Ci portano al cimitero. So dov'è, è abbastanza lontano, ma ci arriveremo. Vorrei poter camminare per tutta l'eternità.

Usciti dalla porta carraia, raddoppiarono il passo. Erano entrati in una strada secondaria, dritta e deserta in tutta la sua lunghezza.

– È cosí, fanno le cose di nascosto dalla gente. Ma adesso io mi metto a urlare, mi faccio sentire. Tanto sono morto.

Alle loro spalle i soldati scoppiarono a cantare:

> San Marco, San Marco,
> Cosa importa se si muore...

Per lo stupore Max si fermò, girò la testa e vide serrarglisi addosso i soldati, con gli occhi arrovesciati, le facce congestionate dallo sforzo di cantare e marciare insieme con quella intensità, sentí dalle loro bocche spalancate le note arrivargli nelle orecchie come pietre da una fionda. San Marco, San Marco!

Si rigirò, ma non fece in tempo a distanziarsi, i soldati della prima fila lo presero a ginocchiate e lo cacciarono avanti cosí. Dovette correre per appaiarsi a Lancia, che correva anche lui, con le pantofole che gli scappavano dai piedi, le braccia tese come se volesse acchiappare i talloni del borghese che tirava via sempre piú rapido.

Max alzò gli occhi alle rade finestre di quella via: non una che si aprisse, nessuna tendina che si scostasse, nemmeno un'ombra guizzava dietro i vetri.

Passarono in un'altra strada e i soldati cantavano sempre, i loro fiati violenti sollevavano a Max e a Lancia i capelli sulla nuca.

Lancia scivolò, sbandò e cascò, i soldati a calci lo rimisero in piedi e in carreggiata. Cantavano ancora, ma non riuscivano piú ad articolare le parole della loro canzone, stridevano solo piú come uccellacci. Ma anche questa strada rimaneva deserta e le sue molte finestre sembravano sigillate.

– Gente di Alba! Gente di Alba, non puoi non sentire! Affacciati a vedere, non ti chiediamo di salvarci, vieni soltanto a vederci! – Max urlava, ma la sua voce annegava nel canto dei soldati. Guardò Lancia, si trascinava con una mano premuta sulla milza e la sua bocca era spalancata come a lasciare uscir grida che Max non intendeva.

Presso una piazza il borghese levò in alto una mano e i soldati cessarono di cantare e moderarono il passo.

In quella piazza c'era un gruppo di spalatori che avevano fatto mezzogiorno e stavano allontanandosi dalle loro pale piantate nei mucchi di neve. Li videro venire, riandarono ai mucchi, sconficcarono le pale e si rimisero a lavorare. Il drappello passò in rivista una fila di schiene curve.

Finita la piazza e attraversato un passaggio a livello, entrarono nella strada del cimitero.

Max guardava in terra la carreggiata della vettura dei morti, poi rialzò gli occhi e vide a sinistra rotondeggiare in lungo il tubo dell'acquedotto. Sapeva che correva parallelo alla strada fino al cimitero per proseguire poi da solo nell'aperta campagna. A destra vide prati sepolti da neve stendersi fino ai primi argini del fiume.

« Io parto. Mi butto verso il fiume. Sarò nella neve come una mosca nel miele, mi ammazzano infallantemente, ma io parto lo stesso. Cosí è piú facile, non c'è preparazione ».

Cosí pensò Max, ma non poteva, non poteva fare un passo fuori della cadenza del drappello.

Una svolta e si profilò il cimitero.

Max guardò il bianco quadrato, poi frugò cogli occhi la nuda campagna e gridò dentro di sé: «Dove siete, o partigiani? Cosa fate, partigiani? Saltate fuori dal vostro nascondiglio! Saltate fuori e sparate! Fateci tutti a pezzi! »

Nessuno venne in vista, solo una vecchia, lontano, oltre il cimitero, saliva un sentiero sul fianco dell'acquedotto, tirandosi dietro una capra.

Si fermarono al primo angolo del cimitero. Max alzò una mano e disse: – Prima lasciatemi orinare, – ma due soldati per ciascuno li spinsero di corsa con la faccia al muro.

Max allargò un gomito a toccar Lancia, ma non ci arrivava, vide soltanto con la coda dell'occhio la nebbietta che faceva nell'aria l'ultimo fiato di Lancia.

Si concentrò a fissare un segno rosso nel muro, una scrostatura che denudava il mattone rosso vivo tra il grigio vecchio e sporco dell'intonaco. Decise di fissare quel segno rosso fino alla fine.

Dietro c'era assoluto silenzio. Le ginocchia gli si sciolsero, ma il segno rosso rimaneva all'altezza dei suoi occhi.

Sentí il rumore della fine del mondo e tutti i capelli gli si rizzarono in testa. Qualcosa al suo fianco si torse e andò giú morbidamente. Lui era in piedi, e la sua schiena era certamente intatta, l'orina gli irrorava le cosce, calda tanto da farlo quasi uscir di sentimento. Ma non svenne e sospirò: – Avanti!

Non seppe quanto aspettò, poi riaprí gli occhi e guardò basso da una parte. Rivoletti di sangue correvano diramandosi verso le sue scarpe, ma prima d'arrivarci si rapprendevano sul terreno gelato. Risalí adagio il corso di quel sangue ed alla fine vide Lancia a terra, preciso come l'aveva visto dormire la notte in cella. Vide la mascella di Lancia muoversi un'ultima volta, come la mascella di chi mastica nel sonno, ma doveva essere un abbaglio della sua vista folle.

Si voltò. I soldati alzarono gli occhi da Lancia per posarli su lui. Lo stesso fece il borghese, che stava tutto solo da una parte, finiva di riabbottonarsi l'impermeabile e l'arma non era piú visibile tra le sue mani.

A una voce del borghese i soldati si riscossero, vennero a prenderlo per le braccia e se lo misero in mezzo. Ripartivano, si lasciarono alle spalle quel muro, s'indirizzavano alla città.

I soldati avevano preso un tranquillo passo di strada e giravano spesso gli occhi verso la faccia di Max.

Lui cercò con lo sguardo il borghese: era rimasto indietro per accendersi una sigaretta, ora li raggiungeva tirando le prime boccate.

Tra il fumo lo fissò con gli occhi grigi e gli disse: – Questo ti serva di lezione per quando sarai di nuovo libero. T'hanno fatto il cambio, fin da ieri sera è arrivato un prete dalle colline a proporcelo. Il cambio si farà nel pomeriggio, a Madonna degli Angeli. Ma questo ti serva di lezione. Era troppo comodo per te farti prendere e tornar libero in ventiquattr'ore senza passare niente. E raccontala pure, a me non importa proprio niente che tu la racconti.

Max non rispose. Andando guardava l'erba spuntare gialla tra la neve sul fianco dell'acquedotto.

Ettore va al lavoro

Sulla tavola della cucina c'era una bottiglietta di linimento che suo padre si dava ogni sera tornando su dalla bottega, un piatto sporco d'olio, la scodella del sale... Ettore passò a guardare sua madre.

Stava a cucinare al gas, lui le guardò per un po' i fianchi sformati, i piedi piatti, quando si chinava la sottana le si sollevava dietro mostrando i grossi elastici subito sopra il ginocchio.

Ettore l'amava.

Ettore finí di fumare e gettò il mozzicone mirando il mucchietto di segatura in terra vicino alla stufa. Ma cadde prima, accanto a un piede della madre. Lei si inclinò a guardarlo e poi si raddrizzò davanti al gas.

– Cos'hai guardato? – domandò lui con una voce pericolosa.

– Non sapevo che cosa m'era caduto vicino –. Lei aveva parlato da indifferente.

– Io la conosco bene quella tua maniera di guardare. Spegnilo! – urlò.

La donna fissò il figlio tendendo la pelle della fronte, poi abbassò gli occhi e calcò il piede sul mozzicone.

– Spento, – disse, e poi: – Ti fa male fumare tanto.

Ettore urlò: – Sei una giudea! Non è alla mia salute che pensi, è ai tuoi soldi. Io posso diventare tisico per il fumare e a te non te ne fa niente, ma sono i soldi che costano le sigarette... Sei una giudea!

Lei chinò la testa e non disse piú niente, solo sospirò in un modo che le portò avanti tutto il petto.

Adesso lui aspettava che lei parlasse, ma lei stava zitta, lui col labbro inferiore tutto sporto stava a guardarla pelare una patata con un'attenzione innaturale, s'infuriò dentro, gli pareva che vincesse lei stando zitta.

Si alzò da seduto e si mise ad andare su e giú per la cucina. Tutte le volte che le arrivava alle spalle, si fermava, con una fortissima voglia di provocarla, di urtarla nella schiena. Non lo fece, ma l'ultima volta che le si fermò dietro, le stese contro un braccio e le disse:

– Lasciami vivere, sai.

– Io non ti ho detto niente. Che cosa ti ho detto?

Ettore tornò. – È quello che hai nella testa che... Cosa ti viene nella testa tutte le volte che mi vedi accendere una sigaretta? Ti viene voglia di battermi con un martello, io lo so! Per te può fumare solo chi il tabacco se lo guadagna.

– Mai detto questo.

– Ma lo pensi. Di' che lo pensi! – Le andò addosso con le mani alte. – Confessa che lo pensi! – gridò.

Sua madre lasciò cadere la patata e gli si rivolse col coltello in mano: – Stai indietro.

Lui si fermò e lei disse: – Stai dove sei. Tanto non mi spaventi piú, è passato il tempo che mi spaventavi.

Ettore rise. – Basta che io ti alzi un dito sotto il mento per spaventarti. Attenta che lo alzo.

Lei lo scartò con uno scatto giovanile, gli sfuggí passando tra lui e la stufa e corse alla porta gridando: – Carlo! Carlo! – Ma lui la raggiunse, le passò avanti, le sbarrò col corpo la porta. Poi col petto gonfio e il movimento delle spalle la respinse verso il gas. – È inutile, stavolta non ci arrivi a farti sentire, a contar

le tue storie a mio padre e a mettergli voglia di pic-
chiarmi e di maledirmi –. Ripeté la voce stridula con
cui lei aveva chiamato il marito. – È inutile, adesso
prima ci spieghiamo io e te, ce la vediamo tra noi due
soli, da madre a figlio, – e rise.

La madre aveva ripreso in mano la patata da finir di
pelare.

– Allora, che cos'hai contro di me?

– Non ho niente.

– Bugiarda! Che cos'hai contro di me?

– Io sono tua madre. Non posso aver niente contro
di te –. Si era girata e faceva un gesto da avvocato,
tendeva le mani con le palme all'insú, a dimostrare.

Ettore scrollò furiosamente la testa e a occhi chiusi
urlò: – Cos'hai contro di meee?

– Ho che non lavori! – gridò lei e si rannicchiò nel-
l'angolo del gas.

Ma lui stette fermo nel mezzo della cucina, solo accennò con la testa e fece un lungo – Ah.

– Ho che hai ventidue anni e non lavori, – disse lei.

– Cosí ce l'hai con me perché non lavoro e non ti
porto a casa un po' di sporchi soldi. Non guadagno,
ma mangio, bevo, fumo, e la domenica sera vado a ballare e il lunedí mattina mi compero il giornale dello
sport. Per questo ce l'hai con me, perché io senza gua-
dagnarmele voglio tutte le cose che hanno quelli che
se le guadagnano. Tu capisci solo questo, il resto no,
il resto non lo capisci, non vuoi capirlo, perché è vero
ma è contro il tuo interesse. Io non mi trovo in questa
vita, e tu lo capisci ma non ci stai. Io non mi trovo in
questa vita perché ho fatto la guerra. Ricordatene
sempre che io ho fatto la guerra, e la guerra mi ha
cambiato, mi ha rotto l'abitudine a questa vita qui.

E adesso sto tutto il giorno a far niente perché cerco di rifarci l'abitudine, son tutto concentrato lí. Questo è quello che devi capire e che invece tu non vuoi capire. Ma te lo farò capire io! – e tese di nuovo il braccio contro di lei.

Lei disse: – Io capisco che tu non hai voglia di lavorare, lo vedo coi miei occhi. Perché hai lasciato il lavoro all'impresa?

– Il bel lavoro che m'han dato all'impresa! Tu lo sai perché l'ho lasciato, te l'ho detto, te l'ho gridato in faccia una volta come questa. Perché non era un lavoro da me, tu hai visto che lavoro mi facevano fare.

Lei negò sporgendo le labbra.

– Lo sai che lavoro mi facevano fare, – gridò lui, – perché un giorno sei venuta fin là a spiare se io ero andato a lavorare o se ero andato al fiume a fare il bagno.

– Questo te lo sei sognato tu.

– Bugiarda, sei una porca bugiarda! – gridò lui e la madre chinò la testa. – Mi facevano portare il calcestruzzo dalla betoniera a dove faceva di bisogno, cosí tutto il giorno, tutto il giorno avanti e indietro col carrello. Io da partigiano comandavo venti uomini e quello non era un lavoro da me. Il padre l'ha capito quando gliel'ho spiegato e non mi ha detto niente perché lui è un uomo e...

– Tuo padre è un povero stupido!

– Cristo, non dire che è stupido mio padre!

– Io posso dire di tuo padre cosa voglio, tutto quel che mi sento, sono l'unica che può. Tuo padre è uno stupido, è cieco e tu lo incanti come vuoi e per questo non ce l'hai mai con lui. Ma ce l'hai sempre con me perché io non sono stupida, io tu non m'incanti, perché io so quel che vuoi dire prima che tu parli, perché a me non la fai e per questo ce l'hai sempre con me! – Sembrava ubriaca d'orgoglio, quasi ballava con le mani sui fianchi.

Ettore le disse: – Tu sei furba, sí, sei piú intelligente di lui, te lo divori come intelligenza, ma io preferisco lui che tu dici che è stupido. Lo preferisco, gli voglio piú bene che a te e se mi mettessero il problema di chi lasciar morire di voi due, lascerei andare te senza pensarci un minuto.

Ettore e sua madre diventarono bianchi in viso e a tutt'e due cascarono le braccia.

Poi Ettore corse addosso a sua madre, la prese per le spalle, nascose la faccia nei suoi capelli vecchi, lei lottava e puntava le ginocchia, gridava: – Lasciami andare, non toccarmi, va' via che non ti veda mai piú! – e poi si mise a piangere, gli piangeva sul nudo del collo, ma lottava ancora, lui la strinse piú forte, furono lí lí per perdere l'equilibrio, Ettore raddrizzò tutt'e due con uno scossone, e gridava: – Lasciati abbracciare, non farti far male, stai buona che tanto non ti lascio andare, voglio tenerti abbracciata, adesso non ti muovere piú.

Stette finalmente ferma, piangeva sempre, i suoi capelli sapevano di petrolio, il suo vestito sapeva di lavandino.

Lui le disse: – Perché non mi hanno ammazzato? Tanto che m'hanno sparato davanti e di dietro e non mi hanno ammazzato!

Lei scosse la testa dandogli un forte colpo sulla guancia. – Ah, Ettore, non parlare cosí, ma mettiti a lavorare, fai un lavoro qualunque, non esser cieco, credimi e non sgridarmi quando ti dico che siamo quasi sulla strada. Tuo padre non ce la fa piú nel suo mestiere e io non ho altro lavoro che quello della casa e ho la malattia di fegato. Se non ti metti a lavorare tu, ci verrà a mancare il mangiare, l'alloggio e il vestire non solo, ma perderemo anche le nostre anime, perché diventeremo tutti pieni di veleno.

– Lascia fare a me, madre, la studio io la maniera, ti porterò dei soldi a casa, te lo giuro.

– Ma non tardare, Ettore, comincia ad aiutarci un po', dacci subito un po' di respiro, vendi le armi che hai portato a casa dalla guerra.

Lui scosse la testa contro la testa di lei. – Ho già provato con l'armaiolo di via Maestra, ma non me le compera, sono troppo grosse, dice che non sono commerciabili.

– Come faremo, Ettore?

– Faremo. Mamma, perdonami.

– Sí.

– No, dimmelo per lungo.

– Ti perdono.

– E non dirgli niente di oggi al padre, che possa tornar su stasera e non aver niente da non star tranquillo.

Quando scese e passò davanti alla bottega di suo padre, suo padre stava girato verso il fondo, gli si vedevano solo le spalle piene che Ettore aveva ereditate da lui, stava lucidando un mobile, tra l'odore degli acidi che adoperava.

– Vuoi una mano?

Suo padre si girò appena, scrollò la testa, disse mentre lui già si muoveva: – Torna solo presto per cena, stasera voglio mangiare presto e andare subito a dormire.

Lui si mise ad andare per la strada, andava a veder giocare alla pelota nel grande cortile dietro l'Albergo Nazionale. Gli piaceva sia per la bellezza del gioco, sia perché a veder le partite e a scommettere c'era sempre tanta gente, tutti oziosi, vecchi e giovani, e a vederne tanti e a trovarsi in mezzo a loro a Ettore sembrava di non esser dalla parte del torto.

Ma oggi, come si avvicinava, non sentiva il suono della palla battuta e ribattuta contro la muraglia, né le voci e lo scalpiccio degli spettatori eccitati.

Da sul portone vide la lizza deserta, in metà c'era una donna che faceva il bucato e con vicino un bambino seduto su un mastello rovesciato.

Entrò nella lizza come se non ci credesse ancora. Quel bambino mangiava una caramella con una pagnotta di pane. – Oggi non giocano, – gli disse il bambino.

– Lo vedo, – rispose lui con una faccia scura come se parlasse a un uomo che l'avesse fatto arrabbiare.

Tornò in strada, trovare il gioco deserto gli aveva fatto effetto, gli pareva d'esser stato tradito.

– È già su il padre che la bottega è chiusa? – domandò Ettore un'altra sera.

– È uscito per un affare, – gli disse sua madre. Lei sapeva già tutto a quell'ora, si disse poi Ettore.

– Che cos'hai fatto?

– Zuppa di latte.

– Brava, – disse Ettore a sua madre e andò verso la credenza. C'erano sopra due scatole d'iniezioni, erano belle, attraenti, colorate e rivestite di cellophane come pacchetti di sigarette estere.

Sua madre si era già voltata verso di lui. Disse: – Guarda dietro che prezzo hanno. Eppure vuoi che non ci faccia niente, vuoi che mi lasci marcire il fegato per non spendere?

Lui s'irritò. – Ma sicuro che devi farci qualcosa, chi fa questione di soldi in quelle cose lí? Capisci, quello che stanca di te, che fa perdere la pazienza, è il tuo vizio di voler dire anche le cose che invece è meglio lasciar da dire. Io odio quel vizio lí, mi fa montar la rabbia.

Lei si rigirò verso l'angolo del gas. Lui passò la mano sull'orlo della tavola. – Vuoi che prepari tavola?

– Lo faccio io.

Ettore si mise le mani in tasca e poi si schivò per lasciar passare sua madre verso la tavola.

– Dove te le fanno queste punture?

– Me le fanno nel braccio.

Ettore stette per chiederle se le facevano male ma poi non glielo chiese.

Suo padre tornò dieci minuti dopo che la tavola era preparata. Ettore l'aveva sentito fin dal primo scalino e sentí che il suo passo era meglio che le altre sere, forse faceva un po' degli scalini a due a due.

E quando entrò aveva un sorriso in bocca. Ettore si levò le mani di tasca e stette a guardargli quella faccia nuova, gli sembrò che con la testa accennasse di sí alla donna nell'angolo del gas.

– Cosa c'è, hai avuto un'ordinazione grossa? – disse Ettore.

– Riguarda te, – rispose suo padre, – ed è meglio che un'ordinazione grossa per me. Mettiamoci a tavola, parliamo da seduti.

A tavola Ettore seppe che gli era stato trovato un lavoro nella fabbrica della cioccolata e che per questo doveva esser riconoscente al cavalier Ansaldi.

Sua madre gli disse subito: – Allora attento a salutar sempre il cavalier Ansaldi quando lo vedi per la strada.

Ettore fu per voltarsi di scatto verso di lei e gridarle: « Tu lo sapevi! E perché non me l'hai detto? Volevi farmi la bella sorpresa? » ma pensò che lei poteva rispondergli che non c'era niente di sicuro e solo per questo non aveva parlato, e cosí cavarsela e far restare lui peggio nell'anima. E poi suo padre parlava, parlava.

– E nota che non ti fanno fare l'operaio, – diceva suo padre, – ma farai l'impiegato. Io gliel'ho detto al cavaliere che tu hai poche scuole ma che sei intelligente, e lui m'ha detto che lo sapeva già. Ti metteranno a far le lettere di vettura, sono i documenti delle spedizioni per ferrovia. Quello sarà il tuo lavoro e di nessun altro, e non è un lavoro da fermo perché dovrai andare sovente alla stazione alla gestione merci.

Ettore non aveva ancora parlato, sentiva che da dietro sua madre lo fissava da cinque minuti, vedeva bene nel vuoto come in uno specchio la sua bocca ansiosa e dura.

– Ti va? – gli domandò suo padre.

– Deve andargli, – disse sua madre.

Ettore s'infuriò in ogni muscolo facciale, ma stette zitto. Suo padre vide e disse a lei: – Non parlare con quella voce. Anzi non parlare niente. Lascia dire a noi uomini.

– Voi uomini!

Suo padre gridò: – Cos'hai contro di noi? Ficca il naso nella tua pentola e non tirarlo mai fuori. Ti ho sposato per questo, se vuoi saperlo!

Lei venne verso la tavola con gli occhi bassi ma la bocca indomita. – Mangia, Carlo, – disse calma al suo uomo mettendogli davanti la scodella del latte.

271

Suo padre cominciò a spezzare il pane e disse: – Ti metti il vestito meglio che hai, non vai a fare l'operaio che il vestito piú è straccio e meglio va. E fatti la barba fin da stasera.

– Non ho tempo a farmela domani mattina?

– Fattela quando vuoi, io ti ho detto stasera perché credevo che tu domani mattina volessi aver tempo di prepararti bene.

– Per che cosa prepararmi? – disse Ettore senza alzare gli occhi dalla scodella.

– Per andare a lavorare.

Sua madre disse: – Ettore non ha ancora detto niente se va o non va a lavorare.

Suo padre tirò indietro la testa, portò gli occhi da sua moglie a suo figlio.

Ettore disse: – Naturale che ci vado, – in fretta.

– Cosa ti viene in mente di dire? – domandò forte suo padre a sua madre.

Ettore decise di non metter piú pane nel latte, ma di berlo, cosí avrebbe alzato la scodella fino a coprirsi gli occhi e dietro quel riparo pensare. Non trovava niente dentro di sé che potesse fermare quella macchina di fatti e di parole che lo trascinava a lavorare l'indomani, non gli veniva un'idea, mai era stato preso cosí alla sprovvista, nemmeno in guerra.

Finito il latte, Ettore disse: – Io cosa ne so delle lettere di vettura?

– T'insegnano loro. Dicono che imparerai nella prima mattina. Ti metteranno vicino un impiegato per insegnarti, un bravo ragazzo.

– Chi è?

– Io non lo so.

Masticando Ettore disse di colpo a sua madre: – Per che cosa mi guardi?

– Non posso piú guardare? – disse lei.

– Non guardare me.

– Io non guardavo te, guardavo il piatto in mezzo.
Poi Ettore le disse: – Dammi la frutta se ce n'è.

– Non puoi aspettare che tuo padre abbia finito la
pietanza? Vuoi farlo mangiare al galoppo per arrivare alla frutta con te?

Lui s'arrabbiò. – Che bisogno c'è che mio padre
mangi la frutta con me? Che cosa fa a lui se io mangio
già la frutta mentre lui è ancora al piatto prima?

– Dàgli la frutta, – disse suo padre.

Traversò la piazza che prima portava il nome del re
e imboccò la via degli stabilimenti. Camminava e gli
venne in mente suo padre, un quarto d'ora prima,
sulla porta della sua bottega. Era commosso a vederlo
uscir di casa per andare a lavorare, aveva degli occhi
come un cane da caccia. Suo padre gli sporse la mano
e lui gliela strinse, ma stringendogliela lo fissava come
se non lo riconoscesse. « Tu sei mio padre? E perché
non sei milionario? Perché io non sono il figlio d'un
milionario? » Quell'uomo lí davanti gli aveva fatto
un torto a farlo nascere figlio di padre povero, lo stesso che se l'avesse procreato rachitico o con la testa
piú grossa di tutto il resto del corpo.

Poi pensò a quel tale che fra un quarto d'ora gli sarebbe stato accanto a insegnargli come si compila una
lettera di vettura. Bestemmiò con la voce che gli tremava.

Andando aveva visto in un'officina un operaio scap-
pucciare un tornio, e la sua faccia non era triste né
stanca né torva. Poi passarono sul loro camion gli operai della Società Elettrica, avevano un che di militare

273

per le loro uniformi azzurre e il dischetto d'ottone sul berretto e l'ordine con cui sedevano sulle sponde del camion. Anche loro non gli sembravano tristi né stanchi né torvi, gli parvero invece come estremamente superbi.

Ma lui scosse la testa tutt'e due le volte. « Il lavoro è uno sporco trucco, tanto quanto la guerra ».

Arrivò davanti alla fabbrica della cioccolata. C'era già piú di duecento operai e operaie: in qualunque direzione guardassero, sembravano tutti rivolti al grande portone metallico della fabbrica, come calamitati.

Ettore non si avvicinò, si diresse a un orinatoio e di là guardava i crocchi dei lavoranti e il portone ancora chiuso. Da dov'era poteva vedere la sirena alta su un terrazzino della fabbrica, gli sembrava che l'aria intorno alla tromba tremasse in attesa del fischio.

Finalmente arrivarono gli impiegati, otto, dieci, undici in tutto, non si mischiarono agli operai sull'asfalto, si tennero sul marciapiede.

Lui si nascose dietro l'orinatoio e li guardava attraverso i trafori metallici. « Io dovrei fare il dodicesimo » si disse, ma cominciò a scuoter la testa, non finiva piú di scuoterla e diceva: « No, no, non mi tireranno giú nel pozzo con loro. Non sarò mai dei vostri, qualunque altra cosa debba fare, mai dei vostri. Siamo troppo diversi, le donne che amano me non possono amare voi e viceversa. Io avrò un destino diverso dal vostro. Voi fate con naturalezza dei sacrifici che per me sono enormi, insopportabili, e io so fare a sangue freddo delle cose che a solo pensarle a voi farebbero drizzare i capelli in testa. Impossibile che io sia dei vostri ».

Tra le esalazioni che il sole già alto traeva dall'orinatoio Ettore pensava che costoro si chiudevano tra quattro mura per le otto migliori ore del giorno, e in queste otto ore fuori succedevano cose, nei caffè e negli sferisteri succedevano memorabili incontri d'uomini, partivano e arrivavano donne e treni e macchine, d'estate il fiume e d'inverno la collina nevosa. Costoro erano i tipi che niente vedevano e tutto dovevano farsi raccontare, i tipi che dovevano chiedere permesso anche per andare a veder morire loro padre o partorire loro moglie. E alla sera uscivano da quelle quattro mura, con un mucchietto di soldi assicurati per la fine del mese e un pizzico di cenere di quella che era stata la giornata.

Disse di no con la testa per l'ultima volta, si sarebbe subito messo in contatto con Bianco.

La sirena suonò, fece un rumore modesto che lui non s'aspettava cosí modesto, da dentro aprirono il portone, furono inghiottite prima le donne e poi gli uomini, gli uomini spegnevano le sigarette prima d'entrare oppure si voltavano con la schiena al portone per consumarle con lunghe boccate frenetiche.

Poi gli impiegati. Prima che sparissero, Ettore cercò di immaginarsi quale di loro doveva insegnargli a compilare le lettere di vettura. Non gliel'avrebbe insegnato, né oggi né mai su questa terra. « Caro mio, – diceva a tutti insieme e a nessuno in particolare, – tu hai la tua esperienza e io ho la mia. Tu potresti insegnarmi a fare le spedizioni, ma anch'io potrei insegnarti qualcosa. Ciascuno secondo la propria esperienza. Io ho imparato le armi, a spaventare la gente con un'occhiata, a starmene duro come una spranga davanti alla gente giú in ginocchio e con le mani giunte. Ciascuno secondo la propria esperienza ».

Uscí un gigantesco custode in camice nero, guardò una volta a destra e una volta a sinistra lungo i muri

275

della fabbrica, poi rientrò tirandosi dietro un battente del portone.

Ettore partí da dietro l'orinatoio e si incamminò forte verso il Caffè Commercio dove sapeva che Bianco dormiva, mentre dalla fabbrica già usciva il ronzio dei motori elettrici.

Bianco era stato un eroe in guerra, una volta aveva fatto ai tedeschi uno scherzo che pochi in Italia, e anche in Jugoslavia e in Polonia, han fatto ai tedeschi. Ora viveva con uno sfoggio di soldi da accecare tutti gli industriali della città, Ettore sapeva bene come se li guadagnava, e lo sapeva anche qualcun altro, ma non con la precisione di Ettore. Bianco l'aveva in grande stima come partigiano e dopo lo voleva con sé in quei suoi affari, gli aveva fatto la proposta una sera di Carnevale nel dancing sotterraneo dei fratelli Morra, ma Ettore quella volta non aveva accettato, forse perché erano tutt'e due bevuti.

Entrò nel Caffè Commercio, c'era segatura a mucchi sul pavimento e nessun cameriere a passarla. Erano le nove e non avevano ancora cominciata la pulizia, ma questo perché il Caffè Commercio non era un locale comune, dove si possa entrare a prendere una cioccolata all'arrivo del treno delle sette.

Bianco dormiva ancora, ma si svegliò e gli diede retta e anche da fumare. Da principio lo fece un po' soffrire perché non aveva accettato allora, ma poi disse che i suoi affari s'ingrandivano, che aveva bisogno di personale e che l'assumeva senz'altro. Lo faceva cominciare a lavorare quella sera stessa, si portasse la pistola, stasera andavano da un vecchio fascista al quale stavano perdonando a rate il suo fascismo.

– Bianco, io avrei bisogno di ventimila lire per domani a mezzogiorno.

– Per che cosa?

– Per mia madre, per tappar la bocca a mia madre.

– Tua madre cosa c'entra?

– Devo ben dimostrarlo che mi son messo a lavorare con te. Oh, stai tranquillo, le dico che faccio per tuo conto e coi tuoi camion gli autotrasporti da qui al porto di Genova.

– Te le do già stasera.

Uscí da Bianco: non era allegro, ma tranquillo, aveva la sensazione di lavorare già da tempo.

Con Bianco aveva fatto le dieci, e doveva riempire le due ore che ancora restavano di lavoro antimeridiano alla fabbrica della cioccolata.

Scese nel caffè e vide entrare nella sala dei biliardi due uomini di campagna. Un cameriere portò le bilie e il pallino, quei due si tolsero la giacca, s'infilarono nella camicia la punta della cravatta, tennero il cappello in testa, scelsero le stecche come se scegliessero le pistole per un duello. Tutto ciò senza parlarsi, senza guardarsi, facendo solo delle smorfie per il fumo che gli saliva nel naso dalle sigarette mai rimosse di bocca.

Giocavano diecimila lire la partita ai trentasei punti. Ettore segnava i punti sul pallottoliere, i due gli fecero portare un aperitivo e gli passavano sigarette. Una volta o due ci fu contestazione sui punti, perché Ettore era un po' distratto, cercava di immaginarsi la faccia di quel tale vecchio fascista, la faccia che aveva adesso e la faccia che avrebbe avuto stasera.

Aveva fatto mezzogiorno. Andò a casa, durante il pranzo non dovette nemmeno contar balle a suo padre perché suo padre non gli domandò niente, Ettore capí che gli avrebbe domandato tutto alla sera, dopo che avesse fatta tutta la giornata e avesse impressioni complete.

Mangiò e si alzò subito per uscire.

– Scappi già? – gli disse sua madre.

– Stai zitta, – le disse suo padre, – adesso che lavora può fare tutto quello che vuole.

Al caffè fece una partita a biliardo e una a cocincina. Quando suonarono le sirene delle fabbriche, domandò cosa c'era al cinema.

– *Sfida infernale.*

– Che roba è?

– Far West. Ho visto i cartelloni.

– Allora vado a vedere questa sfida infernale, – disse Ettore.

Ma mancava un'ora all'apertura del cinema, e si ritirò in un angolo della sala dei biliardi, a star solo, pensare e fumare.

Forse era perché aveva fumato troppo in questi giorni, ma si sentiva un male al cuore, una palpitazione, desiderava di esser già un po' avanti nel suo lavoro con Bianco, di avere soldi e calmi i suoi vecchi, che fosse vicino, il piú possibile vicino il giorno che potesse dirsi: « Dio, come si son messe bene le cose! » Ecco, era una domenica, non oltre l'autunno, una domenica pomeriggio. Lui s'era cambiato da festa e veniva in cucina dalla sua stanza. In cucina c'era sua madre seduta davanti alla finestra e guardava i tetti della casa accanto.

– Tu non esci mai la domenica? – le domandava. Lei scuoteva la testa.

– Ti riposi?

– Mi riposo le braccia e le gambe ma non la testa.

– Cos'hai nella testa?

– Penso.

– A cosa pensi, madre?

Sua madre alzava il mento come per indicare la cima di una montagna di cose.

Lui le andava alle spalle e le diceva: – Sai, madre, io so cosa fai tu. Ci lasci andar via tutti e poi ti chiudi dentro a chiave e ti metti a contare i bei soldi che ti ho portato io.

Lei scuoteva molto la testa e diceva: – C'è poco da contare.

– Cosa? – gridava lui.

– Va bene. Ma non li conto. So quanto c'è.

– È abbastanza? Sei contenta?

– È abbastanza, son contenta adesso che fai il tuo dovere da uomo, ma ho sempre paura che smetti.

– Non smetto.

Poi Ettore domandava: – Dov'è andato il padre?

– Non lo so.

– È andato all'osteria?

– Non va mica all'osteria come gli altri tuo padre. Sarà andato fin sul ponte a vedere il fiume. Tu dove vai adesso che esci? Vai al caffè?

– Vado in giro, non voglio perdere un giorno bello cosí, sono gli ultimi giorni belli prima dell'inverno.

Sua madre gli diceva: – Esci con Vanda.

Lui diceva: – Tu ne sai di cose.

– Lo sai che a me non la fai.

– Cos'hai con Vanda?

– Niente ho con Vanda. Ma è una disgraziata a volerti bene. Povera figlia, è una disgraziata, glielo dico io che sono tua madre, glielo dico che è una disgraziata a volerti bene, la prima volta che l'incontro.

– Ah, è una disgraziata a volermi bene? Perché se tu fossi una ragazza non mi piglieresti, di'?

– No, – diceva lei scuotendo la testa ed oscillando il dito.

Lui rideva forte, la prendeva per le spalle mentre lei continuava a dire e a segnare no, le faceva un po' d'amore come a una ragazza, le carezzava il collo e le sfiorava i capelli con la bocca. E nel mentre diceva: – Non mi piglieresti proprio? Al volo io dico che mi piglieresti. Un uomo come me. Solo che tu fossi una ragazza fresca e non la vecchia carretta che sei.

Si chinava per baciarla di sorpresa nel mezzo dei capelli, ma lei che continuava a scrollar la testa riceveva il bacio sul collo. Stava un momento tutta rigida, poi arricciava il collo e diceva piano: – Se tu sapessi dove va a finire tutto questo con gli anni, – e scuoteva ancora la testa.

Poi Ettore diceva: – Allora adesso ti lascio sola a contare i soldi.

Lei scrollava le spalle e lui usciva pensando: « Dio come si son messe bene le cose! »

Andò al cinema. La pellicola gli piacque come non si aspettava e cosí non fece fatica a starlo a vedere due volte, doveva fare le sei.

Quando uscí erano pressapoco le sei. Andò verso casa lentamente.

Suo padre era fuori davanti alla bottega, e cominciò a sorridere quando lui svoltò l'angolo e tenne il sorriso finché lui gli arrivò davanti.

– Allora, Ettore?

– Cosa?

– Il tuo lavoro?

Ettore puntò gli occhi su suo padre, respirò forte e disse: – Senti, padre, io il mio lavoro lo faccio e lo farò, ma non mi piace, e non mi piacerà mai, – e andò di sopra.

Di sopra parlò per primo a sua madre, le chiese se si poteva mangiar presto. Lei disse che si mangiava presto, perché suo padre doveva andare a un'adunanza di artigiani che era per le otto.

Sua madre non gli domandò niente del suo lavoro, si vedeva che soffriva per la voglia di chiedere, ma le mancava il coraggio, non sapeva che tono prendere a parlare, aveva paura che lui s'accendesse come un fiammifero. Lui aveva una faccia nervosa.

Suo padre venne su e non disse niente durante la cena, tenne sempre gli occhi bassi, sembrava si vergognasse di qualcosa.

Finito cena, suo padre andò di là, ci stette un po' e poi andò alla porta. – Io vado, – disse a sua moglie.

Lei si voltò a guardarlo, gli occhi le scintillarono di disprezzo e di disperazione, gli disse forte: – Perché non ti sei cambiato? Almeno posa il berretto e mettiti il cappello. Vai a un'adunanza. Sembrerai il piú straccione.

– Lo sono, – disse calmo suo padre, e uscí.

Sua madre andò a chiudergli dietro la porta con violenza e poi disse a Ettore: – Hai visto? L'uomo si lascia andare, non si cura piú, hai visto come perde i calzoni dietro?

Guardando fuori attraverso la finestra sopra il lavandino Ettore disse: – Lascialo vivere, lasciagli fare tutto quello che vuole, in questi pochi anni che ha ancora da vivere lascialo fare secondo la sua testa. Io vorrei una cosa, mi piacerebbe una cosa. Che il padre potesse vivere questi ultimi anni come viveva quando era giovane come me, che finisse di essere tuo uomo e mio padre, come se avesse finito un servizio che gli ha preso trent'anni, e vivesse questi ultimi anni come se fosse libero e solo. Mi capisci cosa vorrei io?

Sua madre si voltò verso di lui, con gli occhi fissi e le labbra premute.

– Tu sei solo una donna, – disse allora Ettore.

Lui accese una sigaretta, lei cominciò a riunire i piatti e a far gettare l'acqua.

Ettore non si decideva, si ritrovava nello stesso stato di quando doveva uscire per divertirsi e spendere e cercava di decidersi a chiederle i soldi.

Sua madre doveva pensare alla medesima cosa, perché senza voltarsi disse d'un tratto: – Non vuoi mica già dei soldi? A lavorare hai cominciato solo oggi e soldi a casa non ne hai ancora portati.

Allora Ettore spense la sigaretta e disse adagio: – Non ci sono mica andato a lavorare.

Lei si girò, aveva una mano tutta bagnata premuta sul petto dalla parte del cuore. Gridò: – Me l'aspettavo! Me l'aspettavo ma è troppo grossa lo stesso! Tu sei pazzo, Ettore, sei cattivo, sei un traditore, vedi tuo padre e tua madre morire di sete e non ci dài una goccia d'acqua...

– Non gridare! – gridò lui saltando in piedi, – comincio a lavorare stasera. Con Bianco. Carichiamo un camion e lo portiamo a Genova. Oh, hai già cambiato faccia. Ritorno domani e ti porto tanti soldi che a guadagnarli alla fabbrica della cioccolata mi ci andava un mese. Sei contenta?

Sua madre non disse niente, andò al lavandino a chiudere l'acqua, poi tornando disse: – Che lavoro è? È un buon lavoro?

– Cosa vuoi dire con un buon lavoro?

– Un buon lavoro. È un lavoro che dura? O dopo questo viaggio a Genova sei di nuovo con le mani in mano? Guarda che non voglio piú vederti con le mani in mano, mi fa impazzire.

– Vedrai che dura. Dopo andiamo a far trasporti in Toscana, a Roma, magari fino in Sicilia. Sarà bene che mi comperi una giacca di pelle, da autista.

– Te la compero io di seconda mano, – disse in fretta sua madre.

– No, guarda, me la faccio comprare da Bianco. È lui che deve pensarci.

– Quando ti sei messo d'accordo con Bianco?

– Oggi. Stamattina invece di andare a lavorare alla cioccolata sono andato a trovar Bianco dove dorme. Erano dei mesi che lui mi voleva. Ho perso dei bei soldi a non accettar subito.

Lei soffriva a sentir parlare di soldi perduti, le si rigava tutta la pelle per quella sofferenza. Disse forte: – E perché non hai accettato allora?

– Perché Bianco in definitiva è un padrone come tutti gli altri padroni. E io allora non volevo padroni. Oggi ho capito che per cominciare bisogna stare sotto un padrone, e ho scelto Bianco perché sotto di lui c'è da emanciparsi piú presto... Ma per i soldi adesso mi rifaccio, in un anno voglio guadagnar tanto da poter mollare Bianco e mettermi a lavorare per conto mio. Non so ancora cosa farò per conto mio, ma mi verranno delle idee mentre lavoro sotto Bianco. E a te ti compero quello che vuoi, una tabaccheria o un negozio di commestibili, quello che vuoi tu. Un negozio che tu debba solo star seduta a contare i soldi.

Lei taceva, lo guardava con occhi lucidi e ansimava nel petto. Poi gli domandò: – E come li guadagni tanti soldi?

– È il lavoro che li porta, il tipo di lavoro.

– Che lavoro è?

– Non facciamo passare certi controlli alla roba che portiamo.

– Allora è pericoloso? – Non era spaventata, solo attentissima.

– Niente pericoloso. È un lavoro solo da multe se ti prendono, non da prigione. E le multe le paga Bianco.

– Allora non è pericoloso.

– Puoi fare a meno di pregare per me quando sono fuori per le strade.

– Oh, io non prego piú per te.

Ettore rise. Poi disse: – Adesso lasciami andare che non faccia tardi fin dalla prima sera.

– Da Genova quando torni?

– Son qui per domani a mezzogiorno.

Sua madre pensò e poi disse: – Pigliati un po' di giornali e mettiteli bene sullo stomaco. Fa freddo a viaggiare.

– Tu parli cosí perché non sei mai stata nella cabina d'un camion –. E poi: – Vado di là ad aggiustarmi.

Lei gli disse dietro: – Aspetta, apri di nuovo un po' quella porta. Quando torni portami i soldi di sicuro, se no io non ci sto piú.

– Li hai già in mano. Al padre dillo tu.

– Glielo dico io. Ma lui non resterà mica contento. Non l'hai ascoltato.

– Ma non è la prima volta che non l'ascolto.

– Ma stavolta era l'ultima volta che lui voleva che tu l'ascoltassi. Fa niente, glielo dico io, tu vai pure.

– Mi rincresce, ma vedrai che alla fine sarà contento anche lui. Lo faccio star bene questi ultimi anni.

Andò in sua stanza, aprí con forza e rumore il cassetto dove c'era il pettine e poi lo richiuse adagio e senza rumore, andò in punta di piedi al letto, da sotto il materasso tirò fuori la pistola. La guardò, se la mise sotto il giubbotto e uscí per andare a lavorare.

Quell'antica ragazza

Quel giorno Marziano tornando dal Rustichello vide sull'aia del Nano una ragazza mai vista prima, vestita come una signora forestiera, e che quando si fu accorta di lui lo fissò con tali occhi che Marziano si guardò la terra sotto i piedi e allungò il passo per casa, persuaso che fosse la figlia del padrone del Nano salita dalla città.

– Contami com'era vestita, – gli domandò sua madre a casa.

Marziano le aveva veduta una veste turchina e le calze bianche. Allora la mezzadra disse che non era la figlia del padrone del Nano, ma solamente la nipote del mezzadro, e che era alle Rosine di Torino dove l'aveva fatta entrare la pietà del padrone dopo che i suoi erano morti sotto il carro ribaltato. Si chiamava Argentina, e doveva esser venuta al Nano in licenza.

Al Pavaglione non se ne parlò piú, ma uno alla volta i ragazzi salivano al bricchetto che dominava il Nano e di lassú guardavano a lungo giú nell'aia.

Una sera Agostino andava per suo conto sul sentiero al margine del castagneto, quando gli si para di traverso quell'Argentina, vestita proprio come aveva detto Marziano. Era entrata giusto nel filo del vento e alzò un braccio a raccogliersi i capelli sulla nuca. Agostino pensò di saltar nel bosco per nasconderlesi, ma lei si voltò un attimo prima e lo guardò con occhi neri da sotto il braccio ripiegato e lui restò come legato mani e piedi.

Senza muoversi gli domandò: – Tu chi sei?

Zitto Agostino.

– Stai da queste parti?

Agostino abbassò gli occhi, ma anche cosí le vedeva la punta d'una scarpina nera da città, e li abbassò di piú.

– Sei un disgraziato muto?

– No! – gridò lui.

Rise e gli scese incontro d'un passo. – Allora chi sei?

– Sono il servitore del Pavaglione.

– Cosí stai da Matteo. Però sei ben superbo per essere solo un servitore.

– Tu sei meglio di me?

– Lo sai chi sono io?

– Sei la nipote di quelli del Nano.

– Come fai a saperlo?

– La mia padrona.

Lei scese d'un altro passo. – Dove te ne andavi?

– Per mio conto.

– Come per tuo conto? Un servitore che va per suo conto in un'ora di chiaro. Sei scappato dal Pavaglione? Dillo a me.

– Non sono scappato. Ma per oggi ho finito e vado per mio conto.

Argentina sogguardò il castagneto. – Entri nel bosco?

– Se mi va.

– Entra nel bosco. Io ti vengo dietro.

– Io vado per mio conto.

– Perché non vuoi venire con me?

Agostino guardò alto alla langa, ma lei gli cercò gli

286

occhi, finché li ebbe e glieli tenne. — Non ti piacerebbe girare il bosco con me?

— Perché vuoi venire nel bosco con me?

— Perché è pieno di nidi. Tu li cerchi e mi cogli gli uccelli appena nati.

— Cosa ne fai?

— Mi cerco un bastoncino e ce li infilo uno dopo l'altro man mano che tu li trovi e me li passi.

— Chi te l'ha insegnato?

— L'ho imparato bell'e da me, da piccola. E ho sempre trovato i ragazzi che mi cercavano apposta i nidi.

— Me non mi trovi, — le disse forte Agostino, e le voltò le spalle.

Lei gli disse dietro: — Starai bene con me nel bosco.

Senza voltarsi le fece segno di no, e già correva, anche per la ripidità del sentiero.

— Stupido! — gli gridò dietro Argentina, — stupido, me lo faranno i figli di Matteo!

Glielo fecero sí, a cominciare da Genio. E Agostino si sentí dentro un male misterioso la notte che cercò invano Genio per tutta la casa. Uscí sull'aia, si riempí gli occhi di buio e gli orecchi di vento marino forte e soave, ed era certo che in un qualche punto di quel buio Argentina se ne stava con Genio, senza piú la veste turchina e le calze bianche. Andò a coricarsi nella stalla, ma non dormí, vegliò con la testa piegata sul petto come a cogliere con l'orecchio il primo sbocco d'una nuova sorgente.

E poi toccò a Marziano. I ragazzi parlarono e si seppe che altri vicini si facevano avanti per andare la notte con Argentina.

L'indomani della notte di Marziano, Agostino ci patí, come mai prima, a lavorare. Non vedeva l'ora che tramontasse e se alzava gli occhi dalla terra il sole era sempre inchiodato allo stesso punto del cielo. Il corpo gli si tendeva fino a indolorirsi e gli sopravveniva poi una debolezza per cui le ginocchia erano lí per cedergli. Ora sapeva a che altro poteva, doveva servire quel suo corpo; non che non lo sapesse da prima, ma aveva sempre riferito quel pensiero al corpo degli altri uomini. Dando la schiena a Matteo, se lo guardò e toccò, e decise che quella sera stessa sarebbe stato per Argentina come la vanga era per la terra.

Calò il sole e dopo cena Agostino aggirò la casa e andò a sedersi sul tronco a ridosso del muro che dava sulla terra. Lí aspettò che tutto il creato si riducesse a un vento nero, poi si alzò e si mosse quel tanto che bastava per arrivare a vedere una finestra illuminata del Nano. Ma tornò quasi subito indietro, per una paura, una disperazione.

Si rimise a sedere sul tronco, finché con la coda dell'occhio afferrò un movimento che poteva essere un'ombra qualunque, ed era invece Argentina.

Andarono al bosco in silenzio, lui tenendola stretta per un braccio come se ad ogni momento dovesse scappargli nel buio e dal buio ridergli.

L'ebbe sulla terra decliva, col vento che le saettava i gemiti lontano.

Dopo lei gli disse: – Potevi essere il primo se non eri tanto stupido e superbo.

– Io sono contento anche cosí, Argentina.

– Te non so nemmeno come ti chiami.

– Agostino.

– Come ti chiami?

– Agostino.

Ma s'allargò e s'infittí la diceria ed i ragazzi, anche i lontani fino al settivio del Pilone e i piccoli come Tomalino della Serra, salivano ogni sera al bricchetto sopra il Nano e di lassú la chiamavano a piú voci, e siccome lei non si affacciava, si diedero a urlare e sghignazzare, finché suo zio uscí col fucile e fece un colpo in aria.

Disse Matteo al Pavaglione: – È stato un buon sfogo per i nostri maschi.

– Ma adesso han preso il vizio, – disse la mezzadra, – e chi glielo mantiene?

– Cominciare dovevano cominciare, – e alla figlia Domenica che si muoveva tutta nervosa disse: – Tu tieni il sangue fermo, che presto ti maritiamo e avrai anche tu quel che ti spetta. Ma di buon giusto.

La mezzadra si domandava: «Non possono mica averglielo insegnato alle Rosine? Da dov'è uscita quella ragazza infernata?»

Lo seppe dalla mezzadra del Nano. Aveva chiesto alla nipote, dopo averla legata alla tavola e cinghiata ben bene, cosa l'era saltato in mente, e Argentina piangendo aveva risposto che lei credeva che le ragazze che non stavano in collegio lo facessero tutte e sempre.

La mattina dopo suo zio la caricò sul carro, la portava ad Alba a farle prendere il treno per Torino. Sulla testa e sulle spalle le avevano buttato una veste nera di sua zia, a nasconderla. Ma dove il carro passava, tutti gli uomini sulla terra alzavano la schiena.

L'acqua verde

Era venuto al fiume nell'ora di mezzogiorno, e non c'era nessuno sul fiume, nemmeno il martin pescatore. Aveva attraversato il ponte perché pensava che era meglio succedesse sulla sponda opposta alla città, e poi aveva continuato ad allontanarsi per un sentiero che andava a perdersi nel sabbione. Da dove s'era fermato e seduto, poteva vedere il ponte, lontano come se fosse incollato all'orizzonte, e gli uomini e i carri che ci passavano sopra gli apparivano formiche e giocattoli.

Era già un pezzo che stava lí seduto sotto il pioppo, con in grembo l'ombra dell'albero e le gambe stese al sole. Perché non l'aveva già fatto?

S'era lasciato distrarre a lungo da un uccellino venuto a posarsi su una lingua di terra ghiaiosa e sterposa che rompeva l'acqua proprio di fronte a lui. L'uccellino s'era messo a esplorare quella terra saltellando a zampe giunte tra gli sterpi e storcendo la testa a destra e a manca come avesse nel collo un meccanismo. Era grazioso, col dorso color tabacco e una fettuccia turchina intorno al collo bianchissimo. L'aveva preso una incredibile curiosità di saperne la razza, si disse persino che se fosse tornato in città avrebbe potuto descriverlo al suo amico Vittorio che se ne intendeva e cosí saperne il nome. Ma lui in città non ci tornava. Addio, Vittorio. Ti farà effetto, lo so.

Per un lungo tempo non misurato seguí con gli occhi l'uccellino, e per tutto quel tempo ebbe sulla bocca un gentile e pieno sorriso che quando s'accorse d'averlo, gli lasciò dentro un profondo stupore. Sbatté un poco le ciglia e dopo non riuscí piú a rintracciare l'uccellino.

Sparito l'uccellino, aveva abbassato lo sguardo sul quadrato di sabbia davanti ai suoi piedi, cosí pura e distesa che lui poteva seguirci l'ombra del volo d'insetti minutissimi.

Poi si sentí sete e con gli occhi cercò tra l'erbaccia, dove le aveva gettate, le due bottigliette d'aranciata. Si disse che aveva fatto male a berle tutt'e due subito, ma ritardando l'aranciata si sarebbe fatta calda e disgustosa come orina, e poi lui non credeva che ci avrebbe messo tanto a far la cosa.

Si ricordava di mentre comperava le aranciate. Era andato dal barista Ottavio, che era un suo mezzo amico.

– Dammi due aranciate.

– Perché due?

– Perché credo d'averne bisogno di due. Avrò sete. Vado fuori in questo calore.

Era chiaro che Ottavio si faceva nella sua testa l'idea che lui uscisse con una donna, ma Ottavio disse solamente: – Allora te le porti via con te? I vuoti sono a rendere. Ricordati di riportarmeli stasera.

– Non sono mica sicuro di riportarteli.

– Allora ci vuole una cauzione di venti lire per bottiglietta. Fa quaranta lire. Te le rimborso stasera, se mi riporti i vuoti. Grazie, ciao.

« Sai, Ottavio, non mi rimborserai mai piú il mio deposito. Ho idea che stasera o domani cercherai nel tuo cassetto i miei quattro biglietti da dieci e quando crederai d'averli trovati, te li metterai sul palmo della mano e li guarderai e ci mediterai sopra un bel po' ».

Però si sentiva sempre sete. Si disse: « Perché mi preoccupo della sete? Non son venuto qui per l'acqua? Perché la faccio tanto lunga? » e si alzò.

Uscí dall'ombra dell'albero e camminò nel sole verso l'acqua. Si guardò tutt'intorno per vedere se c'erano pescatori vicini o lontani: nessuno, non una canna che oscillasse sopra il verde o che sporgesse dalle curve dell'argine.

Decise di studiare il fiume, ma prima volle accendersi una sigaretta. Se n'era comprate di quelle di lusso, mai comprate in vita sua, ma oggi era diverso. Però trovava che quelle famose sigarette da signori gli impastavano la lingua e gli irritavano con la loro troppa dolcezza la gola. Dopo quattro o cinque boccate, gettò la sigaretta. Faceva da terra un fumo straordinariamente azzurro e denso, che si spiralava perspicuamente nell'aria dorata. Poteva esser visto da lontano, cosí colorato e tardo a svanire, far da richiamo: andò a soffocarlo accuratamente col piede.

Poi, a due passi dall'acqua, esaminò il fiume. Ne prese e tenne sott'occhio una lunghezza di trenta passi, il tratto dove lui sapeva che l'avrebbe finita, e si stupí di come l'acqua variava di colore. Le correnti erano grigio-ferro e gli specchi d'acqua profonda color verde. Studiò la corrente piú vicina e lo specchio in cui essa si placava. Raccolse una pietra, oscillò tre volte il braccio e la mandò a cadere a piombo sullo specchio. Fece un gran tonfo e un alto spruzzo, con le spalle raggricciate lui guardò farsi i cerchi e poi si disse ridistendendosi: « Non sono pratico del fiume, ma dev'essercene d'avanzo ».

Si chinò sui ginocchi e pensava: « È semplice. Vado

nella corrente, mi ci lascio prendere e lei mi porta da sola nell'acqua alta. Sarà come andarci in macchina. Sono contento che non so nuotare; mi ricordo che da ragazzo e da giovanotto mi dispiaceva, ma adesso sono contento di non aver mai imparato. Cosí una volta nella corrente, piú niente dipenderà da me ».

Restando chino sui ginocchi e trascinando avanti una gamba e poi l'altra andò nell'acqua e ci infilò dentro un dito. Era calda, piú in là lo sarebbe stata meno, ma non tanto. C'erano con lui sulla riva sei o sette strane mosche col dorso che mandava lampi azzurri, scalavano le pietre e i detriti, passeggiavano la sabbia e parevano non aver paura di lui. Lui sventolò una mano e le mosche si ritirarono, ma mica tanto lontano.

Con le mani sui ginocchi, guardava il pelo dell'acqua e si lasciava riempir le orecchie del suo rumore. Levando gli occhi dall'acqua, vide come se la terra scappasse contro corrente. « La terra parte ». Si sentiva una vertigine nel cervello e pensò che quella vertigine gli veniva buona per fare la cosa. Ma come si alzò, già gli era passata.

Dentro la tasca il pacchetto delle sigarette gli faceva borsa sulla coscia. Lo tirò fuori e fece per gettarlo. Ma frenò la mano, cercò una pietra prominente all'asciutto e andò a posarci sopra il pacchetto. « È ancora quasi pieno, a qualcuno farà piacere trovarlo, lo troverà uno di quei disgraziati che vengono qui per legna marcia ».

Raccoglieva pietre e una dopo l'altra se le cacciava in seno. Per quel peso ora non poteva piú star ben eretto con la schiena. Levò gli occhi al cielo, il sole glieli chiuse, e disse: – Papà e mamma, dove che siete, non so se mi vedete, ma se mi vedete non copritevi

293

gli occhi. Non è colpa vostra, ve lo dico io, non è colpa vostra! Non è colpa di nessuno.

Camminava già nell'acqua al ginocchio ed avanzando raccoglieva ancora pietre sott'acqua e se le cacciava in seno grondanti. Arrivò tutto curvo dove piú forte era la corrente che portava all'acqua verde.

– Cos'hai fatto? – gli domandò sua madre a bruciapelo, senza dargli il tempo di chiudersi dietro la porta.

– Cosa c'è? – disse lui, in guardia.

– È stata qui quella ragazza Rita.

– Rita? E per cosa è stata qui?

– Voleva vederti ad ogni costo, ha chiesto a me dove poteva trovarti, ma io lo so cosí poco dove ti trovi tu. Era piena d'affanno, non riusciva a star ferma un momento, ha detto che andava a casa a mangiare e poi usciva di nuovo subito a cercarti. Cos'avete fatto tu e Rita? Qualcosa di storto?

– Sempre filato diritto io e Rita, – disse lui, – non so proprio cosa le sia capitato. È diventata matta? Mangiamo tranquilli. Dopopranzo la cerco e le domando se è diventata matta.

Dopo mangiato uscí, nel freddo fece due strade senza ben sapere perché avesse infilato quelle piuttosto che altre. Vide poi Rita per caso, ferma all'angolo della via degli stabilimenti, e tremava.

Ugo si fermò a guardarla da lontano, ma poi dovette muoversi e andare da lei.

C'era solo spavento negli occhi di Rita.

Prima che lui potesse aprire la bocca lei gli disse:

– Mi hai messa incinta, Ugo.

– Cristo cosa mi dici, – disse lui piano.

Irresistibilmente le aveva puntato gli occhi sul ventre, aveva fatto un passo indietro per guardarglielo meglio, e doveva sforzarsi per tener le mani da scendere a scostarle un lembo del cappotto, sul ventre.

Gli occhi di lei si riempirono fino all'orlo di spavento vedendo lo spavento negli occhi di lui. Ugo la fissava atterrito, come se le avesse acceso una miccia nel profondo del corpo e ora aspettasse di vederla esplodere da un momento all'altro.

– Tu cosa dici? – gli domandò lei con la bocca tremante.

– Sei sicura? – disse lui rauco.

– Me l'ha detto il medico.

– Sei già dovuta andare dal medico?

– Avevo incominciato a rigettare.

Ugo fece una smorfia d'orrore, batté la mano sulla coscia e disse forte: – Non farmi sapere quelle cose lí!

– Ugo! – lei gridò.

– E i tuoi? – disse lui dopo un po'.

– Non sanno niente. Ho ancora due mesi per nascondere, ma poi non potrò piú. In questi due mesi devo trovare il coraggio di buttarmi nel fiume.

– Ci son qua io, – disse lui senza guardarla.

Neppure lei lo guardò, sentí e scosse la testa.

Che freddo faceva, il freddo veniva proprio dal fiume, sorvolando i prati aperti.

Lui le mise un braccio intorno alle spalle, ma non sapeva guardarla negli occhi. Respiravano forte, uno dopo il respiro dell'altra, come se facessero per gioco ad alternarsi cosí.

– Che cosa devo fare? – disse poi lei.

– Eh?

– Che cosa devo fare?

296

Lui non rispondeva, lei aspettò e poi disse: – Tu cosa vuoi che faccia?

Lui non riusciva nemmeno a schiudere la bocca.

– Sei tu che devi decidere, – le disse poi.

– Io faccio quello che vuoi tu. Hai solo da dire.

– Io non so cosa dire.

– Parla, Ugo.

– Non so cosa dire.

Allora lei gli gridò di non fare il vigliacco.

Ugo ebbe come una benda nera sugli occhi, voltandosi la premette col petto finché la schiena di lei toccò il muro. Ma non diceva niente.

Lei gli puntò le mani sul petto e gli disse: – Parla, Ugo. Tu sei l'uomo. Fai conto di essere il mio padrone, decidi come se dovessi decidere per un motore rotto. Tu di' e io ti ascolto. Cosa vuoi che faccia?

Non rispondeva, e allora lei gli disse molto piano: – Vuoi che vada a parlare a una levatrice? Ma ci vanno tanti soldi per l'operazione.

Lui si sentí a dire: – Io potrei farmeli imprestare tutti quei soldi che ci vanno, – ma guardandola per la prima volta vide lo spavento traboccare dagli occhi di lei. La vista gli si annebbiò, la prese con tutt'e due le braccia e le disse nei capelli: – Ma credi che io voglio che tu ti rovini?

Lei fece per tirarsi indietro, poterlo guardare negli occhi, ma lui la tenne ferma, le disse: – Stai lí al caldo.

Rita gli piangeva sul collo, quel bagnato subito caldo e poi subito freddo lo indeboliva spaventosamente.

Poi lei gli disse nel collo: – Io lo vorrei il bambino.

– Il bambino lo avrai, te l'ho dato ed è tuo, lo avrai il bambino, – diceva lui, ma non sapeva uscire dal buio che era nel collo di lei, non voleva vedere la luce.

Lei si staccò, ma non gli tolse le mani dal petto, lo

guardava muovendo la bocca. Allora Ugo sentí un calore dentro, che lo fece drizzare contro la corrente di freddo, aveva solo paura che quel calore gli cessasse, solo paura di risentir freddo dentro. Le disse: – Adesso che siamo d'accordo vai a casa. Sei un pezzo di ghiaccio.

Lei si spaventò di nuovo, gli tornò contro col corpo, gli disse nel collo: – Cosa faccio a casa?

Lui si staccò e le alzò il viso perché lei gli vedesse gli occhi, adesso erano fissi e duri, ma lui voleva solo che lei gli obbedisse.

Guardandola con quegli occhi le disse: – A casa parli, dici tutto, a tuo padre, a tua madre, a tutti di casa tua.

Rita gridò di no con un filo di voce.

– Glielo dici, devi dirglielo entro oggi perché stasera arrivo io a casa tua.

– Tu sei matto, Ugo, t'ammazzano, t'ammazzano di pugni.

Ma lui disse: – Glielo dici? Giurami che glielo dici.

Lei non giurò, batteva i denti.

Lui le disse: – Adesso io ti lascio, ma devo esser sicuro che quando suonano le quattro tu gliel'hai già detto. Giurami che glielo dici.

Batteva sempre i denti.

– Devi dirglielo. Dirglielo e poi sopportar tutto quello che ti faranno. Pensa a stasera, quando arrivo io a dar la mia parola che ti sposo. Fatti forza, pensa a stasera e diglielo. Sono solo quattro ore che saranno brutte, poi arrivo io e mi piglio io tutto il brutto. Rita, incomincio da stasera e lo farò per tutta la vita.

Allora lei chinò la testa e disse: – Non so come farò ma glielo dico.

– Per le quattro.

S'inclinò a guardarla, le disse: – Hai paura. Hai una paura matta. Hai paura ma io non voglio che tu abbia paura. Voglio che tu glielo dica senza paura. Fammi vedere come glielo dirai. Su, fammi vedere.

Lei si mise a piangere piano.

– Andiamo, – disse lui trascinandola, – andiamo insieme io e te a casa tua e parlo io.

Lei si divincolò, tornò indietro di corsa. – T'am-mazzano di pugni.

Lui andò a riprenderla. – Non m'ammazzano, me ne daranno quante non me ne son mai prese in tutta la mia vita, ma non m'ammazzano. Ma non lascio che tu abbia paura.

Allora Rita disse: – Va bene. Glielo dico. Quando senti battere le quattro regolati che lo sanno già.

Cominciò ad allontanarsi camminando adagio al-l'indietro.

Lui da fermo la guardava, ogni tre passi le diceva: – Diglielo. Non aver paura. Hai paura. Hai paura.

La rincorse, le arrivò addosso, l'abbracciò. – Hai paura. Non voglio che tu abbia paura. Sei la mia don-na e non voglio che tu abbia mai paura. Cristo, ho vo-glia di piangere. Cristo, io li ammazzo tutti i tuoi per-ché è di loro che hai paura.

Lei si esaltò, disse: – Glielo dico. Ho paura, ma son contenta. Tu diventi il mio uomo davanti a mio padre e mia madre e io sono tanto felice che un po' devo ben pagare.

Lui le disse: – Diglielo. Io arrivo alle otto. Avete già finito di mangiare per le otto?

Lei accennò di sí, non riuscivano a staccar le mani, si facevano male per non lasciarsi andare, poi si stac-carono con una specie di strappo, se ne andarono op-postamente.

Ugo girò per la città, aspettava che battessero le quattro e aveva davanti agli occhi, negli occhi, le mani del sellaio e dei suoi due figli. Si diceva che doveva pensare solo a Rita, a quello che doveva passare Rita prima che lui arrivasse a prendersi tutto il brutto, ma non poteva togliersi da davanti agli occhi quelle mani.

Quando finalmente suonarono le quattro, lui era in un caffè, si tolse la sigaretta di bocca e guardò lontano dalla gente, in alto.

Poi pensò che gli uomini di casa di Rita potevano per il furore e la voglia di vendetta abbandonare il lavoro e mettersi in giro per la città a cercarlo dovunque. Non doveva succedere che lo trovassero, non era pronto, lo sarebbe stato per le otto della sera.

Mancavano quattro ore. Andò al fiume e rimase fino a scuro sugli argini a pensare.

Tornò, si avvicinava a casa come in guerra a quegli abitati dove non si sapeva se ci fossero o no nemici, nel corridoio e su per la scala cercò di sentire se in casa c'era qualcuno oltre suo padre e sua madre.

Entrò, c'era tavola preparata e suo padre che aspettava di mangiare e strofinava la mano sulla schiena al suo cagnino.

– L'hai vista? – gli domandò subito sua madre.

– Niente, – disse lui. Non era ancora pronto, avrebbe parlato tra venti minuti o mezz'ora, anche lui doveva parlare, come Rita. L'avrebbe detto alla fine della cena, se lo diceva in principio nessuno avrebbe mangiato piú.

Finito, colto il momento che sua madre si muoveva per alzarsi a sparecchiare, allora parlò. Parlando guardava sua madre che lentissimamente tornava a sedersi. Le parole gli saltavan via di bocca, una dietro l'altra, come se per ognuna ci volesse uno spintone.

Suo padre aveva abbassato gli occhi fin da principio, sembrava cercare le briciole di pane sull'incerato.

Ma sua madre gridò: – Sei matto! Sei matto! Sei un maiale! Sei un delinquente! – finché suo padre batté un pugno sulla tavola e le gridò: – Non gridare, o strega, non far sentire le nostre belle faccende a tutta la casa!

Lei gridò: – Allora parlagli tu, digli che porcheria ha fatto, diglielo tu!

Ma dopo suo padre non disse piú niente.

Allora sua madre che tremava tutta disse piano e guardando nel suo piatto: – Dovevi pensare a noi che siamo vecchi prima di pensare a far dei bambini.

Ugo gridò: – Io ci ho pensato? Io non ho pensato a niente! Per me è stato un colpo, è stata una disgrazia! Tu credi che io ci abbia pensato? – Poi disse piú basso: – Ma non cambia mica niente tra me e voi quando io abbia sposato Rita e abbia una famiglia mia.

Ma sua madre scuoteva la testa, era talmente disperata che si mise a sorridere. Disse: – Quando si ha intorno gente fresca i vecchi si dimenticano in fretta. Vedrai che con la famiglia nuova avrai tante difficoltà che non potrai piú pensare ai tuoi vecchi e a un certo punto ti convincerai che è un bene per te che entrino all'ospizio.

Ugo urlò: – Non parlare cosí, non parlare dell'ospizio, perché sai che non è vero, che io mi faccio ammazzare prima di vedervi entrare all'ospizio.

Gridava anche suo padre. Si era tutto congestionato in faccia e gridava a sua moglie: – Ci sono io per te! C'ero quando tuo figlio non c'era ancora e ci sarò quando tuo figlio sarà lontano. Io sono un uomo fino a prova contraria, e non ti ho mai fatto mancar niente di quello che ti spetta!

Il cane era filato a rannicchiarsi nell'angolo del gas, di là li guardava e dimenava a loro la coda perché non lo facessero spaventare di piú.

La madre scrollò la testa a lungo, sorrideva sempre come prima, ma adesso stava zitta.

Allora Ugo si alzò.

– Dove vai? – suo padre.

– Vado a casa di lei. Mi aspettano.

Suo padre sbatté le palpebre per la paura, ma non disse niente, solo si mosse sulla sedia facendola scricchiolare.

Ugo si girò a guardare sua madre, gli dava le spalle e le spalle erano immote come la testa reclina.

Ugo andò in sua stanza.

Stette un momento a sentire se suo padre e sua madre si parlavano piano, ma non si parlavano. Andò a pettinarsi davanti allo specchio, si guardò la faccia, pensò a come l'avrebbe avuta tra mezz'ora, un'ora. « Sono un uomo », si disse poi togliendosi da davanti allo specchio.

Era tornato in cucina. Sua madre stava come l'aveva lasciata, niente si muoveva di lei. Suo padre teneva una mano sul collo del cane che gli si era drizzato contro i ginocchi, ma guardava un punto qualunque della parete, e quando Ugo rientrò suo padre si mise a guardargli i piedi.

Ugo sospirò, si mosse e allora suo padre scostò il cane, si alzò, tese una mano verso il suo giaccone.

– Vengo anch'io.

– No che tu non vieni! – disse forte Ugo.

Suo padre allungò la mano verso il suo berretto.

Ugo gli disse: – Non voglio che tu venga, io sono

302

un uomo, la responsabilità è tutta mia, voglio aggiustar tutto da me, da uomo.

– Vengo anch'io, non voglio che ti facciano niente.

– Non mi faranno niente.

– C'è tre uomini in quella casa e tre uomini forti come tori. Vengo anch'io che son tuo padre.

Ugo si tirò indietro. – Se ci vieni anche tu, non ci vado io.

Allora sua madre alzò la testa come se si svegliasse e disse: – Lascia che venga anche tuo padre –. Poi, mentre suo padre l'aveva preso per un braccio e lo spingeva fuori, lei disse ancora: – E non lasciate che tormentino quella povera figlia disgraziata.

Uscirono insieme, suo padre gli tenne il braccio fin sulla strada, Ugo pensava: «Devo entrare da solo, mio padre adesso me lo levo, che figura ci faccio a farmi accompagnare da mio padre? Non riuscirò piú a sentirmi un uomo per tutta la vita».

Suo padre s'era messo al passo con lui, camminavano come militarmente sul ghiaccio e sulla pietra.

Poi Ugo disse: – Senti che freddo fa, adesso tu torna indietro.

Ma suo padre gli marciava sempre accanto, senza parlare.

All'angolo della casa di lei Ugo si fermò, si mise di fronte a suo padre, gli disse: – Ci siamo. Tu vai al caffè di Giors. Pigli qualcosa di caldo e m'aspetti. Io passo poi a prenderti.

– Entro anch'io.

– Lasciami entrare da solo, lasciami fare la figura dell'uomo.

– Vengo anch'io, non voglio mica che ti rompano, in tre contro uno, sei mio figlio.

– Allora non entro io, piuttosto tradisco Rita. Capisci, padre, io voglio fare la figura dell'uomo, tu non m'hai messo al mondo perché io facessi l'uomo? Loro mi vedono entrare da solo, vedono che non ho avuto paura e pensano che in fondo io non devo averla fatta tanto sporca. Capisci? Sei d'accordo? Allora vammi ad aspettare al caffè di Giors.

Suo padre pensò, poi disse: – Entra da solo. Io ti aspetto qui fuori, non mi muovo di qui. Ma tu fatti sentire se ti battono in tre contro uno. Adesso entra e fai l'uomo.

Ugo andò per il corridoio nero, poi si voltò a vedere dov'era rimasto suo padre, s'era fermato sulla soglia del corridoio, ben risaltando sul fondo della neve e della luce pubblica.

Andando alla porta del sellaio camminava senz'accorgersene in punta di piedi, non faceva rumore.

La porta non era ben chiusa, ne filtrava un filo di luce gialla, avrebbe ceduto a spingerla. Prese una profonda boccata d'aria e spinse.

La cucina era calda, bene illuminata, e c'era soltanto la madre di Rita che stava a pensare seduta accanto alla stufa e con le mani in grembo. Lui non guardò subito la donna, l'aveva preso uno stupore per quella che era la casa di Rita, guardò le quattro pareti e il soffitto, quindi guardò la donna.

Lei era stata a guardarlo, quando lui la fissò, lei chiamò: – Emilio, – ma piano, come se bastasse o come se non le fosse venuta la voce a raccolta. Poi alzandosi gridò: – Emilio! – e in fretta, quasi correndo, andò a una porta verso l'interno e vi sparí.

« Gliel'ha detto », si disse lui e si voltò, andò a chiudere a chiave la porta da dov'era entrato e poi tornò nel mezzo della cucina. Non sapeva dove e come tenere le mani, sentí oltre il soffitto un piccolo rumore come il gemito del legno, fu sicuro che era Rita segregata nella sua stanza, fu lí per mandarle una voce bassa.

In quel momento entrò il padre di Rita e dietro i due fratelli e dietro la madre. Gli uomini portavano tutt'e tre il grembiulone di cuoio del loro mestiere.

Ugo disse buonasera al vecchio e: – Ciao, Francesco. Ciao, Teresio, – ai giovani.

Non risposero. I due giovani si appoggiarono con le spalle alla parete e le mani stese sulle cosce.

Il vecchio veniva. Ugo si tenne dal guardargli le mani e solo le mani, guardargli gli occhi non poteva e cosí gli guardava la bocca ma non poteva capirne niente per via dei baffoni grigi che ci piovevano sopra. Quando il vecchio gli fu ad un passo allora Ugo lo guardò negli occhi e cosí vide solo l'ombra nera della grande mano levata in aria che gli piombava di fianco sulla faccia. Chiuse gli occhi un attimo prima che arrivasse, lo schiaffo detonò, il nero nei suoi occhi si cambiò in giallo, lui oscillò come un burattino con la base piena di piombo, ma non andò in terra. Fu il suo primo pensiero. «Non son andato in terra». La faccia gli ardeva, ma lui teneva le mani basse.

Il vecchio s'era tirato indietro di due passi, ora lo guardava come lo guardavano gli altri, e c'era silenzio, almeno cosí pareva a lui che aveva le orecchie che gli ronzavano forte.

Sua madre di Rita alzò al petto le mani giunte e cominciò a dire con voce uguale: – La nostra povera Rita. La nostra povera Rita. La nostra povera Rita. La nostra povera...

Ugo disse: – Rita non è mica morta per parlarne cosí –. Teresio, il piú giovane, ringhiò di furore e corse contro Ugo col pugno avanti. Ugo non scartò, ma Teresio sbagliò lo stesso il suo pugno, che sfiorò la mascella di Ugo e si perse al di sopra della spalla. Allora Teresio ringhiò di nuovo di furore, ritornò sotto di fianco, di destro colpí Ugo alle costole.

Ugo fece per gridare di dolore ma gli mancò netto il fiato. Da fuori bussarono. Ugo sentí, gli tornò il fiato per dire: – Non aprite, è soltanto mio padre.

Nessuno della casa si mosse e da fuori suo padre bussò ancora piú secco.

– Va tutto bene. Parliamo. Vammi ad aspettare da Giors, – disse forte Ugo e suo padre non bussò piú.

In quel momento entrò in cucina la sorella minore di Rita.

Francesco le gridò d'andar via e sua madre le disse: – Vai via e vergognati, tu che la accompagnavi fuori e poi li lasciavi soli insieme.

Prima di andarsene la ragazza scoppiò a piangere e disse: – Io non credevo che facessero le cose brutte!

Allora Francesco s'infuriò in tutta la faccia, venne deliberatamente da Ugo, lo misurò e lo colpí in piena faccia. Ugo si sentí volare all'indietro, finché sbatté la schiena contro lo spigolo della tavola.

Si rimise su, aspirò l'aria tra dente e dente e poi disse: – Voi avete ragione, ma adesso basta, adesso parliamo. Io sono venuto a darvi la mia parola che sposo Rita. A voi lo dico adesso, ma a vostra figlia l'avevo detto fin da questo autunno. Adesso io aspetto solo che mi dite di sí e che poi mi lasciate andare.

Francesco disse: – Tu sei il tipo che noi non avremmo mai voluto nella nostra famiglia... – come se suggerisse il parlare a suo padre.

Difatti il vecchio disse: – Noi c'eravamo fatti un'altra idea dell'uomo che sarebbe toccato a Rita, credevamo che Rita si meritasse tutto un altro uomo, ma su Rita ci siamo sbagliati tutti. Adesso dobbiamo prenderti come sei e Rita ti sposerà, ha l'uomo che si merita.

La madre disse: – Ormai Rita non potrà avere altro uomo che te. Anche se si presentasse un buon ragazzo, sarei proprio io a mandarlo per un'altra strada.

– Quando la sposi? – domandò il vecchio.

– La sposo l'autunno che viene.

La donna si spaventò, disse con le mani alla bocca: – Ma per l'autunno il bambino... Rita avrà già comprato.

– La sposi molto prima, – comandò il vecchio.

– Deve sposarla nel mese, – disse Francesco.

Ugo fece segno di no con la testa, Francesco bestemmiò e mise avanti un pugno.

Ma il vecchio disse: – Che idee hai? – a Ugo.

– La sposo quest'autunno perché prima non posso, non sono a posto da sposarmi. E se voi avete vergogna a tenervela in casa, avete solo da dirlo. Fatemela venir qui da dove si trova e io me la porto subito a casa da mia madre. Resterà in casa mia, ma non da sposa, fino a quest'autunno. Parlate.

Allora Teresio urlò e pianse, si ficcava le dita in bocca, piegato in due si girava da tutte le parti, da cosí basso gridò piangendo: – Non voglio che Rita vada via, non voglio che ci lasci cosí, cosa c'importa della gente? le romperemo il muso alla gente che parlerà male, ma non voglio che Rita vada via cosí, è mia sorella...! – Troncò il gridare e il piangere, stette a farsi vedere coi capelli sugli occhi e la bocca aperta e le mani coperte di bava, sembrava un folle. Suo fratello andò a battergli la mano larga sulla schiena.

– Posso vederla? – disse Ugo dopo.

– No! – gridò il vecchio.

– Non me la fate vedere perché l'avete picchiata? – La voce gli sibilava un po', per via d'un dente allentato.

Teresio si rimise a urlare e piangere. – Nooo! Non l'abbiamo picchiata, non le abbiamo fatto niente, non avevamo piú la forza d'alzare un dito, c'è scappato tutto il sangue dalle vene quando ce l'ha detto! – Mandò un urlo, fece per mandarne un secondo ma non poté perché sua madre corse da lui e gli soffocò la bocca contro il suo petto.

Il vecchio disse: – Non ti credere, adesso che abbiamo deciso per forza quello che abbiamo deciso, non ti credere di poterci venire in casa quando ti piace. Rita la vedrai una volta la settimana, la festa, qui in casa nostra, alla presenza di sua madre e mai per piú d'un'ora.

Ugo chinò la testa.

Fuori c'era suo padre che l'aspettava, andò verso suo figlio in fretta per incontrarlo prima che uscisse dal cerchio della luce pubblica, voleva vedergli la faccia.

Ugo rideva senza rumore, non si fermò, spinse suo padre lontano dal cerchio della luce.

– Padre.

– Di'.

– Rita è tua nuora.

L'odore della morte

Se si frega a lungo e fortemente le dita di una mano sul dorso dell'altra e poi si annusa la pelle, l'odore che si sente, quello è l'odore della morte.

Carlo l'aveva imparato fin da piccolo, forse dai discorsi di sua madre con le altre donne del cortile, o piú probabilmente in quelle adunate di ragazzini nelle notti estive, nel tempo che sta fra l'ultimo gioco ed il primo lavoro, dove dai compagni un po' piú grandi si imparano tante cose sulla vita in generale e sui rapporti tra uomo e donna in particolare.

Un odore preciso lo sentí una sera di un'altra estate, già uomo, e che quello fosse proprio l'odore della morte i fatti lo dimostrarono.

Quella sera Carlo era fermo in fondo alla via dell'Ospedale di San Lazzaro e in faccia al passaggio a livello appena fuori della stazione. Partí l'ultimo treno per T..., soffiava il suo fumo nero su su nella sera turchina, mandava un buonissimo odore di carbone e di acciaio sotto attrito, dai suoi finestrini usciva una gialla luce calma e dolce come la luce dalle finestre di casa nostra. « Otto e un quarto », si disse lui, e tutto eccitato stette a guardare il ferroviere che girava la manovella per rialzare le sbarre.

Dentro la casa al cui angolo stava appoggiato, una

donna alla quale dalla voce diede l'età di sua madre, si mise a cantare una canzone della sua gioventú:

> Mamma mia, dammi cento lire,
> Che in America voglio andar...

« Mi piacerebbe trovarmi in America, – pensò, – specialmente a Hollywood. Ma non stasera, stasera voglio far l'amore nei miei posti », e sprofondò le mani chiuse a pugno nelle tasche dei calzoni.

Carlo aspettava la sua donna di diciotto anni per uscirla verso i prati, e non c'è da farla lunga sulla sua voglia né su come il tempo camminò sul quadrante luminoso della stazione e lei non venne. Ma ciò che è necessario dire è che il corpo di lei era l'unica ricchezza di Carlo in quel duro momento della sua vita e che non venendo stasera lui avrebbe dovuto, per riaverla, vivere tutta un'altra settimana di tensione e di servitú.

Cosí, anche quando fu passata l'ora solita di lei, non si sentí d'andarsene, di gettare ogni speranza, restava fisso lí come per scaramanzia, quasi lei non potesse non venire se lui durava tanto ad aspettarla. Ma poi furono le otto e quaranta, guardandosi attorno vedeva la gente vecchia seduta sulle panchine del giardino pubblico, erano semiscancellati dall'oscurità, ma quelli che fumavano avevano tutti la punta rossa del sigaro rivolta verso di lui. E quella donna che prima cantava, era lei certamente che prima cantava, ora stava fuori sul balcone e da un pezzo guardava giú sui suoi capelli.

Dai campanili della città gli scesero nelle orecchie i tocchi delle nove, e allora partí verso il centro della città, verso l'altra gente giovane che passeggia in piazza o siede al caffè e deve scacciarsi le donne dalla mente come le mosche dal naso.

Camminava e ogni cinque passi si voltava a guardare indietro a quell'angolo. Incontrò due o tre coppie molto giovani, andavano sbandando sull'asfalto come ubriachetti, si cingevano e poi si svincolavano a seconda che entravano o uscivano dalle zone d'ombra lasciate dalle lampade pubbliche. Carlo invidiava quei ragazzi con la ragazza, ma poi si disse: « Chissà se vanno a fare quel che avremmo fatto noi se lei veniva. Se no, non è proprio il caso d'invidiarli ».

Deviò per andare a bere alla fontana del giardino. Bevve profondo, poi rialzata la testa guardò un'ultima volta a quell'angolo, e vide spuntarci una ragazza alta, alta come lei, con una giacca giallo canarino che allora era un colore di moda, lei aveva una giacca cosí, e andava velocemente verso il passaggio a livello.

Scattò dalla fontana, mandando un lungo fischio verso la ragazza si buttò a correre per il vialetto del giardino. La gente vecchia ritirava in fretta sotto le panchine le gambe allungate comode sulla ghiaia, lui passava di corsa fischiando un'altra volta.

La ragazza non si voltava né rallentava, lui corse piú forte, a momenti urtava il ferroviere che si accingeva a calar le sbarre per l'ultimo treno in arrivo. Saltò i binari e arrivò alle spalle della ragazza.

Camminava rigida e rapida, stava sorpassando l'officina del gas, lui si fermò perché aveva già capito che non era lei, solo un'altra ragazza pressapoco della sua costruzione e con una giacca identica alla sua. Ma quando l'ebbe capito il terzo fischio gli era già uscito di bocca, e arrivò dalla ragazza che senza fermarsi guardò indietro sopra la spalla e vide lui fermo in mezzo alla via che abbandonava le braccia lungo i fianchi. Rigirò la testa e proseguí sempre piú rapida verso il fondo buio di quella strada.

Lui ansava, e non vide l'uomo che il ferroviere vide passar chino sotto le sbarre e farsi sotto a Carlo alle spalle. Ma non lo prese a tradimento, facendogli intorno un mezzo giro gli venne davanti e gli artigliò con dita ossute i bicipiti, tutto questo senza dire una parola.

In quel momento Carlo sapeva di lui nient'altro che si chiamava Attilio, che era stato soldato in Grecia e poi prigioniero in Germania, e la gente diceva che era tornato tisico.

Carlo gli artigliò le braccia a sua volta e cominciarono a lottarsi. Guardando sopra la spalla di Attilio, vide per un attimo la ragazza, per nascondersi si era fatta sottile sottile dietro lo spigolo d'una portina, ma la tradiva un lembo scoperto della sua giacca gialla.

Attilio che l'aveva assalito non lo guardava in faccia, anzi aveva abbattuto la testa sul petto di Carlo e i suoi capelli gli spazzolavano il mento. Gli stringeva i muscoli delle braccia e Carlo i suoi, ma Carlo non poteva aprir la bocca e gridargli: « Che cristo ti ha preso? » perché adesso sentiva, vedeva entrargli nelle narici, come un lurido fumo bianco, l'odore della morte, quell'odore che ci si può riprodurre, ma troppo piú leggero, facendo come si è detto in principio. Cosí teneva la bocca inchiavardata, e quando per l'orgasmo non poteva piú respirare aria bastante dal naso, allora torceva la testa fino a far crepitare l'osso del collo. Fu torcendo la testa che vide il ferroviere che stava a guardarli e non interveniva. Lui come poteva capire che stavano battendosi, se loro due non sembravano altro che due ubriachi che si sostenessero l'un l'altro? Ma ciò che il ferroviere non poteva immaginare era come loro due si stringevano i muscoli, Carlo si domandava come facessero le braccia di Attilio, spaventosamente scarne come le sentiva, a resistere alla sua stretta, a non spappolarsi. Però anche Attilio stringeva maledettamente forte, e se non fosse stato per non ingoiare l'odore della morte, Carlo avrebbe urlato di dolore.

Aveva già capito perché Attilio l'aveva affrontato cosí, e lo strano è che la cosa non gli sembrava affatto assurda e bestiale, Carlo lo capiva Attilio mentre cercava di spezzargli le braccia.

Adesso Attilio aveva rialzata la testa e la teneva arrovesciata all'indietro, Carlo gli vedeva le palpebre sigillate, gli zigomi puntuti e lucenti come spalmati di cera, e la bocca spalancata a lasciar uscire l'odore della morte. Chiuse gli occhi anche lui, non ce la faceva piú a guardargli la bocca aperta, quel che badava a fare era solo tener le gambe ben piantate in terra e non allentare la stretta.

Per quanto il campanello della stazione avesse incominciato il suo lungo rumore, poteva sentir distintamente battere il cuore di Attilio, cozzava contro il costato come se volesse sfondarlo e piombare su Carlo come un proiettile.

Decise di finirla, quell'odore se lo sentiva già dovunque dentro, passato per le narici la bocca e i pori, inarrestabile come la potenza stessa che lo distillava, doveva già avergli avviluppato il cervello perché si sentiva pazzo. Alzò una gamba e la portò avanti per fargli lo sgambetto e sbatterlo a rompersi il filo della schiena nella cunetta della strada. Proprio allora la testa di Attilio scivolò pian piano giú fino all'ombelico di Carlo, anche le sue mani si erano allentate ed erano scese lungo le sue braccia, ora gli serravano solo piú i polsi, e Attilio rantolava – Mhuuuh! Mhuuuh! – finché gli lasciò liberi anche i polsi e senza che Carlo gli desse nessuna spinta finí seduto in terra. Poi per il peso della testa arrovesciata si abbatté con tutta la schiena sul selciato.

Carlo non si mosse a tirarlo su, a metterlo seduto contro il muro dell'officina del gas, perché non poteva risentirgli l'odore. Quando fu tutto per terra, si dimenticò che l'aveva capito e aprí la bocca per gridargli: « Che cristo ti ha preso? » ma si ricordò in tempo che l'aveva capito e richiuse la bocca.

Il treno era vicino, a giudicare dal rumore che faceva stava passando sul ponte. Guardò giú nella via per scoprire la ragazza. Aveva lasciato il riparo della portina, era ferma a metà della strada, guardava da lontano quel mucchio di stracci neri e bianchi che formava Attilio sul selciato, poi venne su verso i due con un passo estremamente lento e cauto.

Carlo poteva andarsene, voltò le spalle ad Attilio e andò al passaggio a livello. Quel ferroviere si mise rivolto a guardare il binario per il quale il treno giungeva, ma Carlo poteva vedergli una pupilla che lo sorvegliava, spinta fino all'angolo dell'occhio. Il ferroviere non gli disse niente, del resto avrebbe dovuto gridare. Passò il treno e schiaffeggiò Carlo con tutte le sue luci, i viaggiatori ai finestrini gli videro la faccia che aveva e chissà cosa avranno pensato.

Se ne andava, con le braccia incrociate sul petto si tastava i muscoli che gli dolorivano come se ancora costretti in anelli di ferro, davanti agli occhi gli biancheggiava la pelle appestata di Attilio, e pensava che non sarebbe mai piú stato quello che era prima di questa lotta. Camminava lontano dal chiaro, gli tremavano le palpebre la bocca e i ginocchi. Nervi, eppure si sentiva come se mai piú potesse avere una tensione nervosa, si era spezzato i nervi a stringere le misere braccia di Attilio.

E sempre davanti agli occhi il biancheggiar di quella pelle. Per scacciarlo, si concentrò ad immaginare nel vuoto il corpo della sua ragazza, nudo sano e benefico, ma si ricusava di disegnarsi, restava una nuvola bianca che si aggiungeva, ad allargarla, alla pelle di Attilio.

Andò al bar della stazione ma non entrò, fece segno al barista da sulla porta e gli ordinò un cognac, cognac medicinale, se ne avevano.

Mentre aspetta che gli portino il cognac, vede spuntar dal vialetto del giardino una giacca gialla. È quella ragazza di Attilio, cammina molto piú adagio di prima, lo vede, si ferma a pensare a qualcosa e poi viene da lui guardando sempre in terra e con un passo frenato. Cosí Carlo ha tempo di studiarle il corpo, comunissimo corpo ma che pretende d'esser posseduto soltanto da un sano.

Arriva, lo guarda con degli occhi azzurri e gli dice con voce sgradevole: – Siete stato buono a non prenderlo a pugni.

– Cognac, – dice il barista dietro di lui. Lui non si volta e poi sente il suono del piattino posato sul tavolo fuori.

La ragazza gli dice ancora: – Voi avete già capito tutto, non è vero?

Le dice: – Credo che anche voi abbiate già capito che io mi ero sbagliato, che vi avevo presa per un'altra. Il triste è che non ha capito lui.

Lei si torce le mani e guarda basso da una parte. Lui le dice ancora: – Scusate, ma perché lui s'è fatto l'idea che c'è uno che vi vuol portar via a lui?

– Perché uno c'è.

– Uno... sano?

– Sí, uno sano. Abbiamo ragione, no? Lui vuole che io sia come prima, ma è lui che non è piú come prima. E poi i miei non vogliono piú.

– Adesso come sta? L'avete accompagnato a casa?

Sí, ma sta malissimo, ha una crisi, la madre di Attilio l'ha mandata a chiamare il medico, di corsa, ma Carlo vede bene che lei non è il tipo da correre per le strade dove la passeggiata serale è nel suo pieno.

Lei gli domanda: – Dove abita il dottor Manzone? Non è in via Cavour?

– Sí, al principio di via Cavour.

La ragazza fa un passo indietro, gli ha già detto grazie, fa per voltarsi, a lui viene una tremenda curiosità, tende una mano per trattenerla, vuole dirle: « Scusate, voi che gli state, gli stavate sovente vicino, voi glielo sentivate quell'odore...? » ma poi lascia cader la mano e le dice soltanto buonasera, e lei se ne va, adagio.

Prese il cognac e andò a casa. A casa si spogliò nudo e si lavò sotto il rubinetto, cosí energicamente e a lungo che sua madre si svegliò e dalla sua stanza gli gridò di non consumar tanto quella saponetta che costava cara.

La notte sognò la sua lotta con Attilio e la mattina all'ufficio di collocamento seppe che l'avevano messo all'ospedale al reparto infettivi.

– La Germania, – disse un disoccupato come Carlo.

– Di chi state parlando? – disse uno arrivato allora. – Chi è questo Attilio? Tu lo conosci? – domandò a Carlo.

– Io? Io gli ho sentito l'odore della morte, – gli rispose Carlo e quello tirò indietro la testa per guardarlo bene in faccia, ma poi dovette voltarsi a rispondere – Presente! – al collocatore che aveva incominciato l'appello.

La sua lotta con Attilio la risognò venti notti dopo e la mattina, mentre andava ancora e sempre all'ufficio di collocamento, si voltò verso un muro della strada per sfregarvi un fiammifero da cucina perché non aveva piú soldi da comprarsi i cerini, e vide il nome di Attilio in grosse lettere nere su di un manifesto mortuario.

Pioggia e la sposa

Fu la peggior alzata di tutti i secoli della mia infanzia. Quando la zia salí alla mia camera sottotetto e mi svegliò, io mi sentivo come se avessi chiusi gli occhi solo un attimo prima, e non c'è risveglio peggiore di questo per un bambino che non abbia davanti a sé una sua festa o un bel viaggio promesso.

La pioggia scrosciava sul nostro tetto e sul fogliame degli alberi vicini, la mia stanza era scura come all'alba del giorno.

Abbasso, mio cugino stava abbottonandosi la tonaca sul buffo costume che i preti portano sotto la vesta nera e la sua faccia era tale che ancor oggi è la prima cosa che mi viene in mente quando debbo pensare a nausea maligna. Mia zia, lei stava sull'uscio, con le mani sui fianchi, a guardar fuori, ora al cielo ora in terra. Andai semisvestito dietro di lei a guardar fuori anch'io e vidi, in terra, acqua bruna lambire il primo scalino della nostra porta e in cielo, dietro la pioggia, nubi nere e gonfie come dirigibili ormeggiati agli alberi sulla cresta della collina dirimpetto. Mi ritirai con le mani sulle spalle e la zia venne ad aiutarmi a vestirmi con movimenti decisi. Ricordo che non mi fece lavare la faccia.

Adesso mio cugino prete stava girandosi tra le mani il suo cappello e dava fuori sguardate furtive, si sarebbe detto che non voleva che sua madre lo sorprendesse a guardar fuori in quella maniera. Ma lei ce lo sorprese e gli disse con la sua voce per me indimenticabile: — Mettiti pure il cappello in testa, ché andiamo. Credi che per un po' d'acqua voglio perdere un pranzo di sposa?

— Madre, questo non è un po' d'acqua, questo è tutta l'acqua che il cielo può versare in una volta. Non vorrei che l'acqua c'entrasse in casa con tutti i danni che può fare, mentre noi siamo seduti a un pranzo di sposa.

Lei disse: — Chiuderò bene.

— Non vale chiuder bene con l'acqua, o madre!

— Non è l'acqua che mi fa paura e non è per lei che voglio chiudere bene. Chiuderò bene perché ci sono gli zingari fermi coi loro cavalli sotto il portico del Santuario. E anche per qualcun altro che zingaro non è, ma cristiano.

Allora il prete con tutt'e due le mani si mise in testa il suo cappello nero. Nemmeno lui, nemmeno stavolta, l'aveva spuntata con sua madre, mia zia. Era (perché da anni si trova nel camposanto di San Benedetto e io posso sempre, senza sforzo di memoria, vedere sottoterra la sua faccia con le labbra premute) era una piccolissima donna, tutta nera, di capelli d'occhi e di vesti, ma io debbo ancora incontrare nel mondo il suo eguale in fatto di forza d'imperio e di immutabile coscienza del maggior valore dei propri pensieri a confronto di quelli altrui. Figurarsi che con lei io, un bambino di allora sette anni, avevo presto perduto il senso di quel diritto all'indulgenza di cui fanno tanto e quasi sempre impunito uso tutti i bambini. Devo però ricordare che la zia non mi picchiò mai, nemmeno da principio quando, per non conoscerla ancor bene, non temevo di peccare contro i suoi comandamenti; suo figlio il prete sí, piú d'una volta mi picchiò, facendomi un vero male.

Non si aveva ombrelli, ce n'era forse uno di ombrelli in tutto il paese. La zia mi prese per un polso e mi calò giú per i gradini fino a che mi trovai nell'acqua fangosa alta alle caviglie, e lí mi lasciò per risalire a chiudere bene. La pioggia battente mi costringeva a testa in giú e mi prese una vertigine per tutta quell'acqua che mi passava grassa e pur rapida tra le gambe. Guardai su a mio cugino e verso lui tesi una mano perché mi sostenesse. Ma lui stette a fissarmela un po' come se la mia mano fosse una cosa fenomenale, poi parve riscuotersi e cominciò ad armeggiare per tenersi la tonaca alta sull'acqua con una sola mano e reggermi con l'altra, ma prima che ci fosse riuscito la zia era già scesa a riprendermi. Poi anche il prete strinse un mio polso e cosí mi trainavano avanti. A volte mi sollevavano con uno sforzo concorde e mi facevano trascorrere sull'acqua per un breve tratto, e io questo non lo capivo, fosse stato per depositarmi finalmente sull'asciutto, ma mi lasciavano ricadere sempre nell'acqua, spruzzando io cosí piú fanghiglia e piú alta sulle loro vesti nere.

Mio cugino parlò a sua madre sopra la mia testa:
– Forse era meglio che il bambino lo lasciavamo a casa.

– Perché? Io lo porto per fargli un regalo. Il bambino non deve avercela con me perché l'ho uscito con quest'acqua, perché io lo porto a star bene, lo porto a un pranzo di sposa. E un pranzo di sposa deve piacergli, anche se lui viene dalla città –. Poi disse a me:
– Non è vero che sei contento di andarci anche con l'acqua? – ed io assentii chinando il capo.

Piú avanti, la pioggia rinforzava ma non poteva farci piú danno a noi ed ai nostri vestiti di quanto non n'avesse già fatto, io domandai cauto alla zia dov'era la casa di questa sposa che ci dava il pranzo. – Cadilú, – rispose breve la zia, e io trovai barbaro il nome di quel posto sconosciuto come cosí barbari piú non ho trovati i nomi d'altri posti barbaramente chiamati.

La zia aveva poi detto: – Prendiamo per i boschi.

Scoccò il primo fulmine, detonando cosí immediato e secco che noi tre ristemmo come davanti a un improvviso atto di guerra. – Comincia proprio sulle nostre teste, – disse il prete rincamminandosi col mento sul petto.

Dal margine del bosco guardando giú al piano si vedeva il torrente straripare, l'acqua scavalcava la proda come serpenti l'orlo del loro cesto. A quella vista mio cugino mise fuori un gran sospiro, la zia scattò la testa a guardarlo ma poi non gli disse niente, diede invece uno strattone al mio polso.

Lassú i lampi s'erano infittiti, in quel fulminio noi arrancavamo per un lucido sentiero scivoloso. Per quanto bambino, io sapevo per sentito dire da mio padre che il fulmine è piú pericoloso per chi sta o si muove sotto gli alberi, cosí incominciai a tremare ad ogni saetta, finii col tremare di continuo, e i miei parenti non potevano non accorgersene attraverso i polsi che sempre mi tenevano.

Dopo un tuono, la zia comandò a suo figlio: – Su, di' una preghiera per il tempo, una che tenga il fulmine lontano dalle nostre teste.

Io m'atterrii quando il prete le rispose gridando: – E che vuoi che serva la preghiera! – mettendosi poi a correr su per il sentiero, come scappando da noi.

– Figlio! – urlò la zia fermandosi e fermandomi:

– Adesso sí che il fulmine cadrà su noi! Io lo aspetto, guardami, e sarai stato tu...!

– Nooo, madre, io la dirò! – gridò lui tornando a salti giú da noi, – la dirò con tutto il cuore e con la piú ferma intenzione. E mentre io la dico tu aiutami con tutto lo sforzo dell'anima tua. Ma... – balbettava, – io non so che preghiera dire... che si confaccia...

Lei chiuse gli occhi, alzò il viso alla pioggia e a bassa voce disse come a se stessa: – Il Signore mi castigherà, il Signore mi darà l'inferno per l'ambizione che ho avuta di metter mio figlio al suo servizio e il figlio che gli ho dato è un indegno senza fede che non crede nella preghiera e cosí nemmeno sa le preghiere necessarie –. Poi gli gridò: – Recita un pezzo delle rogazioni! – e si mosse trascinandomi.

Dietro ci veniva il prete con le mani giunte e pregando forte in latino, ma nemmeno io non credevo al buon effetto della sua preghiera, perché la sua voce era piena soltanto di paura, paura soltanto di sua madre. E lei alla fine gli disse: – Se il fulmine non ci ha presi è perché di lassú il Signore ha visto tra noi due questo innocente, – e suo figlio chinò la testa e le mani disintrecciate andarono a sbattergli contro i fianchi.

Eravamo usciti dal bosco e andavamo incontro alle colline, ma il mio cuore non s'era fatto men greve, perché quelle colline hanno un aspetto cattivo anche nei giorni di sole. Da un po' di tempo la zia mi fissava la testa, ora io me la sentivo come pungere dal suo sguardo frequente. Non reggendoci piú alzai il viso al viso di mia zia, e vidi che gli occhi di lei insieme con la sua mano sfioravano i miei capelli fradici, e la sua mano era distesa e tenera stavolta come sempre la mano di mia madre, e pure gli occhi mi apparivano straordinariamente buoni per me, e meno neri. Allora mi sentii dentro un po' di calore ed insieme una voglia di piangere. Un po' piansi, in silenzio, da grande, dovevo solo badare a non singhiozzare, per il resto l'acqua irrorava la mia faccia.

La zia disse a suo figlio: – Togliti il cappello e daglielo a questo povero bambino, mettiglielo tu bene in testa.

Era chiaro che lui non voleva, e nemmeno io volevo, ma la zia disse ancora: – Mettigli il tuo cappello, la sua testa è la piú debole e ho paura che l'acqua arrivi a toccargli il cervello –. Doveva ancor finir di parlare che io vidi tutto nero, perché il cappello m'era sceso fin sulle orecchie, per la larghezza e per il gesto maligno del prete. Me lo rialzai sulla fronte e mi misi a guardar nascostamente mio cugino: si ostinava a ravviarsi i capelli che la pioggia continuamente gli scomponeva, poi l'acqua dovette dargli un particolare fastidio sul nudo della chierica perché trasportò là una mano e ce la tenne.

Diceva: – A quanto vedo, siamo noi soli per strada. Non vorrei che lassú trovassimo che noi soli ci siamo mossi in quest'acqua per il pranzo, e la famiglia della sposa andasse poi a dire in giro che il prete e sua madre hanno una fame da sfidare il diluvio.

E la zia, calma: – Siamo soli per questa strada perché del paese hanno invitato noi soli. Gli altri vanno a Cadilú dalle loro case sulle colline. Ricordati che dovrai benedire il cibo.

Gli ultimi lampi, io li avvertivo per il riflesso giallo che si accendeva prima che altrove sotto l'ala nera del cappello del prete, ma erano lampi ormai lontani e li seguiva un tuono come un borborigmo del cielo. Invece la pioggia durava forte.

Poi la zia disse che c'eravamo, che là era Cadilú, e

324

io guardai alzando gli occhi e il cappello. Vidi una sola casa su tutta la nuda collina. Bassa e storta, era di pietre annerite dall'intemperie, coi tetti di lavagna caricati di sassi perché non li strappi il vento delle colline, con un angolo tutto guastato da un antico incendio, con un'unica finestra e da quella spioveva foraggio. Chi era l'uomo che di là dentro traeva la sua sposa? E quale poteva essere il pranzo nuziale che avremmo consumato fra quelle mura?

Ci avvicinavamo e alla porta si fece una bambina a osservar meglio chi veniva per dare poi dentro l'avviso: stava all'asciutto e rise forte quando vide il bambino vestito da città arrivare con in testa il cappello del prete. Fu la prima e la piú cocente vergogna della mia vita quella che provai per la risata della bambina di Cadilú, e mi strappai di testa il cappello, anche se cosí facendo scoprivo intero il mio rossore, e malamente lo restituii al prete.

Pioggia e la sposa: non altro che questo mi balzò dalla memoria il giorno ormai lontano in cui da una voce sgomenta seppi che mio cugino, il vescovo avendolo destinato a una chiesa in pianura e sua madre non potendovelo seguire, una volta solo e lontano dagli occhi di lei, s'era spretato, e lassú in collina mia zia era subito morta per lo sdegno.

Assonanze

La resistenza armata nella narrativa italiana di Giovanni Falaschi, Einaudi, 1976.

«Blandamente allineato a sinistra nel dopoguerra, Fenoglio non rivela però spiccati interessi politici né traduce nei suoi libri il travaglio ideologico di molti suoi coetanei negli anni successivi al 1948. Contrariamente a quanto accade agli scrittori politicizzati che bruciano al fuoco delle vicende collettive anche la propria attività letteraria, Fenoglio appare uno scrittore molto lento nel centrare il clima della società italiana, e questo gli permette di continuare a scrivere sulla Resistenza con lo slancio dell'immediato dopoguerra quando gli scrittori italiani piú importanti se ne erano allontanati da un pezzo; e se alcuni vi ritornavano, il distacco reale da quel momento storico appariva incolmabile (si pensi alla disideologizzazione della Resistenza nella *Ragazza di Bube* di Cassola).

A questa luce le sue caratteristiche di scrittore risultano piú evidenti: non pubblica articoli teorici né inserisce nelle opere riflessioni di natura astratta. Diffidente verso l'ideologia, ne guadagna come narratore, penetrando nelle ragioni concrete e brutali degli avvenimenti e dimostrando una visione precisa di quegli aspetti della realtà che invece ragioni di opportunità politica avrebbero sconsigliato di raccontare, o che prospettive politiche molto ampie avrebbero fatto trascurare. Ed ecco che la paura, la fuga, la disperazione dei partigiani, l'esplosione di loro istinti sanguinari, le sconfitte, il loro assottigliarsi nei momenti critici, il dilettantismo di alcuni e l'incoscienza dimostrata dai piú giovani, vengono da lui coraggiosamente dichiarati. Obbedendo alle regole della cronaca, recupera quei dati che sfuggono alla ricostruzione storica o, meglio, che gli autori delle ricostruzioni storiche tacciono...

Il mondo è il prodotto della condizione umana, che è di lotta, e, per il realismo di Fenoglio, ne è lo spazio materiale. Che lo scrittore si sia occupato nella sua opera di vicende accadute in Alba e dintorni non è indizio di provincialismo o di fragilità ideologica; per lui il confine geografico non ha nessuna importanza perché il destino è uguale per tutti gli uomini, dovunque esso li abbia sbalzati ad abitare, ed Alba e dintorni ripetono in una fascia di terra ristretta le condizioni universali della vita. Tutto questo, Fenoglio non lo dice esplicitamente ma è desumibile con certezza da quanto ho detto finora. Questa generalizzazione della condizione umana è possibile a Fenoglio grazie ai suoi legami profondi con la società ed anche con la mentalità contadina. Infatti s'è già notato come egli rimanga fedele fino alla fine (cioè per quasi un ventennio) alla tematica dei suoi inizi di scrittore (lotta partigiana e mondo langarolo) e come, parallelamente, non rimanga per niente turbato dal rapidissimo mutamento economico che sconvolge l'Italia a cominciare dagli anni 1953-54. E questo perché il mondo langarolo gli fornisce non solo la materia narrativa ma anche alcuni strumenti fondamentali per interpretarla. Due di questi sono: 1) racconto di soli fatti memorabili; 2) misura del tempo...

Definire la morte come una sconfitta o una vittoria dell'individuo è un privarla della sua realtà fisica e attribuirle un significato soltanto umano: è una concezione umanistica della morte. Fenoglio invece ne ha una concezione fisica: che avvenga per suicidio o per omicidio (non naturalmente, perché allora non fa cronaca) essa è la conclusione di una vicenda nella quale gli avvenimenti trascorrono in modo tale da distruggere l'individuo come entità morale dotata di vitalità...»

Fenoglio, I testi, l'opera di Eduardo Saccone, Einaudi, 1988.

«Senza speranza, solitario e caparbio come Sisifo, ostinato a impiegare in qualche modo il tempo concessogli, il partigiano di Fenoglio, orgogliosamente diverso, ma alla fine anche dolorosamente "separato" e stanco di eroismo – l'ombra di un combattente destinato alla morte – non cessa di "tenersi fermo nell'interno del nulla". Diviso, sentimentale e snob, traente ogni energia da questa tensione, ma incapace di credere completamente nella propria persona, quando sarà il momento di rinunciare al proprio desiderio, e di guardare in viso lucidamente al proprio destino, lo farà "senza storie", con una semplicità e un realismo che non sorprendono, costituendo essi in effetti il rovescio naturale, l'altra faccia del suo romanticismo. I personaggi di Fenoglio sono, si sa, in un senso profondo sempre autobiografici. E anche nel suo caso, come forse accade sempre nei moderni romanzi e racconti autobiografici, la scrittura nasce sulle ceneri della vita. Fenoglio, sopravvissuto a quella esperienza straordinaria che fu per lui la Resistenza, non si mise certamente a ricordarla con nostalgia: nulla di piú alieno dal suo gusto e dai suoi intenti. Sopravvissuto, morto vivente, vivente che ha fatto l'esperienza della morte, che ha vissuto la morte, abitante finalmente di un limbo, "in attesa di incappare nelle reti degli angeli", impegnerà il poco tempo concessogli (quasi metà della sua breve vita), con un accanimento pari solo all'ostinata disperazione in un estremo esercizio, un'altra eroica e futile fatica di Sisifo: non il ricordo, ma la scrittura della vita».

335

*Stampato nel dicembre 1996 per conto della Casa editrice Einaudi
presso G. Canale & C., s.p.a., Borgaro (Torino)*

C.L. 11785